Ignorância

PETER BURKE

Ignorância

Uma história global

TRADUÇÃO
Rodrigo Seabra

3ª REIMPRESSÃO

VESTÍGIO

Copyright © 2022 Peter Burke
Publicado originalmente pela Yale University Press.
Copyright desta edição © 2023 Editora Vestígio

Título original: *Ignorance: A Global History*

Todos os direitos reservados pela Editora Vestígio. Nenhuma parte desta publicação poderá ser reproduzida, seja por meios mecânicos, eletrônicos, seja via cópia xerográfica, sem a autorização prévia da Editora.

DIREÇÃO EDITORIAL
Arnaud Vin

EDITOR RESPONSÁVEL
Eduardo Soares

ASSISTENTE EDITORIAL
Alex Gruba

PREPARAÇÃO DE TEXTO
Eduardo Soares

REVISÃO
Aline Sobreira

CAPA
Diogo Droschi
(sobre imagem de csaimages.com)

PESQUISA ICONOGRÁFICA
Maria Eduarda Oliveira

DIAGRAMAÇÃO
Guilherme Fagundes

Dados Internacionais de Catalogação na Publicação (CIP)
Câmara Brasileira do Livro, SP, Brasil

Burke, Peter
  Ignorância : uma história global / Peter Burke ; tradução Rodrigo Seabra. -- 1. ed. ; 3. reimp. -- São Paulo : Vestígio, 2025.

  Título original: Ignorance : A Global History
  ISBN 978-65-6002-000-9

  1. Ciências sociais 2. Ignorância (Teoria do conhecimento) 3. Sociedade 4. Sociedade - História I. Seabra, Rodrigo. II. Título.

23-146757   CDD-300.09

Índice para catálogo sistemático:
1. Ciências sociais : História da Sociedade   300.09

Henrique Ribeiro Soares - Bibliotecário - CRB-8/9314

A **VESTÍGIO** É UMA EDITORA DO **GRUPO AUTÊNTICA**

São Paulo
Av. Paulista, 2.073 . Conjunto Nacional
Horsa I . Salas 404-406 . Bela Vista
01311-940 São Paulo . SP
Tel.: (55 11) 3034 4468

Belo Horizonte
Rua Carlos Turner, 420
Silveira . 31140-520
Belo Horizonte . MG
Tel.: (55 31) 3465 4500

www.editoravestigio.com.br
SAC: atendimentoleitor@grupoautentica.com.br

Para os professores deste mundo, heróis e heroínas na tentativa diária de remediar a ignorância.

A educação não é cara. Cara mesmo é a ignorância.
Leonel Brizola

Será que poderia haver um campo mais amplo do que...
um tratado sobre a ignorância?
Francesco Petrarca

Sumário

Apresentação, de *Renato Janine Ribeiro* 11
Prefácio e agradecimentos 17

Parte I: A ignorância na sociedade 21

1 O que é a ignorância? 23
2 Filósofos e a ignorância 39
3 Ignorância coletiva 43
4 Estudando a ignorância 53
5 Histórias da ignorância 63
6 A ignorância da religião 72
7 A ignorância da ciência 91
8 A ignorância da geografia 107

Parte II: Consequências da ignorância 137

9 A ignorância na guerra 139
10 A ignorância nos negócios 156
11 A ignorância na política 182
12 Surpresas e catástrofes 210
13 Segredos e mentiras 227
14 Futuros incertos 261
15 Ignorando o passado 275

Conclusão: o novo conhecimento e a nova ignorância 288
Glossário 309
Notas de fim 313

Apresentação

Renato Janine Ribeiro[1]

SERIA FÁCIL IMAGINAR de que trata este livro – mas seria, também, equivocado. Uma história e sociologia da ignorância, escrita por Peter Burke: facilmente esperaríamos uma denúncia da ignorância arrogante que tomou conta de nosso tempo. Diríamos então que esta obra é oportuna, que vem a calhar no momento propício – e isso é certo, mas apenas em parte. Dos livros, como de qualquer ação (e escrever é agir – *publicar*, ainda mais), pode-se dizer que têm seu *kairós,* a bela palavra do grego antigo para designar o tempo azado, o momento certo para uma ação, aquele em que ela gera o máximo e melhor resultado.

Mas uma obra também pode ser importuna, o que foi celebrizado por Nietzsche, com a ideia do *unzeitmässig,* aquilo que não se mede pelo tempo (presente), o inoportuno em sentido positivo, que melhor traduziríamos como aquilo que importuna, perturba. É esse o sentido das *Considerações intempestivas,* ou *importunas,* do filósofo alemão: o que extrapola o consenso, o senso comum, os lugares-comuns do tempo atual, para nos desconcertar, abrir perspectivas novas, olhares inesperados. Pois este livro que ora apresento mostra os dois registros.

Comecemos pela sua *oportunidade.* É mais que necessário estudar a ignorância neste momento em que ela se tornou arrogante. Lembro certa vez em que Antonio Candido, então vice-presidente da Associação de Docentes da Universidade de São Paulo (Adusp), redigiu um manifesto de nossa associação, em que protestava contra a "ignorância

---

[1] Renato Janine Ribeiro é professor titular de Ética e Filosofia Política da Universidade de São Paulo, ex-ministro da Educação (em 2015) e presidente da Sociedade Brasileira para o Progresso da Ciência (SBPC).

irrequieta" que então mandava na Universidade. Um amigo sociólogo estranhou: a ignorância se esconde, disse ele; irrequietos são a curiosidade, o conhecimento. Eu pensei: não. E os anos deram razão a Candido: nos últimos tempos, fomos assolados por uma ignorância irrequieta, exuberante, agressiva. O presente ódio à ciência – e à imprensa – tem tudo a ver com esse repúdio à verdade, que fez multidões consagrarem nas urnas, aqui e nos vários continentes habitados (talvez com a exceção da Oceania), a mentira despudorada.

Não é fortuito que essa aversão à verdade resulte em ataques. A quem? Primeiro, a quem trabalha com a ciência, com o conhecimento rigoroso. Para nós, a verdade é sempre provisória; não somos seus *donos*, assim como os primeiros filósofos, na Grécia Antiga, recusavam o título de sábios, para se dizerem apenas *amigos da sabedoria* (ou do *saber*), *philosophoi*. Como amigos, procuramos acercar-nos da verdade, mas sabendo que nosso esforço sempre será, em alguma medida, baldado, que nossas descobertas serão provisórias, que – como dizia Sócrates – "só sei que nada sei", o que mais tarde será chamado de "douta ignorância", para diferenciar a ignorância daquele que sabe e a daquele que não sabe – e não saber é, essencialmente, não saber quais são os limites daquilo que se sabe e do que não se sabe. A ideia de cursos sobre a ignorância, mencionada neste belo livro, tem tudo a ver com isso. Karl Popper, que também comparece nas páginas adiante, promoveu um verdadeiro salto no conhecimento científico, ao afirmar que teses científicas não se provam, que estão sempre em *sursis*, que uma proposição científica é aquela que vige enquanto não é provada falsa (não é "falseada" ou "falsificada", para empregar as duas traduções, ambas insuficientes em português). Mas, mesmo assim, o que temos na ciência é uma busca de algo que ainda chamamos de verdade.

Isso também vale para o (bom) jornalismo. Ele precisa – talvez mais modestamente, mas de forma absolutamente necessária – apurar os fatos. O repórter é aquele que reporta, registra, informa. Ele faz isso sob a forma de *stories*, a palavra inglesa que em nossa língua se diz "reportagem" (que também nos vem do inglês): uma *story* enfatiza seu aspecto narrativo, redacional, a forma da exposição e do resultado, enquanto o papel do repórter, em nossa língua pelo menos, tem mais a ver com a apuração, a checagem dos fatos, a exposição ao "outro lado", em suma, a forma da descoberta. Do cientista como do jornalista, esperamos que apure, constate, debata e, finalmente, publique. E, no resultado que lemos, seja num periódico indexado, seja num veículo sério de mídia, contamos que tenha sobrevivido ao questionamento e, portanto, nos dê elementos para ir adiante. A apuração da verdade, ainda que contingente, tem a ver então com alguma fé, iluminista sim, no progresso: a ciência permite melhorar a vida, assim como a mídia deve nos enriquecer como seres humanos, seja nos artigos mais "duros", que nos falam de política ou de economia, seja nos mais leves, que nos fazem circular no plano do entretenimento.

Ora, nos últimos anos, desde a crise de 2008, que derrubou a maior parte das economias, temos assistido a uma intensa *produção da ignorância*. O que surpreende, porém, é que esta tenha sido, e ainda seja, tão *sedutora*. Crianças pequenas voltam da escola ansiosas por repartir com os pais o que aprenderam, e é pena que com o passar dos anos essa experiência do prazer em conhecer seja perdida para a maior parte. (O que demanda que revisemos a fundo nosso modo de conceber a educação). A razão cedeu lugar às paixões, e, no seio destas, às negativas, ao ódio mais que ao amor, à briga mais que à amizade. A pergunta, aqui, é como se tornou tão popular a rejeição do Iluminismo, da ideia setecentista de que o conhecimento traz as luzes que nos proporcionam o progresso material, espiritual e moral. Talvez seja esta, hoje, a pergunta mais *oportuna* que este livro nos ajuda a formular e a responder.

***

Bem podemos dizer que a ignorância, como a miséria, não é um resto que o progresso está extirpando e que reduzirá a nada, ou a bem pouco. Não, ambas são produzidas. O Brasil é um *success case* na produção de miséria. Nosso país deveria ser mais estudado, a esse respeito. Desde a invasão iniciada em 1500, foram introduzidas a escravidão, primeiro dos indígenas e, depois, dos africanos, a miséria, que provavelmente não existia antes dessa data, embora as condições de vida pudessem ser modestas, a exploração desmedida da natureza, a desigualdade gritante no interior da sociedade. Causa espécie quando ouvimos, nos países colonizadores, algum clamor pelo respeito aos "aspectos positivos da colonização": sem dúvida somos, no Brasil, formados pela língua portuguesa, pela cultura europeia (e, mais recentemente, pelas culturas que vão do Oriente Próximo ao Extremo), mas o custo dessa formação foi elevado; e, se não é possível recuar no tempo e desfazer o mal que foi feito, tampouco tem qualquer sentido acalmar as consciências culpadas dos descendentes dos colonizadores europeus elogiando o que de bom seus avós teriam feito.

Ora, se há uma produção da miséria, por que não haveria também um sistema produzindo ignorância? Assim como tendemos a crer que o nível de vida sobe constantemente e que, portanto, o simples jogo do mercado poderá um dia pôr fim à miséria, acreditamos que o progresso da ciência dará cabo da ignorância, qualificando todos para trabalhos melhores e mais bem remunerados. Porém, não é assim.

Os últimos anos mostraram uma expansão da ignorância antes, talvez, inédita. Assistimos à difusão do que é errado ou falso em escala global. O negacionismo em relação à covid e seu vírus foi o ponto alto de um processo que começou pela recusa da ética pública que a humanidade estava gerando, após o trauma da Segunda Guerra Mundial e a boa nova da queda das ditaduras comunistas no Leste Europeu e das ditaduras pró-americanas da América Latina. Vivemos um período não apenas de crescente aumento do número de pessoas que podem escolher pelo voto o governo de sua preferência, mas também – na vida privada – podem decidir livremente seguir sua orientação sexual, proclamar sua opção política ou religiosa, dizer o que pensam sobre coisa pública ou pessoal. No entanto, duas ou três décadas depois dessa grande abertura (que podemos datar da primeira metade dos anos 1980 na América Latina e da segunda metade na Europa Oriental), vivemos um terrível e inesperado refluxo. Não apenas se reduziu a quantidade de países e de pessoas praticando a democracia, como ocorreram muitos casos em que, pelo próprio voto, pela própria liberdade de expressão e organização, se escolhe o cativeiro. Vivenciamos episódios, por todo o globo, de servidão voluntária, para empregar a feliz escolha de La Boétie para algo profundamente infeliz, que é a busca, por meio da liberdade, da submissão.

***

Vamos, agora, aos pontos em que este livro mais nos *importuna*. Porque, afinal de contas, é fácil – para o público específico deste livro

– condenar a ignorância e celebrar o (próprio) conhecimento. Elogio em boca própria é vitupério, como aprendemos, mas mesmo assim nos sentimos como uma espécie privilegiada, graças a nossos esforços, pelo que conhecemos, amigos que somos (ou usuários, ou simpatizantes) da ciência, do saber ou da verdade. Mas será a ignorância sempre nociva?

Já antecipamos, como Peter Burke desenvolverá adiante, que há uma ignorância gêmea do conhecimento – aquela que, a cada descoberta científica, desponta como o desafio seguinte a ser pesquisado. Da forma como o concebemos, jamais o conhecimento se torna pleno. Para um cientista contemplativo medieval, ou um teólogo, essa completude do saber podia ser um pressuposto ou uma meta. Não para nós, modernos ou contemporâneos. Yuval Harari retoma, talvez sem perceber, a famosa ideia de Sócrates a que antes aludimos, quando diz que nunca a humanidade soube tanto, e isso *justamente porque* (e não apesar de) nunca teve tanta consciência do que *não sabe*. Há, pois, uma ignorância positiva, produtiva.

E há também uma consciência crescente do que a humanidade, ou suas lideranças, deliberadamente ignoraram. Quando novas vozes vêm à cena, elas trazem conhecimentos antes desprezados. Lembro quando – na qualidade de diretor da CAPES – fiz parte do grupo preparatório da visita do presidente Lula à Índia, em 2008. Eu fora incumbido de propor um acordo em torno dos *usual suspects*, biotecnologia, nanotecnologia e algum terceiro tema. De repente, o responsável indiano pela pós-graduação me perguntou: e a medicina tradicional brasileira? Afinal, estávamos na terra do Ayurveda, uma medicina que tem milhares de anos. Ora, o que eu sabia das práticas médicas de nossos indígenas e caboclos? Não sou da área da Saúde, mas, além disso, sabia que meus companheiros desse campo também ignoram a maior parte dos saberes (ou não-saberes) populares. Mas é claro que, antes de pronunciar um veredito sobre eles, era (e é) preciso pesquisá-los. Saber, como reitera Burke, que nada ou pouco sabemos a respeito é um bom começo. É Sócrates em ação: tudo o que sei é que não sei.

***

E de que maneira podemos *importunar*? Não será este um dos principais papéis do intelectual? Retirar as pessoas de seu cotidiano, abrir novas janelas em suas vidas? Não é isso, por sinal, o que fizeram e fazem os *artistas*? Aquelas pinturas renascentistas que têm, em algum ponto, suas *vedute* – aquelas aberturas por onde descortinamos algo *diferente* da cena principal do quadro – não são um fascínio? Mas, mais que fascinar, podem nos indicar que *outros mundos são possíveis*. Com este livro, podemos então entrar em várias veredas, vários *senderos que se bifurcan,* como intitulou Jorge Luis Borges uma de suas obras (referindo-se a um *jardim*, essa criação oriental que, dizem-nos os dicionários, em persa se chama *pardis* e significa a um só tempo *jardim* – óbvio – e *paraíso*); vários *Holzwege*, o título que Heidegger deu a um de seus principais livros, traduzido em francês como *Sentiers qui ne mènent nulle part* e que o tradutor explicava como sendo os caminhos no meio da floresta nos quais nos perdemos – e, com isso, nos encontramos; e, para fechar, meu colega de graduação Pedro de Moraes um dia, nos corredores da Maria Antônia – onde estudávamos e onde, em março de 2023, Peter Burke abriria as atividades da Reunião Anual da Sociedade Brasileira para o Progresso da Ciência (SBPC), que hoje está sediada lá, falando justamente da ignorância –, me disse que traduziria *Holzwege* como *Entreveredas*, uma expressão que lembra, claro, Guimarães Rosa. Pois bem, este livro nos faz enveredar por inúmeros possíveis em torno do conhecimento, do sempre difícil progresso da ciência, da luta secular entre o Iluminismo dos *Philosophes* e do grande *Aufklärer* que foi Kant e, por outro lado, desse descobridor da intimidade e do poder dos afetos que tivemos em Rousseau. Conhecer a ignorância é uma quase contradição que Peter Burke nos ajuda a esclarecer e, quando não pudermos esclarecê-la, a conviver com sua relativa escuridão.

Prefácio e agradecimentos

A IGNORÂNCIA, DEFINIDA COMO a ausência de conhecimento, pode não soar nem um pouco como um tópico a ser discutido – um amigo, inclusive, imaginou que um livro sobre o assunto não conteria nada além de páginas em branco. No entanto, o assunto vem despertando um interesse crescente, estimulado pelos espetaculares exemplos de ignorância dos presidentes Trump, nos Estados Unidos, e Bolsonaro, no Brasil, para não falar de outros governos.[1]

Na verdade, a tarefa multidisciplinar conhecida como "estudos sobre a ignorância" vem ganhando força nos últimos trinta anos, como explicará o capítulo quatro, ainda que os historiadores raramente tenham se envolvido com o assunto há até pouco tempo. Parece ser uma boa hora para uma visão geral do papel da ignorância no nosso passado, incluindo a ignorância ativa. Cheguei a acreditar que seu papel tivesse sido subestimado, levando a mal-entendidos, erros de julgamento e outros enganos, muitas vezes com consequências desastrosas. Esse ponto fica particularmente óbvio num momento em que as respostas dos governos às mudanças climáticas são muito poucas e muito tardias, mas, como espero mostrar, tanto os tipos de ignorância quanto os tipos de desastre que dela resultam são muitos e variados.

Escrevi este livro para dois tipos de pessoa. Primeiro, para os leitores em geral. Como cada indivíduo é uma combinação única de conhecimento e ignorância – ou, como prefiro dizer, de *conhecimentos* e *ignorâncias* –, o tema é certamente de interesse geral. Em segundo lugar, escrevi para outros estudiosos – não apenas os profissionais da minha própria área, mas também os de todas as disciplinas nas quais a ignorância é hoje estudada. Espero e torço para que esta tentativa de apresentar um "quadro geral" do que foi e do que pode ser feito encoraje alguns estudiosos mais jovens a entrar no que ainda não é exatamente um "campo de estudo" – e, claro, a criticar, qualificar e refinar minhas conclusões provisórias.

Uma futura "história da ignorância" pode vir a ser organizada de forma tradicional como uma narrativa organizada século a século. Tal narrativa dependeria de se identificarem tendências gerais que fossem comuns a diferentes campos. Se este livro incentivar futuros estudos desse tipo, ficarei mais do que feliz. Mas, no momento, dada a atual ignorância a respeito da história da ignorância, parece mais realista organizar um estudo geral como uma série de ensaios sobre tópicos particulares.

O que se vê adiante se concentra, assim como meus estudos anteriores sobre o conhecimento, no Ocidente nos últimos quinhentos anos, apesar de oferecer uma série de exemplos da Ásia e da África. Tal concentração está aberta a críticas por dois motivos opostos: de um lado, por não levar em conta o resto do mundo e os séculos anteriores; de outro, por ir além dos limites da minha própria pesquisa sobre a Europa de 1500 a 1800.

Espero persuadir os leitores de que, sendo esse o caso, assim como em muitos outros conflitos, faz-se necessário chegar a um meio-termo. Minha razão para dizer pouco ou nada sobre períodos anteriores, ou sobre muitas outras partes do globo, é simples: "Ignorância, madame, pura ignorância", como o escritor Samuel Johnson certa vez explicou a uma senhora que apontou um erro em um de seus livros. Por outro lado, acredito firmemente que as comparações e os contrastes entre o começo da Europa moderna e o mundo moderno atual ofereçam *insights*. Essa minha crença se viu fortalecida pelo exemplo de Françoise Waquet, que publicou vários livros sobre o conhecimento, todos concernentes aos últimos quinhentos anos.[2]

A visão de tão extenso período revela que práticas muitas vezes consideradas recentes, tais como vazamento de dados e desinformação, na verdade remontam a séculos atrás. Ela também chama a atenção para mudanças graduais, quase imperceptíveis, naquilo que não era conhecido e que não respeita a divisão entre períodos chamados de "moderno primitivo" (antes de 1800) e o "moderno tardio".

Cada capítulo deste livro vai, portanto, discutir exemplos de ambos os lados dessa divisão.

A visão geral aqui apresentada deveria ser mais bem encarada como um prólogo para uma história futura, um reconhecimento de um terreno no qual muitos espaços ainda estão em branco. A ideia de um mapa do desconhecido pode parecer uma contradição. Mesmo assim, tal como alguns colegas da história e das ciências sociais, acredito que se trate de um projeto viável. Os críticos podem chamar essa tentativa de "prematura". Eu responderia que um reconhecimento desse tipo é particularmente útil neste momento de início de interesse pela história da ignorância. Olhando para o futuro, espero encorajar e orientar potenciais autores de estudos futuros, oferecendo hipóteses que eles podem pôr à prova e os encorajando a situar suas pesquisas dentro de um quadro mais amplo. A investigação aprofundada de um especialista e a visão panorâmica de um generalista estimulam uma à outra e dependem uma da outra.

* * *

Como no caso de meus livros anteriores, amigos e colegas foram de grande ajuda, diminuindo minha ignorância a respeito da(s) ignorância(s) por meio de seus conselhos gerais, comentando meus rascunhos e sugerindo lacunas a serem preenchidas e referências a serem seguidas. Meus mais calorosos agradecimentos a Richard Drayton, Tim Harris, Julian Hoppit, Joe McDermott, Alan Macfarlane, Juan Maiguashca, David Maxwell, Anne Ploin, James Raven, David Reynolds, Jake Soll, Kajsa Weber, Iro Zoumbopoulos e Ghil'ad Zuckermann. Sou particularmente grato a Geoffrey Lloyd, por compartilhar comigo sua experiência a respeito da Grécia antiga e da China, e também a dois revisores anônimos por seus comentários construtivos. Agradecimentos especiais também a Cao Yijing, por sugerir que eu escolhesse a ignorância como tema das Palestras Gombrich, originalmente programadas para 2002, mas ainda não entregues; a Lukas Verburgt, colega de trabalho no "campo" da ignorância, por nossas muitas conversas sobre o assunto, bem como por ler toda a primeira versão deste texto; e, mais uma vez, à minha esposa, Maria Lúcia, por suas referências, bem como por seus comentários incisivos sobre a primeira versão.

Parte I
A ignorância na sociedade

1
O que é a ignorância?

A ignorância é uma criação social, tal como o conhecimento.
Michael Smithson

O projeto de escrever uma história da ignorância soa quase tão estranho quanto o desejo de Flaubert de escrever um livro sobre o nada, *un livre sur rien*, "um livro que não dependesse de nada externo [...] um livro que não tivesse quase nenhum assunto, ou pelo menos no qual o assunto fosse quase invisível"; em outras palavras, uma tentativa de alcançar uma forma pura.[1] Parece apropriado que Flaubert não tenha escrito nada sobre o nada. Por outro lado, muito foi escrito sobre a ignorância, principalmente de maneira negativa. Existe uma longa tradição de denunciar a ignorância, por diferentes motivos e razões.

DENUNCIANDO A IGNORÂNCIA

Os falantes de árabe falam do período pré-islâmico como a "Era da Ignorância" (*al-Jahiliyya*). Durante a Renascença, os humanistas enxergaram o que eles foram os primeiros a chamar de "Idade Média" como uma era de escuridão. No século XVII, Lorde Clarendon, o historiador da Guerra Civil inglesa, descreveu os Pais da Igreja como "grandes luzes que surgiram em tempos muito escuros [...] tempos de tanta barbárie e ignorância".[2] Durante o Iluminismo, a ignorância foi apresentada como um suporte ao "despotismo", ao "fanatismo" e à "superstição", todos os quais seriam varridos em uma era de conhecimento e razão. George Washington, por exemplo, declarou que "a fundação de nosso império [os Estados Unidos da América] não foi lançada na era sombria da ignorância e da superstição".[3]

Visões como essas continuaram a ser atuais muito tempo depois. Por exemplo, o termo "*al-Jahiliyya*" foi aplicado a períodos mais recentes por muçulmanos radicais, como o intelectual egípcio Sayyid Qutb, visando particularmente aos Estados Unidos.[4] A ignorância foi um dos "cinco gigantes" que o político liberal William Beveridge prometeu matar (junto à pobreza, à doença, à miséria e à ociosidade). O relatório de Beveridge serviu como fundamento do Estado de bem-estar social britânico pelo governo trabalhista de 1945.[5]

Mais recentemente, nos Estados Unidos, Charles Simic escreveu que "a ignorância generalizada, beirando a idiotice, é nosso novo objetivo nacional", enquanto Robert Proctor, historiador da ciência, declarou nosso próprio tempo como sendo uma "era de ouro da ignorância".[6] Embora estejamos bem cientes de que sabemos muita coisa que as gerações anteriores não sabiam, estamos muito menos cientes das coisas que eles já sabiam e que hoje nós não sabemos. Os exemplos dessa perda de conhecimento – a serem discutidos mais adiante – vão desde a familiaridade com os clássicos gregos e romanos até o conhecimento cotidiano da história natural.

No passado, uma das principais razões para a ignorância dos indivíduos era o fato de que muito pouca informação circulava em sua sociedade. Parte do conhecimento era do tipo que o historiador Martin Mulsow chama de "precário", registrado apenas em manuscritos e mantido escondido, porque as autoridades, tanto da igreja como do Estado, rejeitavam-no.[7] Hoje, paradoxalmente, a abundância se tornou um problema que é conhecido como "sobrecarga de informação". Os indivíduos experimentam um *dilúvio* de informações e muitas vezes não conseguem selecionar o que querem ou do que precisam, uma condição que também é conhecida como "falha de filtro". Como consequência disso, nossa assim chamada era da informação "permite a difusão da ignorância tanto quanto a difusão do conhecimento".[8]

ELOGIANDO A IGNORÂNCIA

Em resposta à tradição de denunciar a ignorância, encontramos uma contratradição: um número relativamente pequeno de pensadores e escritores que ousaram sugerir que o entusiasmo pelo conhecimento ("epistemofilia") tem seus perigos, enquanto a ignorância é uma bênção, ou pelo menos apresenta algumas vantagens. Alguns desses autores, em particular na Itália renascentista, eram brincalhões, elogiando a ignorância junto à calvície, aos figos, às moscas, às salsichas e aos cardos, apenas para mostrar sua engenhosidade com as palavras e suas habilidades retóricas, revivendo a tradição clássica do falso elogio.

Mas, falando mais a sério, uma longa tradição, começando com Santo Agostinho, criticou a curiosidade "vazia", deixando implícito que certo tipo de ignorância é uma opção mais sábia. O clero do início da era moderna, fosse católico, fosse protestante, era geralmente hostil à curiosidade, "tratando-a como um pecado, geralmente venial, mas às vezes mortal".[9] Ela foi apresentada como um pecado mortal na lenda de Fausto, que inspirou peças, óperas e romances.[10] Quando Kant usou a frase "Ouse saber" (*Sapere Aude*) como o lema do Iluminismo, estava reagindo contra a recomendação bíblica "Não pretenda saber do que é superior, apenas tema" (*Noli altum sapere, sed time*), parafraseada pelo poeta Alexander Pope como "não presuma conhecer a Deus".[11]

Alguns argumentos seculares complementaram os argumentos religiosos. Michel de Montaigne sugeriu que a ignorância era uma receita melhor para a felicidade do que a curiosidade. O filósofo naturalista Henry Thoreau desejava fundar uma Sociedade para a Difusão da Ignorância Útil como um complemento à já existente Sociedade para a Difusão do Conhecimento Útil.[12] Em seus *Estudos da natureza* (1784), o romancista e botânico Bernardin de Saint-Pierre elogiou a ignorância porque ela estimulava a imaginação.[13] Nadando contra a corrente das histórias publicadas durante o Iluminismo, a feminista francesa Olympe de Gouges argumentou, em *Le Bonheur primitif de l'homme, ou Les Rêveries patriotiques* ("A felicidade primitiva do homem, ou os devaneios patrióticos", em tradução livre, de 1789), que "os primeiros homens" eram felizes porque eram ignorantes, enquanto, nos tempos da própria autora, "o homem estendera seu conhecimento para longe demais".[14]

No que tange à lei, a Deusa da Justiça é frequentemente representada desde a Renascença como cega por uma venda, o que simboliza a ignorância no sentido da abertura do espírito e da falta de preconceito.[15]

De acordo com esse ponto de vista, os júris devem ser isolados, a fim de mantê-los afastados de informações que possam distorcer seu veredito. As discussões sobre o que é chamado de "ignorância virtuosa" estão se tornando cada vez mais frequentes. O filósofo John Rawls defendeu o que ele chamou de "o véu da ignorância", uma cegueira a raça, classe, nação ou gênero que nos ajuda a ver os indivíduos como seres moralmente iguais.[16]

"Ignorância virtuosa" é um termo que já foi usado para descrever a recusa de se pesquisar sobre armas nucleares, por exemplo, ou pelo menos de se divulgar publicamente os resultados. Outras características positivas de diferentes tipos de ignorância têm sido enfatizadas por sociólogos e antropólogos, que escreveram sobre suas diversas "funções sociais" ou "regimes". Os sacerdotes, por exemplo, são obrigados a guardar os segredos do confessionário, enquanto os médicos juram respeitar a privacidade de seus pacientes. A democracia é protegida no sigilo das cédulas de votação. É o anonimato que permite aos examinadores avaliar trabalhos sem preconceitos e aos participantes da revisão por pares dizer exatamente o que pensam sobre o trabalho de seus colegas. As negociações secretas permitem que os governos façam concessões ao outro lado que seriam impossíveis sob as luzes da publicidade. A informação produz não apenas benefícios, mas também perigos.[17]

No final do século XIX, a ignorância era recomendada como uma resposta ao problema cada vez mais agudo de "haver muito a se saber". Por exemplo, o neurologista norte-americano George Beard alegou que "a ignorância é um poder, assim como a alegria", e "um remédio para o nervosismo".[18] A ignorância já foi tratada como um "recurso" ou um "fator para se alcançar o sucesso" por aqueles que escrevem sobre negócios e administração.

Anthony Tjan, por exemplo, recomenda "abraçar a ignorância", uma vez que os empresários que "desconhecem suas limitações e as realidades externas" estão mais suscetíveis a "gerar ideias livremente". Mais tarde, e com mais cautela, ele explicou que "a chave é reconhecer os momentos críticos na trajetória de uma empresa quando uma abordagem a partir do zero gera maior impacto positivo". A expressão "ignorância criativa" implica o reconhecimento de que muito conhecimento pode inibir a inovação, não apenas nos negócios, mas também em outros domínios.¹⁹ Essa expressão foi cunhada por um escritor da revista *New Yorker* para se referir ao que impediu Beardsley Ruml, diretor de uma grande fundação de pesquisa, "de ver as placas de 'proibido seguir adiante', 'não pise na grama', 'proibida a entrada' e 'rua sem saída' no mundo das ideias", avisos que agiriam como obstáculos à interdisciplinaridade que ele apreciava. Em um nível mais prático, diz-se que Henry Ford certa vez comentou: "Estou procurando um punhado de pessoas que tenham uma capacidade infinita de não saber o que *não* pode ser feito".²⁰

A alegação de que a ignorância tenha seu uso leva a *insights*, pelo menos se tivermos cuidado suficiente para perguntar: ela é útil *para quem*? No entanto, os exemplos discutidos neste livro sugerem que as consequências negativas da ignorância geralmente superam as positivas – daí a dedicatória do livro aos professores que vêm tentando remediar a ignorância de seus alunos. O desejo de não saber (ou de que outras pessoas não saibam) o que quer que nos ameace ou nos envergonhe, seja no âmbito individual, seja no organizacional, é compreensível, mas suas consequências são muitas vezes negativas, pelo menos para outras pessoas. Ignorar ou negar fatos incômodos será um tema recorrente deste livro.

O QUE É A IGNORÂNCIA?

No longo debate a favor e contra a ignorância, as diferentes posições obviamente dependem do que os detentores dessa ignorância querem dizer com o termo. A definição tradicional é simples: a ausência ou *privação* de conhecimento.²¹ Tal ausência ou privação é muitas vezes invisível para o indivíduo ou grupo ignorante, uma forma de cegueira que tem consequências gigantescas, incluindo os desastres que serão discutidos na parte dois do livro.

Essa definição tradicional é às vezes criticada como ampla demais, demandando assim algumas distinções. Em inglês, por exemplo, a ignorância é às vezes distinta da nesciência, e ambas, do desconhecimento. Há também "insapiência" [*unknowing*], um termo que, em inglês, parece ter sido cunhado ontem, mas remonta ao autor anônimo do século XIV de um tratado sobre misticismo.²² Distinções semelhantes existem em outras línguas. Os alemães, por exemplo, referem-se a *"Unwissen"* (ignorância) e *"Nicht-Wissen"* (desconhecimento). O sociólogo Georg Simmel, por exemplo, discutiu o que ele chamou de "a normalidade cotidiana do desconhecimento" (*Nicht-Wissen*).[23] Infelizmente, autores diferentes usam esses termos de maneiras diferentes.[24]

Por outro lado, aquilo no qual geralmente se concorda é a necessidade de distinguir entre os "desconhecidos conhecidos" (aquilo que já se sabe que ainda não é conhecido, mas o será), como a estrutura do DNA antes de sua descoberta, em 1953, e os "desconhecidos desconhecidos" (aquilo de que nem fazemos ideia que exista), como no caso da descoberta da América por Colombo enquanto procurava "as Índias". Embora essa distinção tenha sido feita anteriormente por engenheiros e psicólogos, ela é frequentemente atribuída a Donald Rumsfeld, ex-secretário de Defesa dos Estados Unidos. Em uma entrevista coletiva sobre os preparativos para a invasão do Iraque, Rumsfeld foi solicitado a apresentar provas das armas de destruição em massa de Saddam Hussein e respondeu da seguinte forma:

> Relatórios que dizem que algo não aconteceu são sempre interessantes para mim, porque, como sabemos, há coisas conhecidas que são conhecidas; há coisas que sabemos que sabemos. Também sabemos que há desconhecidos que sabemos que são desconhecidos; ou seja, sabemos que há coisas que não sabemos. Mas também há incógnitas desconhecidas – aquelas que não sabemos que não sabemos. E, se olharmos para a história de nosso país e a de outros países livres, é com essa última categoria que tende a ser difícil de lidar.[25]

Independentemente de sua utilização por Rumsfeld para desviar de uma pergunta incômoda, a distinção entre "conhecimentos conhecidos", "desconhecimentos conhecidos" e "desconhecimentos desconhecidos" continua sendo útil.

A PSICOLOGIA DA IGNORÂNCIA

E quanto aos conhecidos que são desconhecidos? Essa expressão, que parece apropriada para discutir o que normalmente é descrito como "conhecimento tácito", foi empregada num sentido bastante diferente pelo filósofo Slavoj Žižek, que apontou que Rumsfeld "se esqueceu de acrescentar [...] o quarto termo crucial: o 'conhecido desconhecido' [...] o inconsciente freudiano, 'o conhecimento que não conhece a si mesmo', como dizia Lacan", incluindo o próprio conhecimento de Rumsfeld a respeito das torturas em Abu Ghraib.[26]

Freud estava interessado em outros tipos de ignorância inconsciente. Em sua famosa discussão sobre a interpretação dos sonhos, ele perguntou se os sonhadores sabem ou não o que significam seus sonhos, concluindo que "é bem possível, e até altamente provável, que o sonhador saiba o que seu sonho significa; só que ele não sabe que sabe".[27] De modo mais geral, Freud estava interessado no que seus pacientes *não queriam saber* sobre si mesmos. "Não querer saber" será um tema recorrente neste livro. Quem demonstrou um interesse particular pela ignorância foi o pouco ortodoxo freudiano Jacques Lacan. Ele descreveu os psicanalistas como as pessoas que não sabem o que é a psicanálise (e sabem que não sabem disso), ao contrário das pessoas que pensam que sabem, mas não sabem. Lacan considerou a ignorância como uma paixão, tal como o amor e o ódio, sugerindo que alguns pacientes passam de resistir ao autoconhecimento para desenvolver uma paixão por ele.[28]

A SOCIOLOGIA DA IGNORÂNCIA

"Se existe uma sociologia do conhecimento, então também deveria existir uma sociologia da ignorância".[29] Tal sociologia poderia começar com a seguinte pergunta: quem não sabe o quê? Vale lembrar que "somos todos ignorantes, só que sobre coisas diferentes", como observou o romancista e humorista norte-americano Mark Twain em um de seus numerosos aforismos sobre o assunto. Por exemplo, existem cerca de 6 mil idiomas falados no mundo hoje, e até mesmo os poliglotas ignoram 99,9% deles. E, ainda, a propagação do coronavírus de 2019 foi prevista por epidemiologistas que haviam descoberto o perigo da transferência de diferentes doenças de animais selvagens para humanos. Por outro lado, os governos ou não sabiam ou não quiseram tomar conhecimento dessa previsão, então foram pegos despreparados.

Muitos desastres, alguns dos quais serão discutidos em capítulos posteriores, ocorreram porque aqueles que sabiam das coisas não podiam agir, enquanto aqueles que agiram não sabiam. A destruição do World Trade Center, em 2001, oferece um exemplo dramático de fracasso na comunicação. Agentes dos serviços de segurança já suspeitavam de que certos indivíduos planejavam um ataque terrorista, mas suas advertências foram perdidas entre as muitas mensagens enviadas aos níveis superiores em Washington, em um exemplo notável de "sobrecarga de informação". Como a conselheira de Segurança Nacional norte-americana Condoleezza Rice admitiu mais tarde, "havia muita conversa fiada como parte do sistema".[30]

VARIEDADES DE IGNORÂNCIA

As discussões a respeito da ignorância precisam distinguir entre suas muitas variedades, as "ignorâncias" no plural, em paralelo aos "conhecimentos".[31] Uma distinção famosa contrapõe o "saber como fazer algo" e o "saber que algo é de tal jeito", ou seja, o "saber como" [*knowing how*] e o "saber que" [*knowing that*].[32] As consequências de ausências particulares de *know-how* serão discutidas em muitas ocasiões a seguir. Outra distinção é bem conhecida em francês, alemão e outros idiomas: o contraste entre "*savoir*" e "*connaître*", "*wissen*" e "*kennen*", no qual os termos "*connaître*" e "*kennen*" se referem ao conhecimento adquirido pessoalmente em primeira mão – conhecer a própria Londres, por exemplo, em vez de apenas saber que existe uma cidade chamada Londres. Cada forma de conhecimento tem uma forma de ignorância como seu oposto complementar.

Uma socióloga britânica especializada em ignorância, Linsey McGoey, reclamou que, quando começou a pesquisar sobre o assunto no início do século XXI, ela encontrou uma "pobreza de linguagem" para descrever incógnitas.[33] Esse já não é o caso hoje, quando o problema é a fartura em vez da escassez. Muitas variedades novas foram rotuladas, e uma elaborada taxonomia foi criada, usando uma gama de adjetivos que vão de "ativa" a "voluntária" (o glossário no final deste livro lista mais variedades de ignorância do que os 57 tipos de tempero da alimentícia Heinz, mas não tem nenhuma pretensão de ser completo). De fato, há consideravelmente mais adjetivos do que as variedades de ignorância que eles descrevem, uma espécie de reinvenção da roda resultante da especialização acadêmica, já que os indivíduos de uma disciplina muitas vezes ignoram as descobertas feitas em outra.

Algumas distinções são úteis e serão empregadas no que se segue. Um exemplo óbvio contrasta a ignorância da existência de algo com a ignorância de sua explicação. Epidemias e terremotos são conhecidos há muito tempo, mas ninguém sabia o que os causava até relativamente pouco tempo atrás. A ignorância "sancionada", uma expressão da lavra da filósofa crítica Gayatri Chakravorty Spivak, refere-se a uma situação na qual um grupo, como os intelectuais ocidentais, sente-se no direito de permanecer na ignorância de outras culturas, enquanto espera que indivíduos de outras culturas saibam sobre ele.[34]

A ignorância (como o conhecimento) às vezes é fingida, um tema desenvolvido no capítulo oito. Governos podem negar um genocídio ao mesmo tempo que sabem muito bem sobre os massacres que ordenaram ou permitiram. Durante muito tempo, os sicilianos comuns fingiram não saber nada sobre a máfia. Na Inglaterra vitoriana, as senhoritas exibiam sua ingenuidade alegando ignorância das práticas sexuais, assim como os senhores poderiam fingir ignorância do mundo do comércio. A modéstia feminina também às vezes exigia falsas alegações da falta de outros tipos de conhecimento, como do latim, por exemplo, ou da política ou das ciências naturais (a não ser da botânica). É por isso que o narrador de *A abadia de Northanger*, de Jane Austen, comenta que uma mulher, "se tiver a infelicidade de saber qualquer coisa, deveria esconder isso tão bem quanto puder".[35]

Outra distinção útil é aquela entre ignorância consciente e inconsciente, na qual o termo "inconsciente" é usado para significar "não estar ciente", em vez do sentido freudiano discutido anteriormente. O termo ignorância "profunda" já foi empregado para se referir à falta de consciência de que determinadas questões existam, incluindo a ausência dos conceitos necessários para até mesmo formular questões assim.[36] O historiador francês Lucien Febvre fez uma observação semelhante quase oitenta anos antes, apontando para algumas "palavras ausentes" no francês do século XVI. Segundo Febvre, essa falta inibia o desenvolvimento da filosofia naquela época e, portanto, tornava impossível ser ateu.[37]

Outro exemplo de ignorância profunda é a comum falta de consciência de que existem modos de pensar diferentes daqueles próprios da pessoa. A circularidade é central aqui. Um modo de pensamento persiste porque é tido e considerado como certo, como natural, seja no nível micro do que Thomas Kuhn chamou de "paradigma científico", seja no nível maior de todo um sistema de crenças. Quando tentamos criticar nossas próprias normas, os limites da autocrítica se tornam aparentes.[38]

Os historiadores muitas vezes já trataram indivíduos e grupos como sendo "crédulos", no sentido de que são incapazes de criticar suas crenças. Ao fazê-lo, eles ignoram a falta de acesso desses indivíduos e grupos a sistemas de crenças alternativos. Em um sistema fechado, realmente é difícil manter uma mente aberta.[39] É difícil, se não impossível, desafiar esse sistema se não se tiver consciência de alternativas, o que geralmente acontece como resultado de encontros entre indivíduos de culturas diferentes, ampliando o horizonte de expectativas de ambos os lados.[40]

O avestruz com a cabeça na areia é um famoso símbolo do "não querer saber" ou do "querer não saber", também descrito como ignorância voluntária, deliberada ou resoluta.[41] Essa noção pode ser estendida para incluir omissões deliberadas ou silêncios. Por exemplo, o historiador haitiano Michel-Rolph Trouillot distinguiu quatro momentos na produção do conhecimento do passado em que os indivíduos escolheram entre comunicar informações particulares e manter o silêncio sobre elas. Esses quatro momentos são: o de produzir documentos, o de armazená-los em arquivos, o de recuperar a informação e o de fazer uso dela em uma história escrita.[42]

Para um exemplo da característica oposta, a da ignorância involuntária, podemos recorrer à teologia católica. Teólogos medievais, como São Tomás de Aquino, usaram a frase "ignorância invencível" para se referir aos pagãos (Aristóteles, por exemplo), que desconheciam a existência do cristianismo e que, portanto, não podiam ser culpados por não o aceitarem. Por outro lado, se estivessem cientes, seriam responsáveis por ignorância "culpável".

A ignorância culpável pode ser individual ou coletiva. Os historiadores sociais são particularmente preocupados com esta última, com a "ignorância branca", por exemplo, uma frase cunhada pelo filósofo jamaicano Charles W. Mills para se referir aos preconceitos subjacentes ao racismo. A ignorância coletiva dá suporte à dominação de um grupo sobre outro, encorajando ambos a aceitar sua situação como natural. A ignorância dos dominantes os impede de questionar seus privilégios, enquanto a ignorância dos dominados os tem impedido muitas vezes de se rebelar. Daí os esforços dos que estão no poder, como Diderot observou, "para manter o povo num estado de ignorância e estupidez".[43]

O que é hoje conhecido como "ignorância seletiva" foi observado há um século pelo biógrafo Lytton Strachey em sua habitual forma de provocação, afirmando que "a ignorância é o primeiro requisito do historiador, uma ignorância que simplifica e esclarece, que seleciona e omite".[44] Essa seletividade pode ser inconsciente, uma forma de desatenção, como mostra uma experiência informal. Se assistirmos a um filme com o som desligado, notaremos gestos e expressões faciais dos atores que normalmente ignoramos.

De maneira semelhante, diferentes tipos de viajante notam características diferentes do mesmo lugar, porque seus olhares diferem de acordo com seu gênero ou sua profissão. A confiabilidade das observações dos viajantes, seu conhecimento ou sua ignorância dos lugares que visitaram, é um problema antigo, mas que só recentemente foi visto do ângulo do gênero, sugerindo que as viajantes femininas percebem coisas diferentes de suas contrapartes masculinas.[45] A proeminência de ambientes domésticos nos diários e relatos de viagem femininos já foi descrita como um modo diferente de "constituir conhecimento".[46]

O que as mulheres enxergaram e optaram por registrar nos diz algo importante sobre o que os homens escolheram ignorar ou simplesmente não puderam ver. Um exemplo famoso do século XVIII é a descrição de um balneário para mulheres em Edirne (antiga Adrianópolis) pela viajante inglesa Lady Mary Wortley Montagu, já que, como ela observou, "seria nada menos que a morte para um homem ser encontrado em um lugar assim".[47] A multiplicidade de olhares – o imperial, o etnográfico, o médico, o mercantil, o missionário e assim por diante – sugere que devemos falar não apenas de "ensinar o olho a ver", mas também de seu oposto, "ensinar o olho a não ver". Tanto o *insight* quanto a cegueira estão enraizadas nos fazeres de determinadas profissões.

Em uma pesquisa, a busca por uma coisa leva à desatenção a outras. Um exemplo recente vem dos médicos que estavam se concentrando na detecção da covid-19 e, por isso, não perceberam sinais de outras doenças perigosas.[48] A ignorância seletiva inclui o que o sociólogo norte-americano Robert K. Merton chamou de ignorância "especificada", o que significa um afastamento consciente do conhecimento sobre um tópico para se concentrar em outro – escolher levantar certas questões, adotar certos métodos ou operar sob certos paradigmas.[49] Em cada caso, uma escolha positiva tem alguns efeitos negativos, excluindo assim certos tipos de conhecimento, seja deliberadamente, seja como consequência não intencional. No caso dos historiadores do século XX, por exemplo, sua mudança de interesse da história política para a econômica, social e cultural envolveu tanto exclusões quanto inclusões e mudanças geracionais no que era conhecido ou desconhecido sobre o passado.

A ignorância também pode ser descrita como ativa ou passiva. A ignorância passiva se refere à ausência de conhecimento, incluindo o fracasso em colocá-lo em prática para fins de ação. Já a expressão "ignorância ativa", no sentido de resistência a novos conhecimentos ou ideias, foi cunhada pelo filósofo austríaco Karl Popper e empregada para descrever a oposição de alguns físicos às visões perturbadoras de Albert Einstein.[50] O conceito pode ser estendido ao hábito de *ignorar aquilo que não queremos saber*, muitas vezes com sérias consequências.

Pense, por exemplo, na história dos colonos britânicos na América do Norte, na Austrália e na Nova Zelândia, que tentaram ignorar a existência dos povos que já viviam naquelas regiões, ou pelo menos ignorar a reivindicação de propriedade que aqueles grupos poderiam ter sobre seu território. Os colonos trataram a terra como se estivesse vazia ou não fosse de propriedade de ninguém (*vide* abaixo e o capítulo oito). De maneira semelhante, a Declaração Balfour, de 1917, que fez da Palestina o "lar nacional" do povo judeu, ignorou os árabes que já estavam lá, criando assim problemas que permanecem a ser resolvidos mais de um século depois. A pergunta de Lorde Curzon, "O que será do povo daquele país?", permanece sem resposta.[51]

A expressão "ignorância ativa" também pode se referir ao que pensamos saber. Como costumava dizer Will Rogers, humorista norte-americano na tradição de Mark Twain, "a ignorância não reside nas coisas que você não sabe, mas nas coisas que você sabe que não são bem assim" (uma observação que é também atribuída ao próprio Twain).[52]

Expressões como "produção de ignorância" ou "fabricação de ignorância" são particularmente aplicáveis aqui, juntamente a "ignorância estratégica". Devo admitir que não fico muito satisfeito com referências a uma "produção" da ignorância nos casos em que nenhum conhecimento a precedeu. Prefiro usar o antigo termo "ofuscamento", ou falar de produzir "confusão" ou "dúvida", ou de manter a ignorância, ou de criar obstáculos ao conhecimento (o equivalente aos obstáculos físicos discutidos no capítulo cinco). Sob pena de se sacrificarem expressões mais chamativas, ganha-se mais clareza quando nos aproximamos mais da linguagem comum sempre que possível, descrevendo, por exemplo, as tentativas de enganar o público por razões políticas ou econômicas como simples *mentiras* (e não qualquer outro termo elaborado). No entanto, concordo sinceramente que tem sido e continua a ser uma prática muito comum encobrir muito do que o público deveria saber. Essa prática também é descrita como "desinformação", ou, de maneira eufemística, como "medidas ativas" (especialmente pelos serviços de inteligência soviéticos e russos), enquanto o estudo dessas políticas de produção da ignorância foi batizado de "agnotologia".[53]

A ignorância por parte das outras pessoas é uma fonte de poder para aqueles que estão "por dentro" em domínios como a política, os negócios ou o crime. Um estudo feito em Marselha sobre a Revolução Francesa argumentou que "o controle da definição de ignorância" pelas elites teve grandes implicações políticas, significando o que o autor chamou de "a capacidade de estigmatizar os outros como ignorantes e assim desqualificar suas vozes no tratamento dos assuntos da cidade".[54] A alegação de que os homens mantêm as mulheres ignorantes a fim de dominá-las será discutida no próximo capítulo.

A IGNORÂNCIA E SEUS VIZINHOS

Até agora, a discussão se concentrou em três grandes tópicos: não saber algo, não querer saber algo e não querer que outras pessoas saibam algo. Entretanto, com toda certeza é impossível escrever uma história desses tópicos sem introduzir conceitos que estão ligados a eles. O erro, por exemplo, é o resultado da ignorância, mas também traz suas próprias consequências, às vezes trágicas, como mostrarão os capítulos sobre guerra e negócios.

Para resolver o problema de representar a ignorância na arte, alguns pintores a assimilaram à cegueira ou à loucura. No século XV, o pintor Andrea Mantegna, por exemplo, mostrou a ignorância como uma mulher nua sem olhos. No século XVI, em seu dicionário de imagens, Cesare Ripa sugeriu representar a ignorância e seus perigos como uma mulher vendada e andando em um campo de espinhos, ou, de maneira alternativa, como um menino, também de olhos vendados, montado em um asno. No século XVIII, o artista veneziano Sebastiano Ricci personificava a ignorância como um homem com orelhas de burro, ilustrando mais uma vez a assimilação comum da ignorância à estupidez.[55]

Hoje, a ideia de ignorância é frequentemente empregada como um "guarda-chuva" intelectual que cobre diversas ideias vizinhas, como a incerteza, a negação e até mesmo a confusão. Dadas as dimensões do assunto, que por si só já é suficientemente grande, optei por uma definição relativamente restrita de ignorância como ausência. No entanto, essa escolha não significa uma recusa em olhar além dessa definição. Como os historiadores alemães que estudam o que eles chamam de "história conceitual" (*Begriffsgeschichte*), tentarei reconstruir uma rede de ideias interconectadas, centrada na ignorância, mas também incluindo obstáculos, esquecimento, sigilo, negação, incerteza, preconceito, incompreensão e credulidade.[56] Mostrar conexões entre essa teia de conceitos e os fenômenos aos quais eles se referem é um dos principais objetivos deste estudo.

Os obstáculos ao conhecimento podem ser até mesmo físicos, incluindo a inacessibilidade do objeto de conhecimento (discutido no capítulo cinco no caso de europeus na África). Mas podem ser também mentais, no sentido de que as ideias antigas que não são questionadas impedem a aceitação de ideias novas. Os casos de resistência às ideias de Galileu e Darwin (entre outros) serão discutidos no capítulo quatro. Modelos ou paradigmas intelectuais lançam luz, mas, como simplificam, também têm um lado obscuro, atrapalhando tudo aquilo que não se encaixe naquele modelo.[57] Obstáculos também podem ser sociais – pense na antiga exclusão das mulheres e da classe trabalhadora do ensino superior – ou políticos, como no caso de acobertamentos por parte dos governos.

O conceito de esquecimento, ou seja, a passagem do conhecimento de volta à ignorância, inclui seu sentido metafórico. Os termos "amnésia social", "amnésia estrutural" ou "amnésia corporativa" se referem à reconstituição consciente ou inconsciente do passado à luz do presente, bem como a perda de informação em uma organização.[58] Os acadêmicos também precisam estar cientes de uma tendência que Robert Merton descreveu como "amnésia de citação", uma falha em se referir aos seus predecessores em seu campo de estudo.[59] Adotando uma veia cínica, já pensei às vezes que mesmo os acadêmicos mais conscientes, ainda que reconheçam alegremente pequenas dívidas a um ou a outro estudioso, às vezes se esquecem de citar o predecessor a quem mais devem.

O segredo também é obviamente relevante dentro do tema da ignorância, pois um segredo envolve não apenas um pequeno grupo que está "por dentro do conhecimento", mas também um grupo maior que é mantido na ignorância, ou seja, "fora do circuito". Atividades clandestinas, como contrabando, tráfico de drogas e lavagem de dinheiro ficam cobertas sob esse outro termo guarda-chuva e serão discutidas no capítulo dez. A negação faz parte de um arsenal de métodos para manter o público na ignorância de fatos ou eventos embaraçosos. Sua história, especialmente a recente, é bastante familiar: a negação do Holocausto e de outras tentativas de genocídio, a negação da relação entre o fumo e o câncer de pulmão, a negação da mudança climática.[60]

O que torna a negação tão eficiente, assim como outras formas de propaganda, é a credulidade, que pode ser definida como ignorância tanto da importância quanto das técnicas de crítica, especialmente do senso crítico quando aplicado às *fake news* transmitidas em uma variedade de meios de comunicação – boatos, jornais, televisão e, mais recentemente, Facebook e Twitter. A credulidade floresce em situações de incerteza. E a incerteza é o destino de todos os tomadores de decisões, já que todos nós ignoramos o futuro. Entretanto, medidas podem ser adotadas de forma a nos prepararmos para ele, graças à análise de risco e outras formas de previsão, discutidas no capítulo quatorze. Quanto ao preconceito, ele pode ser definido como um julgamento feito dentro da ignorância, um caso clássico de nem se saber que não se sabe. Exemplos serão recorrentes ao longo deste livro.

Os mal-entendidos dependem da ignorância e, assim como ela, vêm desempenhando um papel grande e insuficientemente reconhecido na história humana.[61] Eles se tornam particularmente visíveis quando membros de uma cultura encontram membros de outra pela primeira vez. Um exemplo conhecido desse tipo de situação é o primeiro encontro do capitão Cook e sua tripulação com os havaianos, em 1779, um acontecimento analisado em um trabalho de um importante antropólogo norte-americano, Marshall Sahlins. Os havaianos nunca haviam visto europeus antes e vice-versa. Então, cada lado ali descobria o outro e tentava interpretar suas ações. Sahlins sugere, por exemplo, que, como Cook tinha chegado na época do festival do deus havaiano Lono, os nativos o consideraram como uma encarnação daquela divindade. Quando os britânicos retornaram inesperadamente e sem querer destruíram essa interpretação, Cook foi morto.[62]

Como este capítulo sugeriu, a ignorância é um conceito mais complexo do que poderia parecer à primeira vista. Não é de se admirar, então, que filósofos em diferentes partes do mundo tenham tido muito a dizer a seu respeito. As visões de alguns deles são o tema do capítulo seguinte.

2

Filósofos e a ignorância

> *Que sais-je?*
> [*"Que sei eu?"*]
> Montaigne

Os filósofos foram os primeiros a discutir a ignorância, começando há mais de 2.500 anos. Na China antiga, os ditados reunidos atribuídos a Kong Fuzi, conhecido no Ocidente como Confúcio, incluem a seguinte passagem: "Se devo dizer-lhes o que é conhecimento: o que sabemos, saber que o sabemos. Aquilo que não sabemos, saber que não o sabemos. Eis o verdadeiro saber".[1] De maneira semelhante, o clássico do taoísmo filosófico chamado *O livro do caminho e da virtude* (*Tao te ching*), atribuído ao "Velho Mestre" Laozi (ou Lao Tsé, ou Lao Tzu), inclui a afirmação de que "conhecer o não conhecimento é a supremacia". Essa passagem foi às vezes interpretada como significando que tudo aquilo que puder ser dito necessariamente não corresponderá ao que é. Uma vez que o "Caminho Profundo" é misterioso, quaisquer tentativas de descrevê-lo não serão mais do que "palavras vazias".[2]

Por essa razão, outro famoso texto taoísta, atribuído a Zhuangzi (ou Chuang Tzu), abordou o "Caminho" indiretamente por meio de uma série de anedotas como a que se segue: "Nieh Ch'üeh perguntou a Wang Ni: 'Você sabe o que todas as coisas concordam em chamar de certo?' 'Como eu poderia saber isso?', respondeu Wang Ni. 'Você sabe que você não sabe?' 'Como eu poderia saber isso?'".[3]

Na Grécia antiga, Sócrates seguiu uma direção semelhante. De acordo com seu discípulo Platão, Sócrates afirmou ser mais sábio que um homem que "pensa que sabe algo, quando não sabe", já que o próprio Sócrates disse "não penso que sei o que não sei". Nos diálogos de Platão, Sócrates se deleita em fazer com que outras pessoas (Mênon, por exemplo) se tornem cada vez mais conscientes de que sabiam menos do que pensavam.[4] Em uma fonte posterior, Sócrates é citado como fazendo a afirmação ainda mais forte de que ele "não sabia nada, exceto apenas que sua ignorância era um fato". Seria essa uma crença genuína ou um dispositivo retórico? Os acadêmicos continuam debatendo e discordando entre si.[5]

Sócrates iniciou aquilo que foi descrito como uma "virada epistemológica" na filosofia grega. A epistemologia é um ramo da filosofia que estuda como adquirimos conhecimento e como sabemos se ele é confiável. Seu conceito oposto, a epistemologia da ignorância, preocupa-se em saber como e por que continuamos ignorantes. Esses problemas foram discutidos por filósofos gregos, em particular pela escola dos céticos, notadamente Pirro de Élis. Como no caso de Sócrates, as opiniões de Pirro só são conhecidas por meio de uma fonte posterior, os *Esboços pirrônicos*, do médico e filósofo Sexto Empírico (*c.* 160-210 d.C.).[6]

A escola dos céticos foi mais longe que Sócrates, questionando a confiabilidade de diferentes tipos de conhecimento e criando um método a partir da desconfiança das aparências. Os céticos apontaram que "não são produzidas as mesmas impressões" em pessoas diferentes "pelos mesmos objetos", como no caso de um indivíduo com icterícia, que vê o mundo como amarelo. Também observaram que o mesmo objeto parece diferente para todos quando as circunstâncias são diferentes. Um remo, por exemplo, parece estar dobrado quando está na água, mas reto quando é erguido para fora.[7]

Os céticos de fato acreditavam em algo que chamavam de "investigação" (o significado original do termo "ceticismo"), ou seja, examinar o que pesa a favor e contra uma determinada crença e suspender o julgamento até que o conhecimento seja alcançado.[8] Para ser mais preciso, havia dois tipos de cético: o dogmático, que tem certeza de que nada pode ser conhecido; e o reflexivo, que não tem certeza nem mesmo disso.

Embora existam alguns textos medievais que "complicam, problematizam ou recusam o conhecimento", a tradição do ceticismo grego se perdeu durante a Idade Média.[9] O ceticismo clássico ressurgiu no Renascimento europeu, quando o texto dos *Esboços pirrônicos* foi redescoberto.

Essa redescoberta veio no momento certo, o momento que o filósofo-historiador Richard Popkin chamou de "a crise intelectual da Reforma". Seu argumento era o de que tanto católicos quanto protestantes tiveram mais sucesso em suas argumentações negativas do que nas positivas. Os protestantes minaram a autoridade da tradição, enquanto os católicos minaram a autoridade da Bíblia.[10] O que restaria?

O cético mais famoso da Renascença, e "a figura mais significativa do renascimento do antigo ceticismo do século XVI", foi Michel de Montaigne, que viveu as guerras entre católicos e protestantes em primeira pessoa quando era prefeito de Bordeaux. Montaigne tomou como lema pessoal a pergunta: "O que sei eu?". E ele não estava sozinho. Seu seguidor, Pierre Charron, adotou o lema "Não sei", enquanto um professor de filosofia da Universidade de Toulouse, Francisco Sanches, publicou um livro argumentando "Que nada é conhecido" (*Quod Nihil Scitur*). Charron e Sanches soam como céticos dogmáticos, certos de que nada pode ser conhecido. Em contraste, o lema de Montaigne sugere que ele era um cético reflexivo, estendendo seu ceticismo ao próprio ceticismo.[11]

Em seu *Discurso do método* (1637), Descartes respondeu a Montaigne sem nomeá-lo, praticando o que foi depois chamado de "ignorância metodológica" a fim de passar da dúvida à certeza.[12] No entanto, a tradição da dúvida foi mantida por vários céticos franceses, notadamente François La Mothe Le Vayer, que "herdou o manto de Montaigne", e Pierre Bayle, o "supercético". O famoso verbete sobre Pirro no *Dicionário histórico e crítico*, de Bayle (1697), apresentou argumentos tanto a favor quanto contra o ceticismo, deixando assim os leitores, bem como as crenças, em suspense.[13]

O ceticismo do século XVII pode ser considerado como uma expressão filosófica de uma conscientização mais geral da lacuna existente entre as aparências e a realidade, uma consciência que era central para a visão de mundo da "era do barroco".[14] A famosa peça "*A vida é sonho*" (*La vida es sueño*, 1636), do dramaturgo espanhol Pedro Calderón, oferece uma ilustração dramática do famoso argumento cético sobre a dificuldade de se distinguir entre estar sonhando e estar acordado.

Dois importantes filósofos do século XVIII, George Berkeley e David Hume, compartilharam a preocupação do século XVII com o problema do conhecimento. Em contraposição, os filósofos do século XIX tenderam a ignorar a ignorância, com a importante exceção do escocês James Ferrier, autor dos *Institutos de metafísica* (1854). Foi Ferrier quem cunhou o termo "agnoiologia" para se referir à teoria da ignorância (ele também introduziu o termo "epistemologia" em inglês para se referir à teoria do conhecimento).[15]

Um interesse mais amplo na ignorância estava se desenvolvendo na época de Ferrier. Thomas Carlyle, por exemplo, descreveu a ignorância como "a verdadeira privação dos pobres" e enfatizou o "amplo universo da nesciência" em comparação com a "fração miserável da ciência" que tinha então a humanidade.[16] Karl Marx discutiu os obstáculos sociais ao conhecimento, incluindo os interesses de classe da burguesia e a "falsa consciência" dos membros da classe trabalhadora. Uma geração mais tarde, Freud discutiu um obstáculo psicológico, a rejeição inconsciente ao conhecimento, incluindo a tendência a esquecer eventos embaraçosos.[17] A "amnésia de citação" mencionada anteriormente oferece um exemplo do que poderia ser chamado de "psicopatologia da vida acadêmica".

EPISTEMOLOGIA SOCIAL

Nos anos 1980, alguns filósofos deram uma guinada social que os levou a estudar o conhecimento e a ignorância de uma maneira diferente. A epistemologia tradicional havia se concentrado nas formas como os indivíduos adquirem conhecimento. Por outro lado, a epistemologia social se concentra em "comunidades cognitivas", tais como escolas, universidades, empresas, igrejas e departamentos do governo.[18]

Quanto à epistemologia da ignorância, seu programa foi definido como "identificar diferentes formas de ignorância, examinando como elas são produzidas e sustentadas, e que papel elas desempenham nas práticas do conhecimento".[19] Na prática, o programa se concentrava na ignorância imputada a gêneros, raças e classes. Há uma explicação social óbvia para esse foco. O influxo, na arena acadêmica, de mulheres, negros e membros da classe trabalhadora, primeiro como estudantes e depois como professores e estudiosos, tornou-os particularmente conscientes das ignorâncias e dos preconceitos dos homens brancos de classe média que uma vez monopolizaram posições naqueles domínios. É hora de olhar mais de perto as formas coletivas de ignorância.

3

Ignorância coletiva

*Em algum momento, teremos de elaborar melhor
o conceito de desconhecimento masculino.*
Michèle Le Dœuff

Nos capítulos anteriores, a ênfase recaiu sobre a ignorância dos indivíduos. Neste aqui, trago ao primeiro plano as ignorâncias compartilhadas pelas comunidades cognitivas, tanto grandes quanto pequenas: organizações, classes sociais, raças e gêneros.

IGNORÂNCIA ORGANIZACIONAL

A expressão "ignorância organizacional" foi cunhada para se referir à falta de compartilhamento de conhecimento dentro de uma determinada organização.[1] Essa falha às vezes pode ser vista como algo bom, pelo menos no caso de organizações clandestinas, como a Al-Qaeda, divididas em células, cada uma das quais ignorando a composição de membros e as atividades das outras, de modo que a informação que qualquer membro possa revelar sob interrogatório se torna estritamente limitada.

É mais frequente, porém, que a ignorância organizacional seja um problema. Por exemplo, o que é conhecido no chão de fábrica pode não ser conhecido pelos gerentes ou CEOs. Os funcionários que trabalham no mesmo local há muito tempo adquirem um corpo de conhecimentos implícitos que pode ser perdido quando eles se aposentam ou se mudam para outro lugar, porque não foram encorajados a compartilhar aquilo.

A perda de conhecimento pela falha de comunicação dentro de uma organização é às vezes descrita como "amnésia corporativa".[2]

Uma análise clássica das organizações feita pelo sociólogo francês Michel Crozier concluiu que "uma organização burocrática [...] é composta de uma série de estratos sobrepostos que não se comunicam muito uns com os outros". Na agência de auxiliares de escritório que Crozier estudou, uma das funcionárias disse ao investigador que os supervisores "estão muito acima do real cotidiano de trabalho para entender o que está acontecendo de verdade". A centralização do poder na organização produz um "ponto cego": "aqueles que têm as informações necessárias não têm o poder de decidir, e aqueles que têm o poder de decidir não chegam a obter as informações necessárias".[3]

A falha em distribuir a informação horizontalmente também traz problemas. A falta de comunicação entre os diferentes departamentos do governo é um exemplo óbvio. No início da Europa moderna, as finanças governamentais estavam fragmentadas. Suponha que o rei lhe concedesse uma pensão. Essa despesa estaria ligada a uma fonte específica de renda real. Se, em um determinado ano, essa fonte não produzisse dinheiro suficiente, sua pensão não seria paga, mesmo que a receita do rei tivesse excedentes – já que ninguém sabia se havia ou não um excedente, ninguém conseguia enxergar o quadro maior.

Um exemplo memorável de um desastre causado pela ignorância organizacional é a explosão de Chernobyl, em 1986. Os engenheiros e o gerente da usina estavam bem cientes da perigosa situação. Entretanto, recebiam ordens de funcionários do Partido Comunista, que impunham prazos e cotas impossíveis de serem cumpridos sem tomar atalhos. Os altos oficiais queriam resultados certeiros. Mas eles ou não sabiam ou não queriam saber sobre os riscos que estavam sendo assumidos pelos outros para alcançar esses resultados.[4]

O que deu errado foi descrito como um exemplo do que passou a ser chamado de "Síndrome de Ch-Ch", comparando Chernobyl com outro desastre de 1986, quando o ônibus espacial norte-americano Challenger explodiu logo após a decolagem. Ambos foram catástrofes "resultantes de falhas no controle de qualidade [...] pressão política, incompetência e acobertamentos".[5] Chernobyl também nos fornece um exemplo extremo das consequências da falta de conhecimento local, que o antropólogo James C. Scott classificou como "enxergar as coisas do ponto de vista de um Estado nacional".[6]

Essa "ignorância local", como poderíamos chamá-la, pode ser encontrada em muitos domínios: por exemplo, nos negócios, na política ou na guerra. As pessoas que trabalham na lida direta com a coisa entendem as condições locais, enquanto a gerência, mais alta na hierarquia de comando, dá ordens que ignoram essas condições, mas não podem ser questionadas. Os exemplos serão múltiplos nos capítulos posteriores. O quadro geral é mais visível quando visto de cima, mas o preço dessa visibilidade é a cegueira com relação a muito do que está acontecendo abaixo.

CLASSE

Membros das classes altas em muitos lugares e períodos ignoraram a vida das pessoas comuns, uma ignorância simbolizada pela famosa (embora apócrifa) observação de Maria Antonieta de que, se aos pobres faltava pão, então "que comam brioches" (*qu'ils mangent de la brioche*). De fato, as classes altas com frequência enxergaram as classes inferiores como grotescas, mais animais do que humanas.

No Japão do século X, por exemplo, a nobre Sei Shōnagon viu o "povo comum" que fazia uma peregrinação como "um ajuntamento de lagartas" e descreveu o comportamento "estranho" dos carpinteiros que comiam seu almoço com pressa. Na Inglaterra, na época da revolta camponesa de 1381, o poeta John Gower escreveu sobre a "má disposição" do "povo comum", comparando-o aos bois que se recusam a ser emparelhados para o arado. Na França, em uma passagem hoje famosa em seus *Personagens* (*Caractères*, 1688), Jean de La Bruyère escreveu sobre os camponeses franceses de seu tempo como "certos animais selvagens" queimados pelo sol, que, quando ficam de pé, "mostram um rosto humano", usando a técnica da distanciação a fim de chocar seus leitores para que reconhecessem ali sua humanidade em comum.[7]

Também se falou muito, especialmente por marxistas, sobre a forma como as classes dominantes mantiveram as "classes inferiores" ignorantes ou mal-informadas a fim de permanecerem no controle. Esse é o contexto da famosa frase de Marx: "a religião é o ópio do povo" (*Die Religion [...] ist das Opium des Volkes*), oferecendo àquelas classes uma "felicidade ilusória" para que os pobres permanecessem satisfeitos com sua sorte.[8]

Uma versão mais complexa da teoria marxista inclui a noção do filósofo italiano Antonio Gramsci de "hegemonia intelectual, moral e política". A argumentação básica de Gramsci era a de que a classe dominante não governa apenas pela força, mas por uma combinação de força e persuasão, coerção e consentimento. O elemento de persuasão é indireto, pelo menos em parte. As classes subordinadas ou "subalternas" (*classi subalterni*) aprendem a ver a sociedade através dos olhos de seus governantes.[9] Os conhecimentos daquelas classes mais baixas foram descritos mais tarde por Michel Foucault como "subjugados" (*savoirs assujettis*).[10] As observações às vezes crípticas nas anotações feitas por Gramsci na prisão podem ser complementadas por uma análise dos antropólogos britânicos Edwin e Shirley Ardener sobre o que eles chamaram de "grupos silenciados". Como lhes falta um modelo próprio, esses grupos "acham necessário estruturar seu mundo por meio do modelo (ou dos modelos) do grupo dominante".[11]

RAÇA

A expressão "epistemologia da ignorância" foi cunhada por Charles W. Mills no contexto da análise do racismo. Ele notou a falta de estudos filosóficos sobre o assunto, em comparação com os estudos de gênero, e começou a preencher aquela lacuna. Mills argumentou que "os brancos concordaram em não reconhecer os negros como pessoas iguais", ou mesmo como pessoas *tout court*, simplesmente. Ele escreveu que ignorar a identidade negra é uma forma de etnocentrismo, uma suposição de superioridade branca. Mais tarde, Mills chamou esse consenso implícito de "ignorância branca", um conceito que foi adotado nos estudos a respeito da educação.[12] O conceito também poderia ser empregado para se referir a outros problemas. Um deles – uma ignorância que começa a ser remediada nos dias de hoje – é a ignorância da importância da escravidão africana para o desenvolvimento do capitalismo do século XIX. Outro é a longa falta de reconhecimento por parte dos brancos das conquistas dos escritores, artistas e filósofos negros, uma falha que revela uma mistura de ignorância pura e simples com ignorância deliberada ou semideliberada.

Um exemplo vívido desse tipo de ignorância, no sentido de não se notar algo bem significativo, aparece em uma famosa passagem do romance *O intruso* (*Intruder in the Dust*, 1948), de William Faulkner. Ela se refere a uma forma do que Freud chamou de "compulsão à repetição" – no caso, a necessidade de os perdedores em um conflito ficarem repetindo o passado continuamente em suas mentes. O exemplo de Faulkner é o ataque fatal do general Pickett e seus homens na Batalha de Gettysburg, levando à perda da batalha pelo Sul e, com ela, de toda a Guerra Civil.

Faulkner observa que, "para cada menino de 14 anos de idade do Sul, não apenas uma vez, mas sempre que ele quiser, há aquele instante no qual ainda não são 2 horas naquela tarde de julho de 1863", de modo que o tal ataque fatal ainda não teria ocorrido. Faulkner certamente estava pensando em "todo garoto *branco* do Sul". Sua omissão do adjetivo "branco" é um ato falho freudiano que revela algo de sua própria identidade e de seus valores.

IGNORÂNCIA FEMININA

Um grande estímulo à virada social que acometeu a epistemologia veio de fora da filosofia: a ascensão do feminismo. Por muito tempo, os homens ignoraram ou desvalorizaram os conhecimentos e a credibilidade das mulheres com base no princípio de que "o que eu não sei não é conhecimento".[13] Uma expressão que era comum para descrever o conhecimento não confiável, desde a Roma antiga até o início da Europa moderna, era *fabulae aniles*, ou "contos de esposas velhas". A obstetrícia, uma arte praticada por muito tempo apenas por mulheres, foi invadida por médicos e cirurgiões masculinos no século XVIII, especialmente, embora não exclusivamente, na Inglaterra. Os invasores, armados com um novo instrumento, o fórceps, viam suas concorrentes femininas como ignorantes. "As parteiras se viram amarradas em dois *fronts*: ignoravam novos métodos e práticas porque não podiam frequentar a universidade [...] mas não podiam fazê-lo porque eram mulheres".[14]

A ignorância das mulheres em muitas esferas foi de fato encorajada no início da Europa moderna. Uma articulação clássica da sabedoria masculina convencional é o tratado do século XVII sobre a educação de meninas (especialmente aquelas de boas famílias) escrito pelo arcebispo

François Fénelon, um livro que teve considerável sucesso não apenas na França, mas também em suas traduções e adaptações para o inglês do século XVIII.

Fénelon recomendava que as meninas recebessem instrução religiosa e fossem ensinadas a administrar uma casa e a ler e escrever. A aritmética também foi recomendada como útil para manter a contabilidade da casa. Por outro lado, o arcebispo não via sentido em meninas aprenderem línguas estrangeiras, como o italiano ou o espanhol. Como as mulheres não governariam o Estado nem se tornariam advogadas, padres ou soldados, elas não tinham necessidade de estudar política, jurisprudência, teologia ou a arte da guerra. Elas também deveriam evitar o que Fénelon chamou de "uma curiosidade indiscreta e insaciável" (*une curiosité indiscrète et insatiable*).[15]

Na Inglaterra do século XIX, o tema da ignorância feminina é retratado em alguns romances famosos (ironicamente, romances escritos por mulheres). Em *A abadia de Northanger*, de Jane Austen (1817), a narradora descreve a heroína, Catherine Morland, como "tão ignorante e desinformada quanto a mente feminina aos 17 anos costuma ser", enquanto o amigo dela, Henry Tilney, provoca-a a esse respeito. Em *Middlemarch: Um estudo da vida provinciana*, romance da autora George Eliot (1870-1871), há – ou havia, antes de ela apagar – uma referência na página final aos "modos de educação que consideram o conhecimento de uma mulher como apenas outro nome para a disparatada ignorância".[16] De maneira semelhante, Virginia Woolf, nascida em 1882, temia que as lacunas em sua educação a tornassem um membro "não da *intelligentsia*, mas da *ignorantsia*".[17]

Nas palavras dos Ardeners, as primeiras mulheres modernas podem ser descritas como um "grupo emudecido". No entanto, algumas mulheres do começo da modernidade, feministas antes do feminismo, juntamente a algum homem ocasional, encontraram palavras para protestar contra a imputação de ignorância às mulheres e contra o currículo restrito do regime tradicional da educação feminina.

Na França do século XV, Christine de Pizan [também conhecida em português por Cristina de Pisano] já argumentava que as artes inventadas ou descobertas pelas mulheres eram mais úteis à humanidade do que aquelas inventadas ou descobertas pelos homens. Em seu livro sobre a "Cidade das damas", a narradora, "Christine", pergunta à Dama Razão "se alguma vez houve uma mulher que descobriu um conhecimento até então desconhecido". Em resposta, Razão recita uma lista de tais mulheres, incluindo Minerva, inventora da armadura, Ceres, inventora da agricultura, Arachne, inventora das tapeçarias, e Pamphile, que descobriu como fazer seda.[18]

Na República Holandesa do século XVII, a polímata Anna Maria van Schurman escreveu um tratado – em latim – advogando por um currículo mais amplo para as meninas. Ela defendia que o estudo de todas as artes liberais era "inteiramente adequado para uma mulher cristã" e que as mulheres não deveriam ser excluídas do conhecimento teórico do direito, da guerra e da política.[19]

Mais tarde naquele mesmo século, um filósofo, François Poullain de la Barre, argumentou que a razão pela qual as mulheres não haviam participado dos diferentes campos de aprendizado humano não era a falta de capacidade, mas o fato de terem sido "excluídas do aprendizado" (*exclues des sciences*). Em resumo, "a mente não tem sexo" (*l'esprit n'a point de sexe*).[20]

Ao mesmo tempo, as filósofas Gabrielle Suchon, na França, e Margaret Cavendish e Mary Astell, na Inglaterra, estavam defendendo uma educação mais ampla para as mulheres. Suchon investigou "a fonte, as origens e as causas" da ignorância feminina e culpou "aqueles que querem que as mulheres permaneçam no escuro, privadas da luz do conhecimento". Ela argumentou que os homens excluem as mulheres dos meios de adquirir conhecimento a fim de dominar aquelas "que eles querem manter em estado de dependência".[21] Cavendish, uma nobre que tinha, ela mesma, acesso a muitos livros, reclamou que as mulheres não "deveriam ser privadas de ser instruídas nas escolas e universidades".

Quanto a Astell, filha de um comerciante, ela escreveu que "a ignorância é a causa da maioria dos vícios femininos". E continuou dizendo que essa ignorância não era culpa delas, pois as mulheres eram excluídas do acesso ao conhecimento: "As mulheres são desde a infância privadas daquelas vantagens [educacionais] pelas quais são mais tarde reprovadas". Enquanto os meninos eram "encorajados" a estudar, as meninas eram "refreadas [...] afastadas da Árvore do Conhecimento":

"se não forem mantidas tão ignorantes como seus mestres desejam, serão encaradas como monstros". Como remédio para essa ignorância, ela propôs fundar uma faculdade para senhoras.[22]

No século XVIII, a ignorância feminina foi discutida em dois textos em inglês, *Woman Not Inferior to Man* ("A mulher não é inferior ao homem", em tradução livre, de 1739), publicado sob o pseudônimo de "Sophia", e *Vindication of the Rights of Woman* (*Reivindicação dos direitos da mulher*, de 1792), por Mary Wollstonecraft. Os dois textos foram traduzidos para outros idiomas no início do século XIX, embora, em suas versões em francês e português, o texto de Sophia tenha sido atribuído a Mary.[23]

Sophia culpava os homens pela ignorância feminina, "por não darem a elas os meios para evitar a superstição". Wollstonecraft alegou que "a própria constituição dos governos civis colocou obstáculos quase insuperáveis no caminho para impedir o cultivo do entendimento feminino" e que "as mulheres atualmente são, por ignorância, tomadas como insensatas ou viciosas". Ela perguntava por que as mulheres deveriam ser "mantidas na ignorância sob o nome ilusório de inocência".[24] Para resumir: no início da Europa moderna, algumas mulheres admitiam sua ignorância e culpavam os homens por ela.

IGNORÂNCIA MASCULINA

No final do século XX, a situação descrita na seção anterior foi invertida. As feministas negaram a ignorância feminina e culparam os homens por ignorarem o conhecimento feminino. A filósofa francesa Michèle Le Dœuff chegou à conclusão de que "em algum momento, teremos de elaborar melhor o conceito de desconhecimento masculino".[25] Enquanto as mulheres com frequência estavam cientes de sua ignorância, os homens geralmente ignoravam a sua própria.

No início do período moderno, algumas mulheres já discutiam por escrito a igualdade (ou ocasionalmente a superioridade) das mulheres e reclamavam da relutância dos homens em reconhecer suas realizações. Lucrezia Marinella sugeriu que a necessidade de se sentir superior é o que fundamenta a crítica masculina às mulheres, enquanto Mary Astell observou que as histórias que são "escritas por homens contam as grandes façanhas uns dos outros", mas omitem as realizações femininas, porque os escritores têm "inveja das mulheres".²⁶

A carreira das acadêmicas e cientistas dos séculos XIX e XX revela a persistência da relutância masculina em reconhecer as realizações femininas, sobretudo nos casos em que elas colaboraram com os homens.²⁷ Exemplos notórios de acobertamento da contribuição das mulheres cientistas – certamente casos de "não querer saber" – incluem Mary Anning, Lise Meitner e Rosalind Franklin.²⁸

Mary Anning ainda é frequentemente descrita como colecionadora e negociante de fósseis, uma descrição que esconde sua contribuição para a paleobiologia, ao identificar os restos de dinossauros em Dorset, na primeira metade do século XIX.²⁹ A física Lise Meitner participou da descoberta da fissão nuclear, nos anos 1930, mas foi seu colega Otto Hahn quem recebeu um Prêmio Nobel por aquele trabalho.

A pesquisa da especialista em cristalografia Rosalind Franklin, descrita como "a Dama Negra do DNA", foi deixada de lado por James Watson, que recebeu um Prêmio Nobel (junto a Francis Crick e Maurice Wilkins) pela descoberta. Mesmo assim, Crick e Watson fizeram uso das chapas de raio X de Franklin (sem permissão nem reconhecimento) na revista *Nature*, no trabalho que construiu a reputação dos dois. Já, inclusive, foi sugerido que os três premiados fizeram parte de uma conspiração masculina para excluir Franklin. No mínimo, o não reconhecimento deles da contribuição dela oferece um dos exemplos mais notórios de "amnésia de citação" na história da ciência.³⁰

Voltando às humanidades, a acadêmica norte-americana Alice Kober pode ser descrita como a Franklin dos escritos clássicos, uma vez que ela foi praticamente omitida, pelo menos por algum tempo, da famosa história da decifração do antigo silabário grego conhecido como "Linear B".³¹ Na história da filosofia, algumas mulheres, anteriormente negligenciadas, tornaram-se recentemente objeto de atenção acadêmica.³² De maneira semelhante, no caso da arte, figuras importantes como a pintora barroca Artemisia Gentileschi e a impressionista Mary Cassatt foram agora incluídas no cânone pictórico, graças a historiadoras de arte feministas como Linda Nochlin e Griselda Pollock.³³

Para reduzir todas essas ignorâncias, as feministas fundaram a área acadêmica chamada Estudos da Mulher [Women's Studies]. Um programa pioneiro foi lançado na Universidade Cornell, em 1969. Seguiram-se revistas, tais como a *Feminist Studies*, a *Signs* e a *Hypatia*. Merece ênfase o aspecto multidisciplinar dos Estudos da Mulher, que se expandiu para se tornar Estudos de Gênero. O Centro de Estudos de Gênero de Cambridge agora recorre a estudiosos em mais de vinte departamentos da universidade. As feministas começaram esse movimento apontando a falta de pesquisa sobre as mulheres e sua "invisibilidade" para os estudiosos (principalmente homens) que as ignoravam.[34] Como apenas "adicionar mulheres" ao que se sabia sobre os homens não era suficiente para remediar a situação, elas seguiram adiante sustentando duas argumentações gerais a respeito das lacunas naquilo que os homens chamavam de "conhecimento".

A primeira dessas argumentações foi uma crítica à objetividade científica, que seria falha por preconceito masculino e pela falta da consciência de que todo conhecimento se forma relativamente a um ponto de vista ou a uma situação social.[35] O segundo ponto era o de que as mulheres têm suas próprias formas de saber, geralmente ignoradas pelos homens. Argumentou-se que a emoção (vista como feminina) "é vital para o conhecimento sistemático" e que as disciplinas dominadas pelos homens institucionalizaram "uma ênfase na racionalidade que desvaloriza a intuição".[36] Também foi argumentado que a epistemologia tradicional (ou seja, masculina) ignora "conhecer outras pessoas".[37] Em outras palavras, os homens se concentram no *savoir*, enquanto as mulheres, no *connaître*. Se esse for o caso, então, afinal, a mente tem sexo!

Nessas publicações e em outras do tipo, o contraste entre o pensamento masculino e o feminino como respectivamente objetivo e subjetivo é claramente muito acentuado. Mas o caso é que, por exemplo, as cientistas mulheres não têm problemas em usar sua razão, enquanto alguns homens fazem uso de sua intuição. Em uma análise clássica do contraste, Evelyn Fox-Keller, tanto física quanto feminista, argumentou que a "associação entre masculino e objetivo, mais especificamente entre masculino e científico", via-se "obscurecida" por variações individuais. Qualquer que fosse o caso, essa associação não se devia à genética, mas era simplesmente parte de um sistema de crenças encorajado pelas primeiras experiências dos homens e das mulheres.[38]

4
Estudando a ignorância

> *Ainda não é inteiramente respeitável escrever sobre a ignorância.*
> Michael Smithson

As disciplinas acadêmicas são uma forma particular de organização ou de comunidade cognitiva. Também nelas é possível identificar a ignorância institucionalizada, no sentido de uma falta de interesse coletivo por certos tipos de conhecimento e uma falha na pesquisa a respeito deles. Portanto, pode ser esclarecedor examinar as recentes abordagens feministas a disciplinas particulares.

Uma geração de mulheres que estudaram em universidades argumentou que não apenas o currículo acadêmico era ensinado só por homens, como também parecia ter sido projetado somente tendo os homens em mente. Elas tomaram nota daquilo que havia sido negligenciado, negado ou mesmo reprimido na pesquisa masculina. Desde os anos 1970, "temos visto uma enorme exposição coletiva de ausências de conhecimento em muitas disciplinas nas ciências humanas e sociais, e em menor grau também nas ciências naturais".[1]

Em um campo após outro, as acadêmicas identificaram pontos cegos, áreas que vieram sendo ignoradas como resultado de preconceitos masculinos. No caso da lei, por exemplo, argumenta-se que os sistemas jurídicos ignoram as experiências e os pontos de vista das mulheres, mais obviamente no caso das leis relativas ao estupro.[2] No caso da política, Carole Pateman afirma que as escritoras feministas foram excluídas do cânone dos teóricos e que "a teoria política, em sua maioria, permanece intocada pelo argumento feminista".[3]

As geógrafas feministas estudaram os efeitos da localização sobre as desigualdades entre os sexos, assim como pediram uma maior participação das mulheres na pesquisa e na teoria geográfica.[4] A economista dinamarquesa Esther Boserup foi pioneira na abordagem feminista de sua disciplina, observando que, "na vasta e sempre crescente literatura sobre desenvolvimento econômico, as reflexões acerca dos problemas particulares das mulheres são poucas e espaçadas demais".[5]

Em uma das primeiras contribuições à sociologia feminista, Ann Oakley escolheu um tópico que havia sido negligenciado tanto por sociólogos quanto por economistas: o trabalho doméstico. Em uma crítica mais ampla ao que ela chamou de "sociologia patriarcal", Dorothy Smith argumentou que seus "métodos, esquemas conceituais e teorias" tinham sido "construídos dentro do universo social masculino", que ignorava as experiências das mulheres. Ela contrastou o foco masculino cheio de regras impessoais com um enfoque feminino sobre a vida cotidiana e as experiências pessoais.[6]

ANTROPOLOGIA E ARQUEOLOGIA

No caso da antropologia, não se pode dizer que os pesquisadores homens tenham ignorado as mulheres, mas eles parecem ter subestimado sua importância em muitas sociedades e, em muitos casos, nem sempre lhes foi permitido ver ou falar com elas. Entretanto, algumas mulheres ingressaram nessa disciplina relativamente cedo, incluindo, em ordem cronológica, Ruth Benedict, Zora Hurston, Audrey Richards, Margaret Mead e Ruth Landes. O primeiro impacto das antropólogas foi preencher algumas lacunas no conhecimento, dizendo mais sobre as experiências das mulheres do que suas contrapartes masculinas tiveram condições de fazer em qualquer momento. Em Samoa, por exemplo, Mead foi capaz de falar com as garotas sobre sexo. Na Bahia, Ruth Landes enfatizou o papel das sacerdotisas nas religiões afro-brasileiras.[7]

Em todas essas áreas, as mulheres identificaram pontos cegos que resultavam da dominação dessas disciplinas pelos homens. Em uma segunda etapa, as estudiosas começaram a fazer perguntas diferentes das feitas por seus colegas masculinos. Mary Douglas, por exemplo, foi descrita como tendo levado à antropologia "as preocupações femininas de seu ambiente de classe média: com a casa, suas refeições e sua manutenção, com rituais domésticos de limpeza [...] com as compras [...] com o corpo feminino".[8] Em uma terceira etapa, a teoria antropológica foi ampliada para explorar tópicos antes negligenciados, como o gênero.[9]

As arqueólogas ficaram atrás de suas colegas antropólogas na descoberta do viés masculino, mas foram inspiradas por elas em seus esforços para corrigi-lo, assim "conferindo gênero" [*engendering*] à arqueologia.[10] Elas tiveram de enfrentar o problema da falta de provas para a divisão sexual do trabalho em uma disciplina que é essencialmente baseada no estudo da cultura material. Essa falta de provas é uma das razões pelas quais o trabalho da acadêmica lituana Marija Gimbutas – que defendeu a existência de igualdade entre os sexos na Europa neolítica e alegou, tal como Christine de Pizan, no século XV, que "a agricultura era desenvolvida por mulheres" – continua controverso.[11] Entretanto, novas técnicas de análise de DNA estão permitindo aos arqueólogos determinar o sexo dos esqueletos e mostrar que alguns vikings que foram enterrados com armas eram mulheres.[12] Em qualquer caso, o que pode ser afirmado com certeza é que uma abordagem feminista expôs as suposições tradicionais (de que as mulheres se reuniam e cozinhavam, por exemplo, enquanto os homens caçavam e faziam ferramentas e panelas) como apenas o que elas são: suposições.[13]

ESCREVENDO SOBRE A IGNORÂNCIA

Já se disse, muito bem, aliás, que a ignorância humana é "um tópico vasto, ingovernável e aparentemente infinito".[14] Imputar alguma ignorância a si mesmo, como fizeram Sócrates e Montaigne, é uma coisa; mas imputá-la aos outros é outra bem diferente. Os jovens imputam a ignorância aos mais velhos, e vice-versa. A classe média imputa a ignorância às classes trabalhadoras ou às "massas". Cristãos e muçulmanos atribuem a ignorância aos "pagãos", as chamadas pessoas "civilizadas" atribuem a ignorância aos "selvagens", e as pessoas letradas, a qualquer um que não saiba ler nem escrever.

Parte da revolução no ensino da alfabetização está associada a Paulo Freire, que ensinava no Nordeste do Brasil, em 1963. Ele aconselhou os professores de adultos a deixarem de lado a suposição de que analfabetismo é igual a ignorância e a estarem preparados para aprender com sua classe, tratando-os como iguais que são capazes de examinar seu mundo criticamente. Ao abandonar o que ele chamou de concepção "bancária" da educação – a suposição de que "o professor sabe tudo, e os alunos nada sabem" –, Freire descobriu que era possível ensinar adultos a ler e escrever em quarenta horas.[15]

Como vimos no capítulo um, é comum ver períodos anteriores aos nossos como "eras da ignorância". Mas pode ser mais exato, e mais modesto, dizer que cada era é uma era de ignorância, por três razões principais.

Em primeiro lugar, o espetacular crescimento do conhecimento coletivo nos últimos dois séculos não se reflete no conhecimento particular da maioria dos indivíduos. Embora a humanidade como um todo saiba mais do que nunca, a maioria dos indivíduos sabe pouco mais do que seus ancestrais sabiam.

Em segundo lugar, cada época é uma era de ignorância pelo fato de que a ascensão de alguns conhecimentos é muitas vezes acompanhada pela perda de outros. O lado negativo do aumento do conhecimento de línguas globais, como o inglês, o espanhol, o árabe e o mandarim, é o ritmo acelerado de extinção de outras línguas. Espera-se que de 50% a 90% dos sete mil idiomas do mundo não devam sobreviver até o ano 2100.[16] O conhecimento que é armazenado apenas na cabeça e comunicado oralmente está particularmente em risco, como no caso dos povos da região amazônica de hoje, uma vez que, "quando os membros idosos de uma pequena tribo morrem, muito, se não a maior parte da sabedoria oral, morre com eles".[17] Em um nível conceitual, quando um modelo ou paradigma substitui outro, não há apenas ganho, mas também o que é conhecido como "perda de Kuhn", ou seja, a perda da capacidade de explicar alguns fenômenos, já que cada paradigma concentra sua atenção em algumas características da realidade em detrimento de outras.[18]

Em terceiro lugar, a rápida expansão da *informação*, especialmente nas últimas décadas, não é idêntica à expansão do *conhecimento*, no sentido de haver mais dados que foram testados, digeridos e classificados.

De qualquer forma, organizações, especialmente governos e grandes corporações, escondem uma quantidade enorme das informações que coletam. Já se disse que, nos Estados Unidos, em 2001, foram produzidas "cerca de cinco vezes mais páginas" de documentos secretos em comparação com a quantidade de páginas de novos livros e artigos em bibliotecas, e que essa proporção continuava a aumentar.[19]

Por todas essas razões, a ideia de uma "explosão da ignorância", título de um livro publicado em 1992 por um engenheiro polaco-americano, Julius Lukasiewicz, não é tão paradoxal quanto parece à primeira vista.[20] Diz-se com frequência que vivemos em uma "sociedade da informação" ou uma "sociedade do conhecimento", na qual "trabalhadores do conhecimento" estão substituindo trabalhadores da indústria e da terra. Mas também pode ser dito que vivemos em uma "sociedade da ignorância". À medida que a informação continua a se acumular, há cada vez mais para cada um de nós *não* saber.

Como chegamos a essa situação? Qual é a diferença em relação à situação dos séculos anteriores? É comum ver a época em que se vive como bastante diferente do passado, uma atitude encorajada por manchetes frequentes na mídia que usam expressões como "pela primeira vez" ou "nunca antes". Os escritores dos movimentos que conhecemos como "Renascença" e "Iluminismo" viam aqueles períodos em termos dramáticos, como "libertações da ignorância". Já por volta do ano 1400, o cronista Filippo Villani descreveu o papel de Cimabue como o de restaurar a "verossimilhança" pictórica após o desvio desse padrão devido à "ignorância" (*inscicia*) de pintores anteriores.[21]

Mesmo em uma época como a nossa, de aceleração das mudanças culturais e sociais, é muito fácil exagerar a distância entre o passado e o presente. As continuidades não devem ser esquecidas, e uma das funções da tribo dos historiadores é justamente a de lembrar o público desse aspecto. No que se segue, pretendo oferecer tais lembretes de tempos em tempos, esperando não exagerar no que cabe a mim.

O PODER DA METÁFORA

Escritores que abordam a ignorância têm dificuldade em evitar certas metáforas recorrentes. No século XVIII, os principais participantes do movimento que se autodenominou "Iluminismo" reclamavam regularmente da "escuridão" da ignorância, exatamente como seus antecessores haviam feito na Renascença. O jornalista Joseph Addison alegou que fundou a revista britânica *The Spectator* para "dissipar a ignorância do público", como se ela fosse uma espécie de névoa (cerca de trezentos anos depois, outro jornalista se referiria ao "*smog* [mistura de fumaça com neblina] da ignorância").[22] O historiador William Robertson apresenta o início da Idade Média como uma era na qual "a ignorância da época era muito poderosa [...] a escuridão voltou e se instalou sobre a Europa, mais espessa e pesada do que antes".[23]

Uma variante dessa metáfora é "nuvens da ignorância". Quando Mary Astell publicou sua "proposta séria" para a criação de uma faculdade para mulheres, seu objetivo era "expulsar aquela nuvem da ignorância" que mantinha as mulheres à sombra.[24] Esperava-se que a Universidade do Alabama, fundada em 1819, ajudasse a "dissipar as nuvens da ignorância e do preconceito que por tanto tempo encobriram e escureceram a face de nossa terra".[25] Essa metáfora foi representada literalmente no *Historical Atlas* (*Atlas histórico*), do advogado britânico Edward Quin (1830), cujo subtítulo era "Uma série de mapas do mundo tais como foram representados em diferentes períodos", um livro no qual os mapas vinham cercados por nuvens negras representando o desconhecido.

Edward Gibbon descreveu os invasores bárbaros do Império Romano como "imersos na ignorância", como se ela fosse um riacho ou um oceano.[26] David Hume descreveu a Inglaterra do século XIII como "afundada no abismo mais profundo da ignorância".[27] Supunha-se, pelos apoiadores do movimento, que o Iluminismo iria despertar a humanidade do "sono" da ignorância, ou libertaria o intelecto de seus "laços", suas "correntes" ou seu "jugo", uma metáfora vividamente ilustrada em uma pintura do artista napolitano Luca Giordano.

EXPLORANDO A IGNORÂNCIA

Ir além das metáforas para explorar as causas e consequências da ignorância é mais difícil do que imputar a ignorância a outros. Como tópico de pesquisa, a própria ignorância foi ignorada até relativamente pouco tempo atrás, embora a possibilidade de tal estudo tivesse sido discutida pelo filósofo James Ferrier na década de 1850. Nesse aspecto, os escritores de ficção estavam bem à frente dos acadêmicos.

Por exemplo, um foco na ignorância é perceptível em *O moinho à beira do Rio Floss* (1860), da já mencionada George Eliot, e impossível de não ser notado em sua obra-prima, *Middlemarch: Um estudo da vida provinciana* (1870-1871). Maggie, a heroína do primeiro, inicialmente anseia pelo conhecimento e depois tenta resignar-se à ignorância, provocando o comentário de seu amigo Philip de que "a estupefação não é a resignação, e estupefação é permanecer na ignorância". A autora descreve o período em que seu romance é ambientado, o período de sua própria juventude, como "uma época em que a ignorância era muito mais confortável do que atualmente, sem ser obrigada a se vestir com um traje elaborado de conhecimento".[28]

Em *Daniel Deronda* (1876), outro de seus livros, Eliot pergunta: "Quem devidamente considerou ou expôs o poder da ignorância?".[29] Entretanto, é em *Middlemarch* que a preocupação de Eliot com a ignorância é mais aparente. O final do romance, como sugeriu um crítico, "expõe a dificuldade que é conhecer as outras pessoas".[30] Nesse caso, tal dificuldade é dramatizada pela ignorância dos sentimentos um do outro por parte dos dois personagens principais, Dorothea e Will. No entanto, a posição da ignorância no romance é muito maior do que apenas isso. As palavras "ignorância" e "ignorante" ocorrem 59 vezes no romance (se eu contei certo) e se referem não apenas à percepção de Dorothea de sua própria ignorância, mas também à ignorância de muitas outras pessoas na cidade fictícia onde a história é ambientada.

Henry James estava especialmente interessado no conhecimento privado. Em *Pelos olhos de Maisie* (1897), seu verdadeiro tema é o que a criança Maisie não sabia sobre seus pais. Mas um exemplo mais marcante do foco na ignorância, um tema particularmente apropriado para um autor que era um mestre da ambiguidade e da evasiva, pode ser encontrado em *A taça de ouro* (1904). As palavras "conhecimento" e "ignorância" frequentemente se repetem no texto, enquanto a trama se concentra nas questões de quanto ou quão pouco cada um dos personagens principais sabe sobre um determinado episódio, incluindo se eles sabem ou não o quanto ou o quão pouco os outros sabem.[31]

UMA TAREFA MULTIDISCIPLINAR

Em 1993, o psicólogo Michael Smithson ainda podia iniciar um artigo sobre a ignorância na ciência com palavras como "ainda não é inteiramente respeitável escrever sobre a ignorância".[32] Uma observação semelhante foi feita três anos depois pelo filósofo da ciência francês Théodore Ivainer.[33] Mas, hoje, a situação é muito diferente.

Alguns estudiosos e cientistas chegaram mais cedo a esse tema. Como vimos, Freud já estava preocupado com a ignorância em seu *A interpretação dos sonhos* (1899). Em sociologia, os pioneiros no estudo da ignorância incluem Georg Simmel, que discutia a nesciência (*Nichtwissen*) no início do século XX.[34] Em economia, a incerteza foi discutida na década de 1920 por Frank Knight e John Maynard Keynes, enquanto Friedrich von Hayek publicou um artigo sobre "como lidar com a ignorância" em 1978.[35]

Dado o interesse demonstrado por grandes escritores, como George Eliot e Henry James, não é surpresa encontrar acadêmicos na área da literatura que produzem estudos acerca da ignorância. Um deles pesquisa o conhecimento da ignorância "do *Gênesis* a Júlio Verne"; outro se concentra no "desconhecido" como uma marca da ficção modernista; um terceiro, de autoria de Andrew Bennett, pergunta até que ponto os autores, tanto romancistas quanto poetas, estão conscientes do que vão fazer antes de fazê-lo, ou conscientes do significado do que escrevem.[36] De modo mais geral, Bennett sugere que "a ignorância pode ser reconcebida como uma parte da narrativa e uma outra força dentro da literatura, como parte de sua performatividade e até como um aspecto importante de seu foco temático".[37]

Na filosofia, em que o problema do conhecimento já há muito tempo é um tema central, houve uma reviravolta no interesse pela ignorância nos anos 1990, quando a expressão "epistemologia da ignorância" foi cunhada, como vimos.[38]

No caso da medicina, a institucionalização chegou excepcionalmente cedo. Um antropólogo publicou um estudo sobre a ignorância médica em 1981. Uma *Encyclopaedia of Medical Ignorance* ["Enciclopédia da ignorância médica"] foi publicada em 1984. Em um ensaio que servia de prólogo a um livro didático de medicina, o médico polímata Lewis Thomas declarou que "não somos tão francos quanto deveríamos sobre a extensão de nossa ignorância [...] Eu gostaria que houvesse alguns cursos formais na faculdade de medicina sobre a ignorância médica".[39] Uma professora da Universidade do Arizona, Marlys Witte, que descreveu Lewis Thomas como seu "mentor", colocou em prática essa sugestão, incluindo "as coisas que pensamos saber, mas não sabemos", "as coisas que pensávamos saber, mas não sabíamos" e uma discussão sobre o que pode ser aprendido com os fracassos, "tanto os nossos como os dos outros". Apesar de encontrar alguma oposição, a disciplina de "Introdução à ignorância", de Witte, foi lançada em 1985 e foi um grande sucesso, tanto que foi logo complementada por um curso anual de verão para professores e estudantes fora da universidade.[40]

Um dramático lembrete da ignorância médica vem do aparecimento de doenças desconhecidas, desde a peste bubônica até a covid-19 (as epidemias serão discutidas mais tarde, no capítulo doze). A história da medicina também oferece exemplos dramáticos de esquecimento institucional. Nos séculos XVII e XVIII, os médicos ocidentais descobriram e às vezes fizeram uso de elementos da medicina asiática, notadamente a acupuntura e a moxibustão. Apesar disso, a partir de cerca de 1800, os médicos ocidentais rejeitaram essas medicinas alternativas como "não científicas", numa época em que "um sistema médico único, cada vez mais dominante [...] buscava formar um monopólio absoluto sobre as práticas e teorias de cura".[41]

As primeiras contribuições para o estudo da ignorância feitas por médicos, filósofos e psicólogos apareceram mais ou menos isoladas umas das outras, como são as disciplinas de onde elas vieram. Alguns desses contribuintes se reuniram no início dos anos 1990 graças a uma conferência internacional sobre o assunto, realizada em 1991, e a uma sessão da Associação Americana para o Avanço da Ciência, em 1993. Os trabalhos apresentados nessa sessão se preocupavam com a ignorância vista a partir da filosofia, da sociologia, do jornalismo e da medicina.[42]

Desde aquela época, livros e artigos sobre a ignorância vêm aparecendo em número crescente. Sociólogos, da Alemanha ao Brasil, têm oferecido contribuições.[43] A "agnotologia" se tornou uma tarefa multidisciplinar. O *Routledge Handbook of Ignorance Studies* ("Manual Routledge sobre estudos da ignorância") oferece uma visão geral de como está esse campo de estudo, com capítulos de 51 autores que vêm de filosofia, sociologia, antropologia, economia, política, ciência, direito e literatura.[44]

A questão de por que um interesse tão forte no estudo da ignorância veio a se desenvolver nos últimos quarenta anos ou mais tem mais de uma resposta possível. Uma delas enfatiza o desenvolvimento interno do que é uma pesquisa. Isso porque, ao se estudar um determinado problema, muitas vezes se mostrou esclarecedor virá-lo de cabeça para baixo ou de dentro para fora e examinar o que seria seu oposto complementar. Aqueles que estudam a memória, por exemplo, voltaram-se para o estudo do esquecimento, enquanto os estudantes da linguagem agora estudam também o silêncio. O sucesso há muito tempo tem sido objeto de atenção, mas os estudiosos agora demonstram interesse no que pode ser aprendido com o fracasso. O conhecimento tem atraído cada vez mais a atenção dos estudiosos, encorajados pelo debate sobre a "sociedade do conhecimento", tornando assim virtualmente inevitável que os estudos da ignorância sigam nesse rastro.

Se nos voltarmos às explicações externas, o estudo acadêmico da ignorância é claramente impulsionado pelas maiores preocupações de nosso próprio século, especialmente a atenção a desastres no passado recente, como o 11 de Setembro, nos Estados Unidos, a apreensão quanto a desastres no presente (especialmente, em 2021, a covid-19) e o medo dos desastres que virão. O interesse acadêmico também é encorajado pelas espetaculares demonstrações de ignorância de recentes chefes de Estado, como Donald Trump e Jair Bolsonaro. Em um nível mais popular, títulos como "O poder da ignorância" são compartilhados por vários livros de autoajuda (incluindo uma paródia do gênero).[45] Seria reconfortante, ainda que provavelmente otimista demais, supor que esse crescente interesse pela ignorância seja evidência de um aumento da humildade coletiva.

5
Histórias da ignorância

> *Uma história do conhecimento que dedique atenção suficiente à história da ignorância é algo que ainda está por ser escrito.*
> Robert DeMaria

Como no caso das disciplinas discutidas no capítulo anterior, também os historiadores foram criticados por ignorarem as mulheres, o que levou a tentativas de preencher a lacuna e incentivar o interesse pela história também dessa ignorância.

A HISTÓRIA DAS MULHERES

As mulheres já foram por vezes descritas como "escondidas da história", o que implica que os historiadores mais antigos ignoraram o passado de metade da humanidade. Na verdade, três exemplos bem conhecidos de história das mulheres – todos escritos por homens – apareceram em francês, alemão e inglês no século XVIII: *Essai sur le caractère, les moeurs et l'esprit des femmes dans les différens siècles* (ou "Ensaio sobre a personalidade, os costumes e o espírito das mulheres nos diferentes séculos", em tradução livre, de 1772), de Antoine Thomas; *Geschichte des weiblichen Geschlechts* ("História do sexo feminino", em tradução livre, de 1788-1800), de Christoph Meiners; e *The History of Women* ("A história das mulheres", em tradução livre, de 1796), de William Alexander.[1] Os autores e editores apelavam claramente para o interesse feminino pela história, o que oferece mais provas contra a tradicional suposição de uma ignorância feminina.[2]

As mulheres acadêmicas foram capazes de preencher lacunas no conhecimento histórico que seus colegas homens haviam deixado passar. Mary Ritter Beard argumentou que os homens "não dispõem da força das mulheres" e de sua contribuição para "fazer história" como sacerdotisas, rainhas, santas, hereges, estudiosas e senhoras dos lares.³ Lucy Salmon, que lecionava no Vassar College, nos Estados Unidos, publicou um estudo sobre afazeres domésticos e recomendou uma ampla gama de fontes anteriormente negligenciadas para a história social, incluindo longas listas de itens e utensílios de cozinha.⁴

Uma mudança mais geral ocorreu nos anos 1970, quando as feministas criticaram os historiadores por ignorarem as mulheres no passado. Natalie Davis, a decana do assunto nos Estados Unidos, observou que "a maioria dos historiadores modernos da Reforma [...] quase não mencionam as mulheres".⁵ Em seu estudo mais conhecido, *O retorno de Martin Guerre*, Davis inseriu uma discussão sobre a esposa do protagonista, Bertrande, na conhecida história dos dois Martins, o impostor que afirmava ser seu marido e o genuíno, que voltou alguns anos depois. A atitude de Bertrande em relação ao homem que afirmava ser seu marido era obviamente um elemento-chave na história, mas havia sido negligenciada, quando não ignorada, por historiadores anteriores.⁶

Hoje, o número de historiadores profissionais que estudam o trabalho das mulheres, o corpo das mulheres, a religião e a escrita feminina representa um contraste expressivo com a situação de meio século atrás.⁷ Muitas vezes, a introdução de um novo elemento em um sistema leva a outras mudanças nesse sistema a fim de acomodá-lo.⁸ Davis sugeriu que o aumento da história da mulher "deveria causar algumas mudanças na prática do campo em geral".⁹ Uma dessas mudanças é o aumento no interesse pela vida privada, como visto em *História da vida privada*, obra originalmente publicada em francês em cinco volumes, de 1985 a 1987. Outra é a crescente consciência do poder informal, nos bastidores dos tribunais e das casas, seja ele exercido por mulheres, seja por homens.

HISTÓRIAS DE IGNORÂNCIA

Entre os 51 colaboradores do *Routledge Handbook* mencionado anteriormente, não havia um único historiador. No estudo da ignorância, os historiadores chegaram tarde ao jogo. Muitos se referiram à ignorância apenas de passagem, e poucos a colocaram no centro de suas indagações.

Historiadores da ciência, como Peter Galison e Robert Proctor, que se conheceram quando eram estudantes em Harvard, no início dos anos 1980, estiveram entre os primeiros estudiosos de história a escrever sobre a ignorância. Proctor se surpreendeu com a falta de interesse de seus professores pelas atitudes das pessoas comuns, do criacionismo ao racismo, enquanto Galison, considerando que alguns de seus professores de física haviam trabalhado na bomba atômica, interessou-se pela censura e pelo sigilo. Proctor em particular, juntamente a outra historiadora da ciência, Londa Schiebinger, fez muito para propalar o que eles chamaram de "agnotologia", o estudo da forma como a ignorância é produzida ou mantida, em oposição à "agnoiologia", o estudo da ignorância em geral.[10]

Por outro lado, os historiadores generalistas têm ficado para trás em relação a seus colegas na história da ciência.[11] Embora o interesse pela história do conhecimento venha crescendo já há algum tempo, "uma história do conhecimento que dedique atenção suficiente à história da ignorância é algo que ainda está por ser escrito".[12] Essa chegada tardia é um tanto estranha, pois, no caso da história, assim como no da filosofia, o interesse pela ignorância já havia sido despertado há muito tempo pela necessidade de responder aos céticos. No século XVII, alguns desses céticos já estavam desacreditando os relatos do passado então recebidos, notadamente em um livro sobre a incerteza da história, de autoria de François La Mothe Le Vayer.[13]

Nos séculos XVIII e XIX, alguns historiadores organizaram seus livros em torno da ideia de progresso, um movimento que parte da ignorância rumo ao conhecimento. O início da Idade Média era muitas vezes apresentado como uma época de ignorância, a "Idade das Trevas", contra a qual os escritores da era da luz, o "Iluminismo", definiram-se. O filósofo David Hume descreveu os séculos X e XI como "aqueles dias de ignorância" e "aquelas eras ignorantes". Voltaire também descreveu a Idade Média como "*ces siècles d'ignorance*" [aqueles séculos de ignorância].[14]

A ignorância foi muitas vezes ligada ao analfabetismo. Em seu relato da origem das "fábulas" (incluindo o que chamamos de "mitos"), o acadêmico francês Bernard de Fontenelle sugeriu que a ignorância e a barbárie começaram a declinar após a invenção da escrita.[15] Há uma ênfase semelhante no papel da escrita, juntamente ao da impressão, na história mais famosa já produzida em termos do progresso do conhecimento e do recuo da ignorância: o "esboço" do progresso da mente humana, de autoria de Nicolas de Condorcet, publicado postumamente, após seu aristocrático autor ter sido guilhotinado no curso da Revolução Francesa.[16]

A tradição dos estudos da guerra contra a ignorância durou até o século XIX e foi além. Um exemplo advindo da Inglaterra vitoriana é *Makers of Modern Thought* ("Criadores do pensamento moderno", em tradução livre, de 1892), de David Nasmith, que carregava o subtítulo de "A luta de quinhentos anos (de 1200 d.C. a 1699 d.C.) entre ciência, ignorância e superstição". Os autores de livros como esse escreviam de um modo que pode ser chamado de "triunfalista", confiantes de que a guerra estava sendo ganha e de que sua época era mais esclarecida do que as antecessoras. Em outras palavras, eles aceitaram a chamada interpretação "Whig" da história como a história do progresso.[17]

Hoje, após um longo intervalo, alguns historiadores estão voltando ao tema da ignorância sem se comprometerem com as suposições "tipicamente Whig" sobre seu inevitável declínio. Cornel Zwierlein e alguns de seus colegas alemães têm estudado a diplomacia e o império a partir desse ângulo, ao passo que Zwierlein também editou uma coleção de ensaios sobre o tema. Alain Corbin, historiador francês há muito conhecido por sua escolha de temas incomuns – de alhos a bugalhos –, publicou um estudo sobre o que não era conhecido sobre a Terra no final do século XVIII e início do século XIX.[18] Em 2015, foi realizada uma conferência no Instituto Histórico Alemão, em Londres, a respeito de "Ignorância e Não Conhecimento na Expansão do Começo da Era Moderna". No entanto, muitos outros domínios ainda precisam ser explorados.

Uma história que aborde escolas ou universidades, por exemplo, pode se concentrar naquilo que não foi ensinado, o que foi descrito pelo teórico educacional Elliot Eisner como o "currículo inexistente". A ideia subjacente a tal foco é a de que "a ignorância não é simplesmente um vazio neutro; ela tem efeitos importantes sobre os tipos de opção que alguém pode considerar, as alternativas que alguém pode levar em conta e as perspectivas a partir das quais se pode ver uma situação ou problema [...] uma perspectiva limitada e provinciana ou uma análise simplista são a inevitável progênie da ignorância".[19] Da mesma forma, um estudo de sucessivas edições de enciclopédias poderia examinar o que ficou faltando nelas em diferentes lugares e períodos – especialmente o que foi removido porque já não se pensava que fosse correto ou importante.[20]

ABORDAGENS E MÉTODOS

Os historiadores da ignorância enfrentam um problema fundamental: como estudar uma ausência.[21] Os cientistas sociais podem preencher a lacuna fazendo suas próprias pesquisas – por exemplo, de "ignorância do eleitor". Mas que possíveis fontes e métodos poderiam existir para construir a história daquilo que não pode ser visto?

Uma forma relativamente tradicional de responder a isso é focar a noção de "ignorância" em diferentes períodos. A carta "On His Own Ignorance and That of Many Others" ["Sobre sua própria ignorância e a de muitos outros"], do poeta-acadêmico renascentista Francesco Petrarca, já foi fartamente discutida. Petrarca cita Sócrates ao dizer "saber que não sabe", enquanto se defende contra a afirmação de quatro jovens venezianos de que ele mesmo é ignorante.[22] Os argumentos acerca dos limites do conhecimento apresentados pelos céticos antigos e modernos vêm sendo discutidos com frequência, tal como neste livro. Os teólogos estudaram a tradição de uma "rota negativa" para o conhecimento de Deus, como veremos no capítulo seis.

As respostas recentes a esse desafio oferecem abordagens indiretas, semelhantes a seguir pedestres olhando para suas sombras. Uma dessas abordagens pode ser batizada de "método retrospectivo", mudando o foco do aumento do conhecimento para o declínio gradual da ignorância. Como o acadêmico espanhol Francisco López de Gómara apontou, em sua *Historia general de las Indias* ("História geral das Índias", em tradução livre, de 1553), a descoberta da América "revelou a ignorância dos antigos, por mais sábios que fossem" (*declaró la ignorancia de la sabia antigüedad*).[23]

O método retrospectivo se assemelha ao método regressivo empregado pelo historiador francês Marc Bloch quando ele estudava sistemas agrários.²⁴ No entanto, Bloch estava interessado em descobrir continuidades, enquanto o método retrospectivo enfatizava os contrastes entre passado e presente. Sendo assim, ele está mais próximo da abordagem do colega de Bloch, Lucien Febvre, que explorou os limites do pensamento francês do século XVI por meio de conceitos ausentes, palavras que ainda não haviam sido cunhadas naquela época.²⁵

Uma segunda abordagem é estudar o que poderia ser chamado de "ausências eloquentes", seguindo o exemplo de Sherlock Holmes. Ao investigar um cavalo de corrida desaparecido, Holmes observou que o cão de guarda não latiu durante a noite, como normalmente teria feito quando confrontado com um intruso. O detetive tirou a conclusão de que o ladrão era, então, bem conhecido do animal. De maneira semelhante, os historiadores da ignorância podem praticar o método comparativo para revelar ausências significativas, como fez o sociólogo alemão Werner Sombart em um famoso ensaio sobre a ausência, nos Estados Unidos, de algo que estava muito presente na Alemanha da época do próprio Sombart: o socialismo.²⁶

Por exemplo, Cornel Zwierlein, concentrando-se na ignorância ocidental a respeito do Levante do início da era moderna, notou a ausência de certos livros em bibliotecas privadas, notadamente a obra do grande historiador árabe Ibn Khaldun, bem como a ausência de certas informações nos livros que podem ser encontrados nessas bibliotecas.²⁷ Essa prática tem sido chamada de "história nula", tratando a ausência de certo material em um arquivo, por exemplo, como um fenômeno significativo.²⁸ Relembrando: a comparação de textos escritos por diferentes viajantes para um mesmo lugar revela as lacunas em cada texto, permitindo ao historiador perceber o que o autor não viu.

Uma terceira abordagem é virar a narrativa triunfalista tradicional de cabeça para baixo, substituindo a ênfase no recuo da ignorância por um relato de seu avanço ou mesmo (como sugerido anteriormente) de sua "explosão". Tal forma de registro conta a história da extinção de línguas, da queima de livros, da destruição de bibliotecas, do esquecimento coletivo das descobertas, da morte de pessoas sábias e assim por diante. Em resumo, ela oferece uma ênfase nos perdedores, e não nos vencedores; no fracasso, e não no sucesso.²⁹ O valor dessa abordagem é revelar a *unilateralidade* da história tradicional, o que os historiadores costumavam chamar de "viés". E sua fraqueza (se essa abordagem for perseguida isoladamente) é que ela é igualmente unilateral, ou o outro lado da moeda.

Um caminho possível para uma reconciliação entre essas duas interpretações da história já foi sugerido nos anos 1950 por C. S. Lewis, acadêmico de Oxford mais conhecido como escritor de ficção e teólogo leigo. A introdução de Lewis à sua história da literatura inglesa na Renascença enverga o cativante título de "Novo conhecimento e nova ignorância". O autor alegava que a hostilidade à filosofia medieval por parte dos humanistas da Renascença era uma forma de ignorância e, a partir dessa premissa, passou a generalizar sua argumentação. "Talvez cada novo conhecimento crie um lugar para si mesmo dando origem a uma nova ignorância. O poder de atenção do homem parece ser limitado; cada prego batido afasta outro".³⁰ A esse respeito, devo concordar com Lewis, acrescentando uma dimensão social à sua história, já que a ignorância, como o conhecimento, está localizada socialmente.

UMA HISTÓRIA SOCIAL DA IGNORÂNCIA

A história da ignorância, como a história do conhecimento, faz parte da história intelectual, mas essa história intelectual pode ser abordada de diferentes maneiras. Este livro enfatiza a história social da ignorância, o oposto complementar da história social do conhecimento. Uma questão-chave nos assuntos humanos, como Lenin observou em 1921, é "De quem – Para quem?" (*Kto, Kogo?*). Em um estudo de comunicação, o cientista político Harold Lasswell elaborou a pergunta em uma famosa fórmula: quem está dizendo o quê a quem?³¹

De maneira semelhante, os historiadores sociais da ignorância se preocupam com "quem é ignorante a respeito de quê", distinguindo, por exemplo, a ignorância das pessoas comuns (os leigos, os funcionários, os eleitores, os consumidores) da ignorância das elites (governantes, generais, cientistas etc.), bem como examinando as conexões entre elas. Isso os leva a considerar os usos da ignorância, especialmente sua contribuição para o domínio de um grupo (classe, raça ou gênero) sobre outro. Dessa abordagem resulta que o termo "ignorância" – tal como "conhecimento" – merece ser empregado no plural, embora as palavras "ignorâncias" e "conhecimentos" possam parecer estranhas na língua inglesa, ao contrário dos *savoirs* franceses ou dos *saberes* espanhóis.

Os historiadores sociais também podem estudar o que Zwierlein chama de "lidar com a ignorância" – em outras palavras, respostas à consciência de que existem ignorâncias particulares por parte de estudiosos, cientistas, missionários, administradores etc., que consistem em realizar experimentos, conduzir pesquisas, engajar-se em trabalhos de campo e assim por diante.[32]

Algumas formas de ignorância são virtualmente exigidas de determinado grupo social em determinada cultura. No início da Europa moderna, por exemplo, esperava-se que um cavalheiro não soubesse – ou pelo menos que não soubesse *muito* – sobre dinheiro ou sobre habilidades associadas ao artesanato, uma vez que as classes altas desprezavam o trabalho manual. Por sua vez, esperava-se que as senhoras não soubessem nada a respeito de uma variedade de tópicos, desde a aprendizagem clássica até o sexo (pelo menos antes de se casarem).

No início do século XX, a botânica britânica Marie Stopes, mais conhecida como uma defensora da eugenia, dos direitos das mulheres e do controle da natalidade, ficou chocada com o silêncio coletivo sobre sexo no mundo das mulheres de classe média, que resultava na ignorância das meninas até se casarem. Stopes citou uma mulher que escreveu para ela dizendo que "eu me casei sem saber praticamente nada do que seria a vida de casada; ninguém nunca conversou comigo nem me disse coisas que eu deveria saber; e tive de tomar consciência de tudo de maneira brutal".[33] Michel Foucault, que gostava de virar a sabedoria convencional de cabeça para baixo, alegou que o que ele chamou de "regime vitoriano" da sexualidade não era de silêncio e sigilo. Pelo contrário, "[o sexo] é esse elemento dela mesma [burguesia] que a inquietou e preocupou mais do que qualquer outro". Como sempre, porém, é necessário distinguir entre atitudes: as oficiais e as não oficiais, as masculinas e as femininas, as dos pais e as de seus filhos.[34]

Por outro lado, outras formas de ignorância foram amplamente consideradas condenáveis. Na Europa protestante, por exemplo, os devotos ficavam chocados com qualquer pessoa que mostrasse ignorância da Bíblia (na Europa católica, ao contrário, o interesse de leigos pela Bíblia poderia levar à suspeita de heresia). Para as senhoras, era uma ignorância culpável não saber administrar uma casa, bordar, ter caligrafia elegante, cantar, tocar piano, ler música e reconhecer obras de compositores famosos.

Quanto aos homens, o conhecimento dos mitos, da história, da literatura e da filosofia da Grécia e da Roma antigas, ou pelo menos a capacidade de reconhecer alusões aos clássicos, foi durante muito tempo considerado essencial para qualquer indivíduo educado no Ocidente, especialmente entre 1500 e 1900. Também era culpável que um cavalheiro ignorasse a heráldica, incluindo seus termos técnicos ("asna", "gules", "empalamento", "leão passante" e assim por diante) e a capacidade de reconhecer os brasões de armas de famílias importantes. Em *Rob Roy* (1817), romance de Walter Scott ambientado no século XVIII, um homem mais velho expressa espanto com a ignorância de um mais jovem sobre o assunto. "O quê! Desconhecer as figuras da heráldica? No que seu pai estaria pensando?" É impossível separar a história social da história política da ignorância. Em várias ocasiões, faz-se necessário perguntar quem (homens, a burguesia, governantes, empresas) mantém quem (mulheres, classe trabalhadora, pessoas, consumidores) na ignorância e por quais razões. A acadêmica inglesa Bathsua Makyn, do século XVII, já reclamava que as mulheres eram "mantidas na ignorância de propósito para serem escravizadas", um ponto de vista reiterado, como vimos anteriormente, por Mary Astell e Gabrielle Suchon no mesmo século XVII e pela anônima Sophia no século XVIII.[35]

Como já foi observado, "ignorância" é um termo guarda-chuva e é importante estudá-lo no plural, como uma série de ignorâncias específicas com suas próprias explicações e suas próprias consequências. É igualmente importante estudar esse termo a partir de diferentes pontos de vista, dando lugar para as opiniões tanto dos missionários como dos "selvagens", tanto das elites quanto das "massas", dos homens e das mulheres, dos trabalhadores e dos administradores, dos soldados e dos oficiais, e assim por diante, na esperança de produzir o que às vezes é chamado de história "polifônica".[36]

6

A ignorância da religião

*Um homem não deve dizer que sabe ou acredita naquilo que ele
não tem fundamentos científicos para professar conhecer ou acreditar.*
T. H. Huxley

O material a partir do qual este capítulo foi produzido é bem rico e bem variado ao mesmo tempo. A ignorância desempenha vários papéis tanto na teoria quanto na prática da religião, mais obviamente na tradição apofática da teologia, segundo a qual se afirma que os humanos só podem dizer o que Deus não é, permitindo-nos "saber indiretamente por meio de nossa ignorância".[1] A própria religião pode ser descrita como uma resposta à ignorância humana, mesmo que os líderes religiosos estejam muitas vezes confiantes de realmente conhecer as intenções de Jeová, Deus ou Alá. De outra maneira, as religiões já foram explicadas como a criação deliberada do mistério, como no notório tratado sobre os "três impostores" (Moisés, Cristo e Maomé), publicado pela primeira vez no século XVIII.[2]

A ignorância é frequentemente imputada a grupos cuja religião é diferente daquela de quem fala, e essa pessoa tende a tratar tais crenças como uma ausência de conhecimento, e não como um conhecimento diferente e rival. Como vimos, os muçulmanos chamam a era do politeísmo antes do Islã de "a era da ignorância", enquanto os missionários cristãos se referem com frequência à "ignorância" dos não cristãos, juntamente à "idolatria" e à "superstição". Dentro de cada religião, grupos costumam se acusar mutuamente de ignorância da verdadeira fé, enquanto os crentes em alguma das principais religiões mundiais geralmente sabem muito pouco sobre qualquer uma das outras. Os agnósticos, seguindo o exemplo de Sócrates, imputam a si mesmos a ignorância.

Este capítulo tratará, em partes, da ignorância das doutrinas de sua própria religião por parte tanto do clero quanto dos leigos; da ignorância das ideias dos crentes em outras religiões; da ignorância consciente do divino em suas duas formas principais, que são o "caminho negativo" para o conhecimento de Deus e o agnosticismo; e, finalmente, do declínio do interesse pela teologia, que é uma decisão mais ou menos consciente de ignorá-la.

O CLERO

Como no caso de outras organizações grandes, tais como governos, empresas e exércitos, as igrejas muito provavelmente são também locais daquilo que é conhecido como "ignorância organizacional". Não estou pensando aqui nos casos de abuso sexual recentemente descobertos tanto na Igreja Católica quanto na Igreja Anglicana, uma vez que os bispos em cujas dioceses os abusos ocorreram podem mais plausivelmente ser acusados de *encobrir* o que estava acontecendo, no lugar de ignorarem que estava acontecendo. Mais relevantes neste momento são as lacunas no conhecimento e na comunicação entre a paróquia e a diocese, um tema ainda negligenciado (pelo menos até onde sei) por parte dos historiadores eclesiásticos.

Mais é sabido acerca da ignorância da fé por parte do clero, em particular a dos párocos, um problema antigo que se tornou um assunto importante tanto para católicos como para protestantes durante a Reforma europeia. Na Idade Média, os párocos não eram formalmente treinados para cumprir seus deveres. Eles apenas ajuntavam fragmentos de conhecimento por meio de uma espécie de aprendizagem informal, ao ajudarem e observarem seus colegas mais velhos.[3] Essa falta de treinamento formal já era percebida como um problema: um conselho de uma igreja inglesa do século XIII produziu um plano "imensamente influente e de longa duração" com vistas à instrução dos leigos que é até hoje conhecido por suas palavras iniciais, "A ignorância dos sacerdotes" (*Ignorantia Sacerdotum*).[4] Em meados do século XVI, inspeções conduzidas na diocese de Mântua revelaram sacerdotes que foram descritos como "ignorantes" (*nihil sciens*).[5] Em 1561, o clero da diocese de Carlisle foi descrito por seu bispo como, "na sua maioria, muito ignorante e teimoso".[6]

Martinho Lutero e seus seguidores foram particularmente veementes em sua denúncia de "cães mudos incapazes de latir" – em outras palavras, padres, e às vezes pastores, que careciam de educação e, portanto, eram incapazes de pregar a fé e corrigir a ignorância de seus paroquianos.[7] A frase sobre "cães mudos" é uma citação do Antigo Testamento, no qual o profeta Isaías também reclamou que as sentinelas de Deus "são cegas e nada sabem" (*Isaías* 56,10), um lembrete de que o problema aqui discutido não se limita ao cristianismo, à Europa ou à época da Reforma.

Em resposta a essas críticas, foram fundados seminários no mundo católico, a partir do final do século XVI, para ensinar aos padres o que deveriam transmitir ao povo, enquanto se esperava cada vez mais que os pastores luteranos e calvinistas tivessem educação universitária. Por outro lado, o clero paroquial das igrejas ortodoxas ou cristãs orientais não tinha essas oportunidades. Em Alepo, em 1651, um missionário capuchinho francês observou que os patriarcas dos sírios e armênios "são extremamente ignorantes" (*sono molto ignoranti*).[8] Em 1762, quando o estudioso jesuíta Ruđer Bošković saiu de Dubrovnik para visitar a Bulgária, ele falou com um padre da aldeia e mais tarde comentou que "a ignorância dele, e a de todo esse pobre povo, é incrível [...] eles não conhecem nem o Pai-Nosso, nem o Credo, nem os mistérios essenciais da religião". Uma discussão posterior com outro padre revelou que, "de Roma, ele não tinha conhecimento, nem do Papa, nem de nenhuma controvérsia religiosa, e ele me perguntou se havia padres em Roma".[9]

O caso dos missionários que muitas vezes ignoravam – embora nem sempre – o sistema de crenças do povo que estavam tentando converter será discutido em uma seção posterior.

OS LEIGOS

É discutível se as Reformas reduziram ou não a ignorância leiga acerca da fé cristã em suas diversas formas, mas elas pelo menos produziram fontes que permitem que essa ignorância seja estudada. Essas fontes incluem não apenas reclamações por parte dos pregadores, mas também relatórios das inspeções ou visitas às paróquias. Elas permitem aos historiadores seguir os passos do começo do clero moderno, tanto católico quanto protestante, que estava preocupado em descobrir o que seus rebanhos sabiam e que muitas vezes ficava desconcertado em descobrir o quanto eles não sabiam sobre a fé.

Na Inglaterra, por exemplo, o testemunho dos ministros do século XVI incluía a afirmação de que "o povo pobre não consegue entender nada além do Pai-Nosso" e que "muitos são tão ignorantes" que "não sabem o que são as Escrituras; não sabem nem que existem Escrituras".[10] No País de Gales, o bispo de Bangor declarou que, em sua diocese, "a ignorância ainda mantém muitos na escória da superstição".[11] Quanto às inspeções protestantes alemãs, "foi a terrível ignorância geral da religião revelada na visita saxônica de 1527-1529 que levou Lutero a escrever seus dois catecismos", simples relatos daquela fé direcionados às pessoas simples.[12] As investigações mais minuciosas sobre o conhecimento religioso dos leigos foram provavelmente aquelas realizadas no início da Suécia moderna, conhecidas como o *husförhör*. Pastores foram de casa em casa para avaliar o conhecimento e a compreensão da Bíblia – ou a falta deles – por parte de cada membro da família.[13]

O formato de perguntas e respostas do catecismo seria adotado pelos católicos com o mesmo propósito, muito embora as respostas, aprendidas de cor, talvez nem sempre tenham sido compreendidas. A Igreja preferia que as pessoas comuns apenas acreditassem, em vez de entenderem a doutrina religiosa, uma vez que a tentativa de entender poderia levá-las à heresia.[14]

Na Itália, por exemplo, as perguntas feitas durante as visitas episcopais se preocupavam mais com o estado das igrejas e do clero do que com o conhecimento religioso de seus rebanhos. Foi apenas aos poucos que os bispos começaram não apenas a indagar sobre a presença na confissão e na comunhão, mas também a perguntar se alguém na paróquia "critica a fé e os dogmas da igreja" ou "é suspeito de heresia". Por fim, em Veneza, em 1821, por exemplo, foi encontrado um pároco em uma paróquia pobre criticando a falta de preocupação, que deixava seu rebanho ignorante em relação à religião.[15]

É necessário, claro, distinguir entre os conhecimentos dos leigos acerca da doutrina religiosa em diferentes lugares, em diferentes períodos e entre diferentes grupos sociais. No início da Espanha moderna, por exemplo, os ex-muçulmanos que foram forçados a se converter ao cristianismo depois de 1492 pouco sabiam sobre sua nova religião. A razão de sua ignorância (após um curto período de missões em Granada, nos anos 1490) era que eles não haviam sido instruídos em sua nova fé. Um grande obstáculo para tal instrução era a ignorância da língua árabe por parte da maioria dos padres da região.[16]

Os convertidos vindos do judaísmo passaram por uma situação semelhante. No final do século XV, "a posição de muitos *conversos* em relação à sua nova religião era de profunda ignorância". Faltava-lhes "educação sistemática nas crenças e práticas cristãs".[17] Como não eram mais ensinados pelos rabinos, eles também se tornaram cada vez mais ignorantes de sua antiga religião. O conhecimento da fé judaica era às vezes transmitido à geração seguinte, mas de forma simplificada, de modo tal que em um momento era definida como contrária ao cristianismo e no outro pegava emprestado dele.[18]

E os leigos não estavam mais bem informados em regiões que já eram cristãs há mais tempo. No início da Inglaterra moderna, os homens instruídos, especialmente os do clero, reclamavam com frequência do "povo ignorante parecendo pagão", "tão ignorante de Deus [...] quanto os próprios selvagens".[19] Essas reclamações sobre a ignorância laica se concentravam nos "cantos mais escuros daquelas terras", especialmente no norte e no oeste. Por exemplo, na Câmara dos Comuns, em 1628, *Sir* Benjamin Rudyerd, fervoroso crente externo ao clero, lamentou que havia lugares no norte da Inglaterra e no País de Gales "onde Deus era pouco mais conhecido do que entre os indianos".[20]

Rudyerd não foi o único a fazer esse tipo de comparação. Na Itália e na Espanha, naquela mesma época, partes da área rural eram conhecidas como "as Índias daqui" (*Indie di qua*) ou "as outras Índias" (*otras Indias*), já que seus habitantes tinham tanta necessidade de missionários quanto os povos da Ásia ou das Américas. Vários missionários italianos e espanhóis que trabalhavam nos Apeninos e nos Abruzos foram inspirados pelo que haviam lido sobre as Índias. Um se referiu à Córsega como "a minha Índia" (*la mia India*).[21]

MISSÕES

O século XVI não foi apenas a era da Reforma europeia, mas também a era da expansão do cristianismo fora da Europa. Os jesuítas, em particular, tornaram-se uma ordem mundial e deram uma grande contribuição para a globalização cultural. A iniciativa católica foi seguida, a partir do século XVII, por missionários protestantes, como os luteranos e calvinistas, na Índia, ou os irmãos morávios, que foram ativos nas Américas, da Pensilvânia ao Suriname.

Apesar das dificuldades sob as quais trabalhavam, os missionários tinham uma vantagem significativa sobre seus colegas que ficaram em casa: eles sabiam que as pessoas que eles estavam tentando converter não sabiam nada sobre o cristianismo. No sul da Índia, missionários católicos, como Roberto de Nobili, e protestantes, como Bartholomäus Ziegenbalg, usaram o termo tâmil "*akkiyanam*" ("ignorância") para descrever seus convertidos.[22] Na verdade, a noção de ignorância dos rebanhos é um lugar-comum nos escritos dos missionários.[23] Essa visão era às vezes compartilhada pelos próprios convertidos. Em Xhosaland (hoje parte da África do Sul), onde uma missão metodista estava ativa no início do século XIX, um homem confessou que a mensagem cristã tinha "entrado por um ouvido e saído pelo outro". Seu caso não parece ter sido incomum.[24]

Nos "cantos escuros" do começo da Europa moderna, a verdadeira situação era mais obscura. Alguns missionários começavam sua visita a uma determinada região fazendo perguntas que eram mais ambiciosas do que aquelas feitas nas visitas episcopais. Em meados do século XVII, em Eboli, no sul da Itália, alguns jesuítas encontraram um grupo de pastores de animais. "Perguntados sobre quantos deuses havia, um respondeu 'cem', outro 'mil', e outro um número ainda maior." É possível que os missionários jesuítas tenham sido instruídos a fazer essa pergunta, já que, alguns anos depois, outro dos seus, o missionário Julien Maunoir, atuante na Bretanha (França), descobriu que os habitantes da ilha de Ushant "não conseguiam responder à pergunta de quantos deuses existiam". Uma pergunta um pouco mais aberta foi colocada aos habitantes de Niolo, na Córsega, em 1652, pelos missionários de São Vicente de Paulo: "Se existe um Deus, ou muitos".[25]

Se os habitantes desses três lugares já houvessem tido algum conhecimento do cristianismo, eles teriam ficado extremamente surpresos com essas perguntas dos padres em suas vestes negras, e provavelmente teriam procurado dar qualquer resposta que agradasse aos seus interrogadores. O tal modelo das "Índias daqui" pode muito bem ter levado a mal-entendidos. Isso porque alguns membros do clero provavelmente exageraram a ignorância que encontraram, presumindo, como as pessoas letradas já fizeram tantas vezes, que os analfabetos sabem pouco ou nada.

Algo que tem sido discutido com muito menos frequência do que a ignorância dos leigos é a ignorância dos próprios missionários. Eles geralmente sabiam pouco ou nada da cultura para a qual haviam sido enviados, a começar pela língua local.

Voltando a Xhosaland, parece que no início do século XIX os missionários sabiam pouco ou nada sobre o sistema de crenças tradicional das pessoas que tentavam converter, um sistema que incluía a noção de uma divindade impessoal. Essa ideia obviamente tornava difícil para os xhosas compreender a mensagem cristã.[26] Qualquer que fosse o caso, no início do século XIX, muitos missionários na África "tinham pouco ou nenhum treinamento e estavam até mesmo convencidos de que treinamento, educação e teologia eram um tanto inúteis. O que era necessário era um bom conhecimento da Bíblia, uma grande dose de fé e uma voz alta".[27] A perigosa combinação de ignorância e arrogância por parte de alguns missionários também foi notada em um estudo das missões na Albânia após o fim do regime comunista, em 1991.[28]

Talvez seja esclarecedor abordar a história das missões sob o ponto de vista da ignorância recíproca dos dois grupos envolvidos nesses encontros, ou três grupos, se fizermos uma distinção entre os missionários em campo e seus superiores que ficavam em casa, em suas mesas – e assim voltamos ao tema da ignorância organizacional, que foi introduzido no capítulo dois. Para citar William Burton, um missionário pentecostal no Congo, no início do século XX, "quantas centenas de missões foram prejudicadas pelo fato de que um conselho de referência, no país de origem, tinha dado a direção dos trabalhos. Homens em suas poltronas e seus escritórios ousaram dirigir operações de uma missão em um campo que nunca viram e sob condições das quais nada sabem".[29]

O tema principal em tal abordagem das missões pode ser a forma como cada lado aprendeu a entender mais ou menos o outro. No início do século XX, alguns missionários estavam dedicando grande parte de seu tempo ao estudo não apenas do idioma, mas também do sistema de crenças das pessoas que estavam tentando converter. Alguns poucos até publicaram livros sobre o assunto – o inglês John Roscoe, por exemplo, publicou um relato de Baganda (onde hoje é Uganda) em 1911; o suíço Henri Junod lançou seu *Life of a South African Tribe* ("A vida de uma tribo sul-africana", em tradução livre, sobre a tribo dos tsongas) em 1912; e o belga Placide Tempels escreveu uma interpretação do que ele chamou de "filosofia bantu" em 1945. Esses missionários podem ser descritos como antropólogos amadores. Alguns se profissionalizaram mais tarde, notadamente Maurice Leenhardt, missionário francês na Nova Caledônia que se tornou professor em Paris.[30]

IGNORÂNCIA DA RELIGIÃO NO SÉCULO XXI

Em uma era de pesquisas, incluindo aquelas com eleitores e consumidores (a serem discutidas em capítulos posteriores), amostras da população dos Estados Unidos e do Reino Unido foram questionadas não apenas sobre suas crenças religiosas, mas também sobre seus conhecimentos em religião. No Reino Unido, em 2009, menos de 5% da amostra pôde citar todos os Dez Mandamentos; parece bom que os entrevistados tenham sido poupados de perguntas tradicionais sobre doutrina, como algo envolvendo a Santíssima Trindade ou a transubstanciação.[31]

Nos Estados Unidos, em 2010, a pesquisa do Centro de Pesquisas Pew chamada "Quem sabe o quê a respeito de religião" pediu aos entrevistados que respondessem a 32 perguntas simples, tornando a tarefa mais fácil ao oferecer múltipla escolha. O respondente médio pontuou 16 de 32, mas a pesquisa mostrou uma variação considerável no conhecimento.

> Na parte superior dessa escala, pelo menos oito em cada dez norte-americanos sabem que os professores não estão autorizados a conclamar turmas de escolas públicas para fazer uma oração, que o

termo "ateu" se refere a alguém que não acredita em Deus, e que Madre Teresa era católica. Na outra ponta do espectro, apenas 8% sabem que Moisés Maimônides, filósofo e estudioso da Torá do século XII, era judeu.[32]

IGNORÂNCIA DE OUTRAS RELIGIÕES

A ignorância de outras religiões, muitas vezes associada ao desprezo, tem uma longa história, sem mencionar a ignorância a respeito do "outro" nos debates entre católicos e protestantes ou entre cristãos orientais e ocidentais. No século XVI, por exemplo, a Igreja Ortodoxa Grega ocupava "um ponto cego na teologia da Reforma inicial".[33]

"A natureza abomina o vácuo. Assim também é a mente humana."[34] Na ausência de conhecimento mais confiável, os rumores prosperam.[35] Esses rumores às vezes circulam de maneira tão ampla e são repetidos com tanta frequência que se pode dizer que se solidificam na forma de mitos duradouros. É o caso das visões cristãs sobre o paganismo, o judaísmo e o islamismo desde a Idade Média, bem como as visões a respeito do hinduísmo, do budismo e de outros credos que se espalharam pela Europa após os primeiros viajantes, comerciantes e soldados modernos terem penetrado na Ásia, na África e nas Américas. Em todos esses casos, a desinformação circulou amplamente.

No mundo antigo, os cristãos eram às vezes acusados de assassinato ritual de crianças e até de canibalismo, um exemplo vívido de como sua percepção era a de uma ameaça para o resto da sociedade.[36] Na Idade Média, os cristãos acusavam os judeus de idolatria, o que é irônico, considerando o fato de que os judeus rejeitavam imagens sagradas, enquanto os cristãos as aceitavam.[37] Entre as histórias sobre os judeus que circulavam naquela época estava a de que eles adoravam o diabo; de que profanavam a hóstia (pisoteando-a, por exemplo) a fim de testar seu poder; de que envenenavam os poços das cidades e espalhavam a peste. Também foram acusados, tal como haviam sido os primeiros cristãos, de assassinato ritual, de sequestro e de matar e às vezes até comer crianças – um exemplo dramático tanto da longa vida de certos estereótipos hostis quanto de sua transferência de um grupo de forasteiros para outro. Acusações desse tipo provocaram *pogroms* (ataques violentos aos judeus) na baixa Idade Média, ou pelo menos foram usadas para legitimar a violência por outros motivos.[38] Em casos assim, é difícil distinguir a rejeição ao judaísmo do ódio a uma minoria cuja vestimenta, língua e cultura inteira contrastavam com as da maioria.

Uma visão alternativa por parte da Igreja era a de que os judeus eram hereges – ou seja, que "o judaísmo não era uma fé independente, mas meramente um desvio perverso da única fé verdadeira". Na verdade, isso era pior do que ser considerado um "infiel", pois, na posição de hereges, os judeus se tornaram alvo de perseguição oficial.[39] Nicolau de Cusa foi mais preciso e mais simpático a eles, escrevendo que "os antigos pagãos zombavam dos judeus, que adoravam um Deus infinito que eles ignoravam".[40]

Estudiosos cristãos como Nicolau ou o humanista alemão do século XVI Johann Reuchlin (que aprendeu hebraico para estudar o judaísmo) eram e permaneceram sendo minoria. Reuchlin acreditava na conversão dos judeus "por meio de uma disputa fundamentada, de maneira suave e bondosa". Já Erasmo de Roterdã dizia que seu pensamento era "permeado por um virulento antijudaísmo teológico". Seguindo a palavra de São Paulo, Erasmo também criticou muitos cristãos como sendo "judaizantes", no sentido de pessoas legalistas que levavam as regras e as formas externas da religião a sério demais, às custas do espírito da doutrina.[41]

Lutero foi mais violento. Em seu tratado *Sobre os judeus e suas mentiras* (1543), ele os descreveu como "cheios de fezes do diabo [...] nas quais eles chafurdam como porcos", e reivindicou que suas sinagogas e escolas fossem queimadas.[42] No século XVII, o caçador de bruxas Pierre de l'Ancre não foi o único a denunciar o que ele chamou de "ritos e crenças absurdas e indecentes" dos judeus. As reuniões das chamadas bruxas eram frequentemente descritas por seus perseguidores como "sinagogas", o que certamente é um detalhe revelador.[43]

Após a Revolução Francesa, novos mitos foram acrescentados ao repertório do antissemitismo, fazendo dos judeus bodes-expiatórios, como se fossem uma "raça" ou um grupo étnico, em vez de seguidores de uma religião, e os acusando de conspiração em escala global que armava uma revolução em aliança com os maçons. Um texto forjado publicado pela primeira vez na Rússia, chamado *Os protocolos dos sábios de Sião* (1903), tem sido frequentemente usado para justificar a alegação de que os judeus estavam conspirando para dominar o mundo.⁴⁴ Depois de 1919, outro mito, o da "facada nas costas" (*Dolchstoßlegende*), explorado pelos nazistas, tornou os judeus responsáveis pela derrota da Alemanha na Primeira Guerra Mundial, assim convenientemente eximindo os generais alemães de culpa.⁴⁵ O antissemitismo de Lutero tornou o antissemitismo nazista mais aceitável, pelo menos para os protestantes alemães. Um pastor, Heinz Dungs, que também era nazista, comparou Lutero a Hitler, dizendo que ambos eram grandes lutadores.⁴⁶ Os mitos mudam, mas o antissemitismo permanece, ainda alimentado por uma mistura de ódio, medo, credulidade e ignorância.

As visões cristãs do Islã foram igualmente distorcidas, especialmente durante o que o distinto medievalista Richard Southern chamou de "era da ignorância" na Europa antes do ano 1100. Em textos medievais como *Song of Roland* ou *Play of St Nicholas*, este último de Jean Bodel, os seguidores do Islã foram apresentados como adoradores de "Mahomet", junto a Tervagant e Apolo, um grupo visto como uma trindade profana, uma versão invertida da crença cristã; como muitas vezes acontece, o desconhecido era enquadrado em termos mais familiares.⁴⁷ Pode ser tentador descartar essas visões como exemplos de "credulidade medieval", mas elas não diferem tanto assim das ideias mais recentes de que todos os muçulmanos são fanáticos ou mesmo terroristas.

Mais uma vez, Nicolau de Cusa foi incomum ao de fato estudar o Corão e enxergar Maomé nem como malicioso nem como impostor, mas apenas como alguém ignorante do cristianismo. Nicolau mostrou "consciência dos limites de nosso julgamento sobre aqueles de outras religiões".⁴⁸ Na Espanha medieval, após a invasão e a colonização do país por árabes do norte da África, a partir do século VIII, os cristãos se tornaram relativamente familiarizados com o islamismo. De fato, quando os espanhóis chegaram ao México, no século XVI, alguns deles se referiram aos templos locais como "mesquitas", mais uma vez tentando enquadrar o desconhecido em termos mais familiares.

Por outro lado, as viagens de Marco Polo na Pérsia e em outros lugares não o fizeram simpatizar com o que ele descreveu como "as malditas doutrinas dos sarracenos", escrevendo erroneamente que "a lei que seu profeta Mahomet lhes deu estabelece que qualquer dano que possam fazer a alguém que não aceita sua lei [...] não representa pecado algum".[49] "Foi somente no século XVII que estudiosos de outras partes da Europa aprenderam o árabe e produziram relatos mais precisos, mesmo que nem sempre mais simpáticos, do Islã." Mesmo assim, "não era raro que esses relatos descrevessem Maomé como um 'impostor'".[50]

A ignorância ocidental sobre outras religiões durou mais tempo. Quando Vasco da Gama desembarcou em Calicute, em 1498, seus homens acreditavam que todos os indianos fossem cristãos (como alguns, os "cristãos de São Tomé", de fato eram). Eles confundiram um templo hindu com "uma grande igreja" que incluía "uma imagem que eles disseram representar Nossa Senhora" e "santos" pintados, cada um "com quatro ou cinco braços". Em outras palavras, eles estavam "dispostos a ver, em qualquer estrutura que não fosse obviamente uma mesquita, uma igreja de algum tipo".[51] Após o mal-entendido ter sido corrigido, as crenças hindus seriam descartadas pelos ocidentais como "fábulas" ou como "superstição", enquanto as imagens dos deuses exibidas nos templos hindus seriam descritas pelos visitantes ocidentais como "monstros" ou "demônios" e frequentemente mostradas com chifres, tal como as imagens medievais de pagãos.[52]

Mesmo a bagagem intelectual dos missionários – com distintas exceções, como o jesuíta italiano Matteo Ricci, na China, e o pastor protestante holandês Abraham Rogier, na Índia – muitas vezes incluía pouco mais do que os conceitos de "paganismo", "idolatria", "superstição" e a convicção de que os cultos nativos eram paródias diabólicas da verdadeira fé.

Essa convicção era compartilhada pelos missionários no México. Juan de Zumárraga, bispo da Nova Espanha, afirmou ter destruído muitos "ídolos" dos "demônios" que os povos nativos adoravam. Diego Durán, missionário em Yucatán, escreveu sobre o que ele chamou de "divindades falsificadas" e "a falsa religião na qual o diabo era adorado", enquanto o bispo de Yucatán, Diego de Landa, declarou que a idolatria, como a embriaguez, era um dos principais "vícios dos índios" (*vicios de los Indios*).[53]

Foi apenas no século XVIII que alguns ocidentais rejeitaram esse imaginário hostil e começaram a levar a sério o hinduísmo como religião. Por exemplo, John Holwell, cirurgião inglês que durante algum tempo foi governador de Bengala, observando o papel da ignorância no encorajamento "da presunção e do desprezo pelos outros", declarou-se "espantado por acreditarmos tão prontamente que o povo do Hindustão é uma raça de idólatras estúpidos, quando, para nosso próprio prejuízo, de um ponto de vista político e comercial, nós os achamos superiores a nós". O soldado escocês Alexander Dow encontrou desculpas para "nossa ignorância a respeito da aprendizagem, da religião e da filosofia dos brâmanes", mas tentou corrigi-la. Nathaniel Halhed, inglês a serviço da Companhia das Índias Orientais, comparou a crença hindu em milagres com a dos cristãos em "épocas de ignorância" e analfabetismo.[54]

Um marco na difusão do conhecimento europeu sobre outras religiões foi o livro *Religious Ceremonies of the World* ("As cerimônias religiosas do mundo", em tradução livre, de 1723-1743), ilustrado por Bernard Picart e explicado por Jean Frédéric Bernard, que já foi descrito como "o livro que mudou a Europa" e "a primeira visão global da religião", permitindo aos leitores comparar e contrastar diferentes cultos.[55]

Seguindo um método retrospectivo, podemos utilizar as descobertas feitas gradualmente pelos missionários como indicadores de sua ignorância inicial. Quando pisaram pela primeira vez na Índia, os primeiros missionários modernos ignoravam em grande parte as tradições religiosas nativas, especialmente o hinduísmo. Foi apenas de forma gradual que eles, juntamente a outros europeus que realmente viviam na Índia (em vez de simplesmente visitar o país ou ler sobre ele), aprenderam que os deuses locais não eram "monstros" e descobriram o que eles chamaram de "hinduísmo" – embora alguns estudiosos já tenham sustentado que eles não exatamente descobriram nada, mas sim "construíram" aquela religião vendo os cultos regionais como parte de um sistema geral.[56]

De maneira semelhante, os europeus descobriram o budismo não de maneira repentina, mas no decorrer de um longo processo de aprendizado que começou com o encontro jesuíta com o Japão, em 1549 – um processo que ainda estava em andamento quando a Sociedade Budista de Londres foi fundada, em 1924. O jesuíta italiano Ippolito Desideri, enviado para converter os tibetanos, estudou durante cinco anos no que poderíamos chamar de "faculdade teológica" budista em

Lhasa, mas seu relato sobre o que ele aprendeu só foi publicado no século XX, aparentemente porque os superiores de Desideri na Companhia de Jesus consideraram que ele havia demonstrado simpatia demais pelo budismo. Os encontros com budistas "tiveram pouco impacto na compreensão do budismo no Ocidente" antes do século XIX.[57]

DISSIMULAÇÃO

A ignorância a respeito da religião dos *outros*, sejam eles indivíduos ou grupos, às vezes é o resultado de uma ocultação deliberada, especialmente quando na esteira de conversões forçadas. Já foi frequentemente sugerido que os escravos africanos que foram enviados ao Novo Mundo, e dos quais se esperava aceitação do cristianismo, permaneceram leais a suas divindades tradicionais da África Central e Ocidental. Eles mantiveram seus senhores e o clero cristão na ignorância dessa continuada lealdade, encontrando equivalentes para suas divindades (os *orishas*, ou orixás) entre os santos católicos. Ogum foi disfarçado de São Jorge, por exemplo; Xangô se identificou com Santa Bárbara, e assim por diante. Entretanto, o que começou como disfarce acabou como pluralismo, de modo que hoje alguns brasileiros praticam o catolicismo lado a lado com o tradicional culto afro-brasileiro chamado candomblé.[58]

Exemplos de minorias que mantêm os forasteiros na ignorância de sua religião incluem os criptojudeus, os criptomuçulmanos, os criptocatólicos e os criptoprotestantes do início da Europa moderna.

Dizem que a rainha Elizabeth I fez uma famosa promessa de "não abrir janelas para a alma dos homens". Sua atitude não foi compartilhada pelos inquisidores católicos ou mesmo por consistórios calvinistas, como eram chamadas as assembleias que governavam aquela Igreja. Aqueles que não compartilhavam das crenças dominantes precisavam manter suas janelas fechadas. Enquanto houver perseguição a outras religiões, haverá dissimulação, ou seja, haverá a prática pública de uma forma de religião por pessoas que não acreditam nela e praticam outra religião no âmbito particular.

Essa resposta recorrente a uma situação igualmente recorrente para judeus, cristãos e muçulmanos foi particularmente necessária no século XVI, graças às conversões forçadas de muçulmanos e judeus na

Espanha e aos conflitos entre os diferentes tipos de cristãos na Europa durante a Reforma e a Contrarreforma.

Na língua árabe, a dissimulação desse tipo, há muito praticada pelos xiitas, é conhecida como "*taqiyya*", palavra que também significa "medo" ou "prudência". A prudência certamente era necessária após a reconquista da Espanha pelos "reis católicos" Fernando e Isabel, em 1492, quando judeus e muçulmanos foram forçados a se converter ao cristianismo e se tornaram oficialmente conhecidos como "cristãos novos".

Em 1504, um mufti (doutor da lei muçulmana) em Orã emitiu uma *fatwa* (algo como um decreto baseado na lei islâmica) permitindo a "conformidade exterior". Ele escreveu: "Curve-se a quaisquer ídolos a que eles se curvarem, mas dirija suas intenções a Alá [...] Se eles o obrigarem a beber vinho, você pode fazê-lo, mas que não seja sua intenção usá-lo [...] Se eles o forçarem à carne de porco, coma-a, mas em seu coração a rejeite".[59] Em outras palavras, use a conformidade exterior como uma forma de manter a ignorância das autoridades.

Os criptojudeus e os criptomuçulmanos apresentam ao historiador de hoje o mesmo problema que foi enfrentado pelas primeiras autoridades modernas: como distinguir entre os convertidos genuínos e os falsos. Apesar desse problema, alguns estudos perceptivos foram publicados sobre esses grupos dissidentes.[60]

Dentro do cristianismo, a dissimulação também era necessária em certas ocasiões, uma vez que a heresia era um crime. Após a Reforma e a consequente divisão da Europa Ocidental em áreas católicas, luteranas e calvinistas, indivíduos que viviam na área "errada" às vezes seguiam essa prática, às vezes descrita na época, notadamente por João Calvino, como "nicodemismo", referindo-se à história do Novo Testamento que tratava do fariseu Nicodemo, que foi ver Cristo à noite.[61]

AGNOSTICISMO

O termo "agnóstico" vem do grego e significa falta de conhecimento espiritual (*gnosis*). Os primeiros agnósticos registrados foram os filósofos gregos Xenófanes (*c.* 580 a.C.-470 a.C.), que observou que "nenhum homem jamais viu nem conhecerá a verdade clara sobre os deuses", e Protágoras (*c.* 490 a.C.-420 a.C.), que afirmou que, "sobre os deuses, não sou capaz de saber nem que eles existem, nem que não existem, nem que forma eles têm; pois muitas coisas me impedem de saber isso, como sua obscuridade e a brevidade da vida do homem".[62]

Segundo Sexto Empírico, que foi mencionado no capítulo dois, os filósofos céticos não fazem julgamento sobre a existência ou não de Deus.[63] Ter a consciência de que não se sabe se Deus existe ou não – e acreditar que as outras pessoas também não sabem, a despeito do que quer que elas aleguem – é geralmente descrito como "agnosticismo" [*agnosticism*], um termo cunhado em 1869 pelo cientista britânico T. H. Huxley. O termo também é usado em alemão – Nietzsche, por exemplo, refere-se a "*Agnostikern*" – e no francês – Proust usou o termo "*agnosticisme*" –, mas as discussões sobre o fenômeno são mais comuns no mundo anglófono.[64]

No que poderia ser chamado de sua "confissão de falta de fé", Huxley declarou sua confiança no princípio de que "é errado para um homem dizer que está certo da verdade objetiva de algo proposto, a não ser que ele possa produzir provas que justifiquem logicamente essa certeza. É isso o que o agnosticismo afirma e, em minha opinião, é tudo o que é essencial para o agnosticismo".[65] Huxley fazia parte de um grupo de intelectuais vitorianos que tinha posicionamento semelhante a esse respeito, entre eles Herbert Spencer, Francis Galton, Leslie Stephen (autor do ensaio "Apologia de um agnóstico", de 1876) e provavelmente também Charles Darwin e Thomas Hardy.[66]

O debate sobre o agnosticismo estava em seu auge na Inglaterra entre 1862, quando o filósofo James Martineau discutiu o que chamou de "nesciência religiosa", e 1907, quando o *Agnostic Annual*, fundado em 1884, deixou de circular. O interesse pelo debate já estava em declínio em 1903, quando outro filósofo, Robert Flint, publicou uma história do agnosticismo que começava com os antigos céticos.

Algo que poderia ser descrito como "agnosticismo devoto" pode ser encontrado tanto na tradição judaica quanto na cristã.[67] A ideia de um "Deus oculto" remonta ao Antigo Testamento (*Isaías* 45,15). O erudito judeu medieval Moisés Maimônides alegava que é impossível "descrever o Criador por qualquer meio, exceto por atributos negativos".[68] Alguns dos Pais da Igreja, já mencionados, notadamente

Gregório de Nazianzo, já tinham feito observação semelhante. Alguns místicos, como o anônimo escritor inglês do século XIV de um livro com o poético título de *The Cloud of Unknowing* ("A nuvem do desconhecido", em tradução livre), também o fizeram.

A expressão mais famosa dessa ideia é certamente o tratado do cardeal Nicolau de Cusa, do século XV, intitulado *De Docta Ignorantia* ("Douta ignorância"). Com essa frase do título, ele queria dizer que era possível alcançar o conhecimento da própria ignorância. Nicolau escreveu que "Deus é inefável", de modo que ele só poderia ser considerado por um "caminho negativo" (*via negativa*), ou seja, ao se dizer o que ele não é. Mais tarde, Martinho Lutero e Blaise Pascal argumentaram que Deus era incognoscível apenas pela razão. Segundo eles, o cristianismo só poderia ser baseado na revelação divina.[69]

Como os ateus acreditam em uma ausência – a ausência de Deus –, eles podem se qualificar para a discussão aqui, mas um argumento mais forte pode ser encontrado ao se incluir o deísmo. Os deístas do século XVIII acreditavam em um Deus que criou o mundo e depois o deixou à sua própria sorte, como um relojoeiro cujos relógios funcionam por si mesmos.[70] O poeta Alexander Pope retirou daí sua lição moral: "Não presuma conhecer a Deus/O estudo adequado da humanidade é o do homem".[71]

A SITUAÇÃO ATUAL

Em 2015, uma pesquisa sobre os hábitos religiosos no Reino Unido realizada pelo YouGov descobriu que 7% dos entrevistados se descreviam como agnósticos, enquanto 19% eram ateus. Não foi registrado se esses agnósticos tinham opiniões sobre os limites da capacidade de conhecimento. Nos Estados Unidos, em 2019, uma pesquisa constatou que 23% dos norte-americanos pesquisados responderam "sem religião" em vez de escolher uma fé, enquanto na Alemanha, naquele mesmo ano, de acordo com a pesquisa do Eurobarômetro, a proporção era de cerca de 30% (era mais alta na antiga Alemanha Oriental do que na Ocidental).[72]

Essas escolhas significam que os entrevistados realmente escolheram não acreditar, em vez de serem totalmente ignorantes a respeito de religião. No entanto, os números sugerem que, para um quarto ou mais da população de três grandes países do Ocidente, o conhecimento religioso é escasso. Mesmo os crentes muitas vezes não têm conhecimento acerca de sua fé. Os fundamentalistas cristãos às vezes afirmam que "não preciso ler nenhum livro se eu tenho a Bíblia", mas, como um pastor norte-americano aposentado apontou recentemente, muitos deles também não conhecem bem nem mesmo a Bíblia, enquanto ignoram completamente a tradição do debate sobre sua confiabilidade e suas diversas interpretações.[73]

Seria possível pensar que, em uma era de globalização, o conhecimento das religiões do mundo aumentaria. Ainda que esse conhecimento tenha se tornado cada vez mais acessível, e que algumas conversões de uma religião para outra de fato ocorram, a ignorância continua generalizada. Poucos ocidentais são tão francos sobre sua ignorância como Peter Stanford, jornalista britânico que escreveu sobre cristianismo e apresentou programas discutindo hinduísmo, siquismo e jainismo. Stanford admitiu saber pouco sobre as crenças fundamentais dessas doutrinas, "não conseguindo, por exemplo, citar os cinco Ks do siquismo, ou ficando confuso sobre o que distingue as principais escolas do budismo".[74]

Uma pesquisa realizada nos Estados Unidos em 2008 revelou que 80% dos entrevistados não sabiam que os sunitas são o maior grupo de muçulmanos do mundo. A pesquisa do Centro de Pesquisa Pew de 2010 foi mais ambiciosa, fazendo aos norte-americanos duas perguntas sobre o judaísmo, duas sobre o islamismo, duas sobre o budismo e uma sobre o hinduísmo. Em média, os entrevistados responderam corretamente quase metade das vezes – o que significa que mais da metade não saberia, por exemplo, nem mesmo nomear o Corão ou dizer o que é o Ramadã. Outra pesquisa do Centro de Pesquisa Pew, em 2019, constatou que mais de 70% dos entrevistados não sabiam que o Islã é a religião da maioria dos indonésios ou que Rosh Hashanah é o Ano Novo judaico.[75]

Também seria possível pensar que o crescimento da população muçulmana do Reino Unido no último meio século levaria a um melhor conhecimento de suas crenças por parte de seus concidadãos. Entretanto, uma pesquisa feita pelo Ipsos Mori em 2018 descobriu que o público britânico ainda sabe pouco sobre o Islã. Eles superestimam seriamente o número de muçulmanos no país (como se fosse uma a cada seis pessoas, em vez do real uma a cada vinte), enquanto "a compreensão do Islã é limitada", especialmente entre as pessoas mais velhas.[76]

A ignorância a respeito de outras religiões não está restrita ao Ocidente. Outra pesquisa sobre o conhecimento religioso de uma amostra de 30 mil adultos em 2019-2020, realizada pelo Centro de Pesquisa Pew, dessa vez na Índia, constatou que a maioria dos hindus admitiu "não saber muito sobre as outras religiões da Índia" (os muçulmanos, os sikhs, os jainistas e os cristãos).[77]

Para resumir tudo isso com uma fórmula simples: considerando-se um longo prazo, houve várias mudanças importantes no conhecimento religioso. Na cristandade medieval, muitos acreditavam, mas poucos realmente sabiam bastante a respeito de sua religião. O período entre 1500 e 1900 foi uma era de movimentos de evangelização dentro dos países e no exterior, tanto no mundo cristão como no muçulmano. Desde 1900, o conhecimento religioso tem estado disponível como nunca antes, mas passou a ter baixa prioridade. Cada vez mais pessoas optam por ignorar a religião, embora não no mundo islâmico, onde uma reforma religiosa começou a se espalhar amplamente no final do século XX.

7

A ignorância da ciência

A maior de todas as conquistas da ciência do século XX foi a descoberta da ignorância humana.
Lewis Thomas

Como já apontado anteriormente, a história da ignorância emergiu da história do conhecimento, que, por sua vez, emergiu da história da ciência. Não é de surpreender, portanto, que alguns dos estudos mais importantes da história da ignorância tenham se concentrado nas ciências naturais. Por exemplo, o livro que fundou o estudo da chamada "agnotologia" foi editado por dois historiadores da ciência.[1]

Quando um amplo simpósio sobre "Ciência e Ignorância" foi organizado na Associação Americana para o Avanço da Ciência, em 1993, o filósofo da ciência Jerome Ravetz enfatizou o que ele chamou de "o pecado da ciência", em outras palavras, a "ignorância da ignorância", encorajada pela formação de cientistas e pela imagem triunfalista do progresso científico. Ravetz afirmou que, para os cientistas de hoje, "a incerteza existe apenas na medida em que possa ser gerenciada de forma interessante, na forma de problemas solúveis de pesquisa à margem de nosso conhecimento científico".[2]

No passado, alguns cientistas, ou, como costumavam ser conhecidos, "filósofos naturais", estavam bem conscientes de sua ignorância. A formulação mais famosa dessa consciência do quanto sempre ainda há para se saber está associada a Isaac Newton, que supostamente teria dito que, "para mim mesmo, pareço ter sido apenas como uma criança brincando na praia e me desviando de vez em quando, e então encontrando uma pedra mais lisa ou uma concha mais bonita do que o normal, enquanto o vasto oceano da verdade jazia todo desconhecido diante de mim". Mesmo que Newton nunca tenha dito ou pensado isso, a expressão dessa ideia em um texto do século XVIII é, em si mesma, significativa.[3] Em todo caso, Newton expressou seu senso de ignorância – nesse caso a ignorância do que está por trás de um fenômeno cotidiano – em outra famosa passagem, admitindo que "a causa da gravidade é algo que eu não finjo saber".[4] De maneira semelhante, o agnosticismo de T. H. Huxley se estendia tanto à ciência quanto à teologia. "Não sei dizer se a matéria é algo distinto da força", escreveu ele certa vez. "Não sei dizer se os átomos não são nada além de puros mitos."[5]

Ao mesmo tempo que Huxley, o físico britânico James Clerk Maxwell escreveu que "a ignorância consciente é o prelúdio para todo avanço real na ciência".[6] Ainda mais radical, o fisiologista alemão Emil Du Bois-Reymond deu uma célebre palestra sobre os limites da ciência em 1872. Ele discutiu não apenas o que não era conhecido em um determinado momento, mas também o que nunca poderia ser conhecido. O título de sua palestra foi "Não saberemos" (*Ignorabimus*).[7]

A preocupação por parte dos cientistas acerca do que eles não sabem se tornou ainda mais óbvia no século XXI.

Por exemplo, em 2004, em seu discurso de aceitação do Prêmio Nobel, o físico teórico norte-americano David Gross fez a seguinte pergunta: "À medida que o conhecimento aumenta, será que o ritmo da descoberta científica poderia diminuir, já que mais e mais problemas são resolvidos?". Sua resposta otimista foi de que "as perguntas que fazemos hoje são mais profundas e mais interessantes do que aquelas feitas anos atrás, quando eu era estudante [...] Naquela época, não tínhamos conhecimento suficiente para sermos inteligentemente ignorantes [...] Tenho o prazer de informar que não há provas de que estejamos ficando sem nosso recurso mais importante: a ignorância".[8]

Um ano depois, em 2005, a edição do 125º aniversário da revista *Science* ofereceu aos leitores o que ela chamou de "pesquisa de ignorância científica". Mais uma vez, um professor norte-americano de neurociência, Stuart Firestein, começou a lecionar um curso sobre ignorância científica na Universidade de Columbia, em 2006, convidando cientistas de diferentes áreas para falar aos estudantes sobre aquilo que eles não sabem. Os cientistas "vêm e nos contam o que gostariam de saber, o que acham crítico saber, como podem vir a saber, o que acontecerá se descobrirem esta ou aquela coisa, o que pode acontecer se não o fizerem".[9]

No que se segue, discutirei o lugar da ignorância na história da ciência; seu lugar em novas pesquisas; perdas de conhecimento; resistência ao conhecimento; e, finalmente, a ignorância dos não cientistas, os leigos.

DESCOBERTAS DA IGNORÂNCIA

Uma maneira de escrever a história da ciência pode ser apresentá-la tal como Alain Corbin apresentou alguns episódios da história da geografia: como sendo a história do aumento da nossa consciência acerca da ignorância que tínhamos no passado. Foi sugerido no capítulo um que a ignorância é muitas vezes revelada retrospectivamente. Depois que uma descoberta é feita, uma comunidade se torna consciente de algo que seus membros não sabiam antes. Por exemplo, Voltaire assinalou que, antes do século XVII, todos "ainda ignoravam a circulação do sangue, o peso e a pressão do ar, as leis do movimento, a doutrina da luz e da cor, o número de planetas em nosso sistema".[10]

Mais uma vez, tomemos o caso da idade da Terra. No século XVII, os estudiosos acreditavam que o mundo tinha cerca de 6 mil anos de idade. Com uma precisão que hoje nos parece cômica, o arcebispo James Ussher declarou que "o início dos tempos [...] recaiu na entrada da noite anterior ao dia 23 de outubro em 4004 a.C.".[11] Pouco mais de um século depois, *Epochs of Nature* ("As épocas da natureza", de 1779), do conde de Buffon, argumentou que a Terra tinha cerca de 75 mil anos de idade. No início do século XIX, o geólogo alemão Abraham Werner suplantou Buffon ao afirmar que a idade da Terra era superior a 1 milhão de anos. Na década de 1860, baseando sua estimativa na perda de calor, o físico britânico William Thomson (Lorde Kelvin) apresentou o número de 100 milhões, que mais tarde ele reduziu para 20 milhões. Seus resultados pareceram modestos demais. Por volta de 1915, o geólogo Arthur Holmes chegou à cifra de 1,5 bilhão de anos, após sua análise de rochas em Moçambique. Em 1931, porém, falando a uma comissão sobre a idade da Terra, Holmes sugeriu 3 bilhões como um número possível. Vinte anos mais tarde, Clair Patterson, estudando meteoritos, aumentou esse número para 4,5 bilhões, onde hoje se encontra. Cada revisão expunha a ignorância existente em estimativas anteriores, e aí então era igualmente exposta em seguida.[12]

COMO A IGNORÂNCIA IMPULSIONA A CIÊNCIA

Quando Yuval Harari descreveu a "ciência moderna" em seu livro *Sapiens*, ele intitulou seu capítulo como "a descoberta da ignorância", ou, mais exatamente, da "vontade de admitir a ignorância".[13] Não foi simplesmente uma de suas provocações favoritas, mas também um eco de declarações de Herbert Spencer, Lewis Thomas e Stuart Firestein, cujo livro explora o paradoxo de que "a ciência progride por meio do crescimento da ignorância".

No século XIX, o filósofo britânico Herbert Spencer imaginava a ciência como "uma esfera gradualmente crescente": "cada adição à sua superfície a aumenta, mas a coloca em contato mais amplo com a nesciência circundante".[14] A cada vez que um problema específico é resolvido, outro problema se torna visível. O olhar dos cientistas é voltado para o futuro. A física Marie Curie confessou que "nunca se percebe o que foi feito; só se vê o que ainda há por fazer".[15] Como sugere Firestein, "os cientistas usam a ignorância para programar seu trabalho, para identificar o que deve ser feito, quais são os próximos passos".[16] Segundo o químico irlandês John Bernal, "a verdadeira pesquisa precisa trabalhar o tempo todo dentro do desconhecido".[17] Como o biólogo molecular britânico Francis Crick observou uma vez, "na pesquisa, a linha de frente está quase sempre em meio a uma névoa", até que a ideia certa ocorre a alguém. A história da descoberta da estrutura de dupla hélice do DNA, da qual Crick participou, confirma seu raciocínio.[18]

Conforme a névoa se dissipa, os cientistas praticam a ignorância "seletiva" ou "especificada" que foi mencionada no capítulo um: o ato de ignorar deliberadamente alguns dos dados a fim de se concentrar em um problema particular. O neurocientista Larry Abbott, falando de sua própria pesquisa, enfatizou a importância de escolher "exatamente onde, ao longo da fronteira da ignorância, eu quero trabalhar". Esse tipo de escolha pode ser descrito como a "gestão da ignorância".[19]

Às vezes a escolha errada é feita – nas pesquisas sobre o câncer, por exemplo, a seletividade foi um sério obstáculo para resolver um problema em particular.[20] Em geral, porém, os cientistas podem ser descritos como praticantes do que o filósofo norte-americano John Dewey chamou de ignorância "genuína", que é "lucrativa, porque é provável que venha acompanhada de humildade, curiosidade e uma mente aberta".[21] A "ignorância inesperada" se refere a descobertas inesperadas que aparecem no decorrer da pesquisa.[22]

A ignorância leva a surpresas, enquanto "as surpresas podem tornar as pessoas conscientes de sua própria ignorância" e assim abrir "uma janela para novos e inesperados conhecimentos".[23]

Para dar um exemplo recente, que é tão espetacular quanto invisível ao olho humano, podemos tomar o múon, uma variedade pesada de elétron. Foi relatado, no início de 2021, que uma equipe de físicos, estudando múons no Fermilab, nos Estados Unidos, descobriu que seu comportamento não se enquadrava no modelo atualmente oferecido na física das partículas. Os físicos não sabem se descobriram uma nova partícula ou, o que seria ainda mais espetacular, uma nova lei da natureza. Em qualquer caso, sua consciência daquela ignorância impulsionará mais pesquisas, como no caso da matéria escura, cuja existência os astrônomos podem identificar, sem ser capazes de explicar sua distribuição ou mesmo dizer o que ela é.[24]

PERDAS DE CONHECIMENTO

A ignorância é, às vezes, o resultado de uma perda de conhecimento, uma espécie de amnésia coletiva. Um caso clássico é o da ciência grega (incluindo a matemática), que se viu perdida para os europeus ocidentais no início da Idade Média. A correspondência de dois estudiosos do século XI, Raginbold, de Colônia, e Radolf, de Liège, traz os dois discutindo o que poderia significar a frase "os ângulos interiores" de um triângulo no famoso teorema atribuído a Pitágoras. Como observou um importante medievalista, essa é "forçosamente uma lembrança da vasta ignorância científica com que se confrontava naquela época".²⁵ Parte dessa ignorância foi remediada pelas traduções árabes e pelos comentários sobre textos gregos que foram feitos em Bagdá, e pelas traduções latinas dessas traduções árabes em Toledo, nos séculos XII e XIII.²⁶

No início da Europa moderna, o estudo da alquimia oferece um exemplo vívido do que Martin Mulsow chama de "conhecimento precário", uma vez que os alquimistas, individualmente, realizavam suas experiências em segredo e registravam os resultados em manuscritos. Como consequência, havia um alto risco de perda de conhecimento.²⁷

As perdas ainda podem ocorrer, apesar dos esforços para se preservar o conhecimento em uma variedade de meios. Observações ou teorias particulares às vezes ainda abandonam a consciência científica coletiva, até serem feitas ou formuladas novamente, como no caso da redescoberta da América.

Algo que já foi descrito como "um dos casos mais graves de amnésia coletiva na história da ciência" diz respeito à história da percepção de diferentes cores. Lazarus Geiger argumentou, em 1867, que a percepção da cor ao longo dos milênios seguiu a sequência de sensibilidade ao vermelho, amarelo, verde, azul, violeta. Entretanto, "nas décadas que se seguiram à Primeira Guerra Mundial, a sequência de Geiger foi simplesmente apagada da memória". Somente na década de 1960 foi redescoberta.²⁸

O que aconteceu com a pesquisa sobre transmissão de traços hereditários em plantas realizada pelo frade agostiniano Gregor Mendel é um exemplo mais amplamente conhecido. Mendel formulou seus hoje famosos princípios de transmissão em um artigo publicado em 1866, em uma revista local, em Brno. A comunidade científica internacional mal tomou conhecimento da publicação na época, de modo que as descobertas de Mendel tiveram de ser feitas novamente uma geração mais tarde, pelo biólogo alemão Carl Correns e pelo botânico holandês Hugo de Vries.²⁹

RESISTINDO A NOVAS IDEIAS

Como vimos no capítulo um, uma grande variedade de ignorância é "intencional", ou seja, não querer saber voluntariamente, uma noção ligada ao que Karl Popper chamou de ignorância "ativa", no sentido de resistência a certas ideias, especialmente as novas. Há uma famosa história a respeito da descoberta de crateras na Lua por Galileu, mostrando que o satélite não era, como pensava Aristóteles, uma esfera perfeitamente lisa. Supõe-se que alguns aristotélicos tenham se recusado a olhar para a Lua através de um telescópio, porque não queriam ver as crateras. Essa história em particular é um mito, mas a história da ciência oferece muitos casos de resistências desse tipo, levando os opositores da novidade a "não perceberem descobertas que estão literalmente diante de seus olhos".[30] Eles não querem ver o que Thomas Kuhn chamou de "anomalias" na natureza que lançam dúvidas sobre teorias que eles foram treinados para aceitar.[31]

Exemplos dessa cegueira e do que Gaston Bachelard chamou de "obstáculos epistemológicos" incluem a resistência à teoria heliocêntrica de Copérnico; à teoria da evolução de Darwin; à descoberta de micróbios por Pasteur; à teoria da herança genética de Gregor Mendel; e à teoria quântica de Max Planck.

Foi a resistência à teoria quântica que levou Planck a proferir seu amargo aforismo de que "a ciência progride de funeral em funeral". Seu pensamento era o de que "uma nova verdade científica não triunfa ao convencer seus oponentes e fazê-los ver a luz, mas sim porque seus oponentes acabam morrendo, e assim cresce uma nova geração que está familiarizada com ela".[32] Os membros de uma geração mais velha muitas vezes não estão dispostos a abandonar teorias nas quais eles podem muito bem ter investido seu capital profissional. É compreensível, por mais lamentável que seja, que eles não queiram entender que estavam errados.

Seria errado atribuir toda a resistência ao heliocentrismo de Copérnico, e sua defesa por Galileu, à simples ignorância ou ao desejo de não querer saber das evidências que contradiziam tanto Aristóteles quanto a Bíblia. O caso de Galileu, em particular, tem sido frequentemente visto como um episódio importante na "guerra da ciência contra a teologia", para parafrasear a famosa frase de Andrew White, cofundador e presidente da Universidade Cornell.[33] Um problema com essa formulação é a diversidade de opiniões de teólogos e filósofos naturais (como eram conhecidos os cientistas na época de Galileu), sem mencionar as sobreposições entre as duas categorias. Um historiador da ciência apontou que os defensores do geocentrismo eram um "grupo diverso", enquanto outro percebeu tanto uma "dependência anticopernicana de argumentos 'científicos' para apoiar suas opiniões quanto a dependência copernicana de argumentos 'religiosos' para apoiar as suas".[34]

No caso dos opositores de Galileu, havia um conflito entre teólogos dominicanos de linha dura, que se opunham a qualquer discussão sobre heliocentrismo, e jesuítas que seguiam uma linha mais branda e distinguiam entre discussões que tratavam aquela ideia como uma hipótese e a crença de que o Sol realmente estava no centro do universo.[35] A notória condenação de Galileu pela Igreja foi muitas vezes mal compreendida. Galileu não foi condenado por suas opiniões particulares, mas por sua posição pública como católico que tentou "converter a Igreja" à nova ciência, argumentando contra interpretações literais de passagens da Bíblia, como a de Josué ordenando que o Sol parasse de se mover. Galileu foi visto como alguém que infringia o monopólio clerical da interpretação das escrituras.[36]

Darwin foi atacado por cientistas, como Louis Agassiz, bem como por teólogos, como Samuel Wilberforce, porque sua teoria da evolução por seleção natural contradizia o relato bíblico da criação. Agassiz acreditava no que ele chamou de "a intervenção direta de uma Inteligência Suprema no plano da Criação".[37] No entanto, a história do darwinismo não é simplesmente a de uma guerra entre ciência e teologia. Darwin também foi criticado por razões científicas – na verdade, a crítica de Wilberforce sobre *A origem das espécies* deliberadamente evitava argumentos teológicos – enquanto seu livro foi defendido pelos "darwinistas cristãos".[38]

Na França, a resistência às ideias de Darwin foi particularmente forte, especialmente entre a geração mais velha que dominava a Academia de Ciências. T. H. Huxley, amigo de Darwin, chegou ao ponto de escrever a respeito de uma "conspiração de silêncio" entre os franceses.[39] Huxley (como Planck posteriormente) acreditava que *não querer saber* tinha um papel importante na resistência às ideias de Darwin. Descrevendo *A origem das espécies* como "mal recebido pela geração à qual era dirigido", Huxley seguiu sugerindo que "a geração atual provavelmente se comportará tão mal quanto dessa vez se outro

Darwin surgir e infligir-lhe aquilo que a humanidade em geral mais odeia: a necessidade de revisar suas convicções".[40]

Seria reconfortante pensar que os cientistas se tornaram mais abertos desde que Huxley e Planck fizeram suas observações, mas as evidências vão contra essa ideia. Tomemos, por exemplo, a teoria da deriva continental, proposta pelo cientista alemão Alfred Wegener em seu livro sobre a origem dos continentes (*Die Entstehung der Kontinente*, 1915).

Wegener ficou impressionado, explicou ele, ao olhar um mapa do mundo e perceber como a costa leste do Brasil parecia se encaixar na costa oeste da África como peças de um quebra-cabeça. Ele notou semelhanças entre as rochas e os fósseis de ambos os lados da divisão, e chegou à conclusão de que em dado momento elas haviam formado uma única região que mais tarde se dividiu em duas. Nos anos 1920 e 1930, a teoria de Wegener foi rejeitada por muitos geólogos, especialmente na América do Norte.

Como Naomi Oreskes argumentou, havia duas razões principais para a reação negativa à teoria de Wegener. Uma era a oposição ao que ela chama de "o desfazimento do conhecimento científico", que é uma relutância em abandonar o paradigma geológico tradicional da estabilidade dos continentes.[41] Como observou Rollin Chamberlin, geólogo norte-americano, "se formos acreditar na hipótese de Wegener, devemos esquecer tudo o que foi aprendido nos últimos setenta anos e começar de novo".[42]

Uma segunda razão para a oposição à ideia da deriva veio como resultado de um conflito entre disciplinas e métodos. A disciplina mais antiga da geologia era baseada na observação em campo, enquanto a nova disciplina da geofísica era baseada em experimentos em laboratório, explicando a deriva por movimentos nas enormes placas de rocha conhecidas como placas tectônicas. Patrick Blackett, um dos principais defensores da teoria da deriva nos anos 1950, era originalmente um físico nuclear. Como salientou Charles Richter, especialista em terremotos que também foi treinado como físico, "ficamos todos muito mais bem impressionados com evidências do tipo com o qual estamos mais familiarizados".[43]

Quando nos aproximamos mais de nosso próprio tempo, nos anos 1980 e 1990, vemos alguns poucos cientistas conhecidos que se tornaram notórios por sua prolongada oposição às descobertas que contradiziam aquilo em que eles queriam acreditar. Eles lançaram dúvidas publicamente sobre o que estava se tornando o consenso científico em relação a quatro ameaças à vida e à saúde em particular: a ligação entre o fumo e o câncer, o problema da chuva ácida, a corrosão da camada de ozônio e, o mais importante de tudo, a tendência ao aquecimento global.[44] Esses cientistas incluem, por ordem de antiguidade, Frederick Seitz, William Nierenberg e Fred Singer. Todos os três começaram suas carreiras como físicos. Seitz e Nierenberg fizeram parte do Projeto Manhattan, nos tempos da Segunda Guerra, trabalhando na produção de uma bomba atômica. Mais tarde chegaram ao ponto mais alto de sua profissão: Seitz se tornou presidente da Academia Nacional de Ciências, enquanto Nierenberg era membro de seu conselho.

Todos os três eram politicamente conservadores. Seitz e Nierenberg estavam entre os fundadores de um *think tank* [grupo de reflexão] de direita, o Instituto George Marshall, enquanto Singer era membro de outro, o Instituto Alexis de Tocqueville. Todos os três tinham vínculos com a indústria e o governo. Seitz trabalhou como consultor para a indústria do tabaco, Nierenberg presidiu o Painel de Revisão por Pares da Chuva Ácida (Acid Rain Peer Review Panel), nomeado pelo presidente Ronald Reagan, enquanto Singer foi cientista-chefe do Departamento de Transportes dos Estados Unidos. Todos os três eram céticos em relação à mudança climática. Singer publicou vários livros nos quais expressa sua opinião sobre o assunto, enquanto Seitz e Nierenberg aconselharam a não tomar medidas para evitar ou retardar o aquecimento global – conselhos que os presidentes Reagan e George H. W. Bush claramente estavam dispostos a ouvir.

A grande prova da ignorância intencional desses três cientistas não é seu ceticismo inicial sobre as quatro ameaças; afinal, o ceticismo inicial é um elemento indispensável na avaliação de novas descobertas ou teorias. Na verdade, a prova é sua continuada recusa em aceitar o crescente número de evidências de que tais ameaças eram reais. Em resumo, todos os três ignoraram ou resistiram a informações que apontavam para algo que eles *não queriam saber*. Quanto à indústria e ao governo, suas campanhas para "desinformar" o público serão discutidas no capítulo nove.

Algumas dessas campanhas estão ligadas ao que é conhecido como "ciência não realizada", o "ignoramento" coletivo de certos problemas e as áreas de pesquisa que ficam sem financiamento. Essa "não produção sistemática de conhecimento" ilustra a política dentro da ciência, a competição entre grupos com diferentes objetivos (governo, indústria, ONGs, fundações, universidades e assim por diante).[45] Talvez seja esclarecedor estudar a ciência social não realizada e até mesmo, apesar de sua crônica falta de financiamento, as ciências humanas.

IGNORÂNCIA MÉDICA

Como vimos no capítulo quatro, a medicina foi um campo no qual a ignorância começou a ser estudada relativamente cedo. Muito já foi escrito sobre charlatães e vigaristas, bem como sobre formas mais profissionais de "má medicina".[46] Nesses casos é necessário discutir não apenas o problema do que não é conhecido em um determinado campo, mas também o problema muito maior do que não é conhecido por muitos indivíduos que trabalham naquele campo, especialmente se a carreira desses indivíduos se resume a aplicar o conhecimento em vez de realizar pesquisas.

Como o médico inglês Ben Goldacre salientou, "os estudantes de medicina de hoje se qualificarão aos 24 anos de idade e depois trabalharão por cinco décadas [...] A medicina muda ao redor deles, fica irreconhecível ao longo de décadas: novas classes de medicamentos são inventadas, há novas formas de diagnosticar pessoas e até mesmo doenças totalmente novas". Os médicos podem tentar se manter atualizados, mas, considerando o número de artigos publicados a cada ano em revistas médicas, a sobrecarga de informação torna essa atualização impossível, mesmo dentro de alguma especialidade bem particular.[47] Os leigos sabem ainda menos, ou resistem ao conhecimento sobre os perigos para a saúde decorrentes da nicotina, do colesterol ou da simples falta de exercício físico. Não querer saber sobre algum aspecto da ciência ou da medicina não é monopólio dos cientistas ou dos médicos.

IGNORÂNCIA LEIGA

O forte contraste entre os cientistas profissionais e o público em geral que observamos hoje nem sempre existiu. Ele surgiu, como outras formas de profissionalização, no início do século XIX, momento em que a palavra "cientista" foi cunhada em inglês. No entanto, em séculos anteriores, poderíamos fazer uma distinção grosseira entre "os estudados" e todas as outras pessoas, inclusive no aprendizado tanto da medicina quanto da ciência natural, que costumava ser conhecida como "filosofia natural".

Nos séculos XVI e XVII, os estudos de filosofia natural continuaram a ser publicados quase que exclusivamente em latim, tornando, assim, seu conteúdo inacessível à maioria da população da Europa e até mesmo à maioria dos alfabetizados. No século XVI, o médico e alquimista suíço Paracelso quebrou essa regra ao escrever em alemão, e no século XVII Galileu fez o mesmo ao escrever em italiano, escolhendo a forma dramática de um diálogo como modo de alcançar um público mais amplo. No entanto, muitos de seus colegas acadêmicos ficaram chocados com essa violação da convenção.

Trabalhadores em diferentes profissões – pescadores, parteiras, mineiros, pedreiros, ferreiros, ourives e assim por diante – adquiriram conhecimentos especializados da natureza, mas esses conhecimentos raramente eram escritos, e é improvável que fossem amplamente compartilhados. De fato, as guildas às quais os artesãos pertenciam insistiam em manter em segredo seus conhecimentos particulares, como faziam os alquimistas, a fim de evitar competição.[48]

Se houve um campo no qual o conhecimento, ou o que se pensava ser conhecimento, estava se difundindo na Europa moderna, esse campo era a medicina. No caso dos pacientes, o problema da escolha entre diferentes médicos oferece um exemplo vívido de tomada de decisão em condições de incerteza. Outra opção para eles era o "faça você mesmo", mas isso exigia que os leigos de alguma forma resolvessem seu desconhecimento da medicina. Paracelso desejava ver cada homem como seu próprio curandeiro, gabando-se de que tudo o que ele sabia, o que quer que fosse, ele havia aprendido com sua própria experiência, em vez de depender da ignorância de outra pessoa.[49]

Na esteira de Paracelso, livros médicos em línguas vernáculas destinados a um público leitor relativamente amplo começaram a proliferar a partir do século XVI. Um famoso exemplo inglês desses livros vernaculares é *The English Physician* ("O médico inglês", em tradução livre, de 1652), que na verdade era um guia de ervas medicinais produzido pelo boticário Nicholas Culpeper. Culpeper, que era republicano e protestante radical, denunciava as publicações em latim como um meio pelo qual o "populacho" poderia ser "mantido na ignorância para se tornar melhores escravos". Ele se opunha aos monopólios intelectuais de padres e advogados, assim como aos da Faculdade de Médicos, cujos membros ele acusava de "ignorância aprendida", no sentido pejorativo do termo, diferente do de Nicolau de Cusa.[50] Como se gabava o frontispício, o herbário de Culpeper era publicado em inglês e vendido ao baixo preço de 3 *pence* para permitir a cada indivíduo "curar-se a si mesmo". De maneira semelhante, seu *Directory for Midwives* ("Diretório para parteiras", em tradução livre, de 1651) não foi escrito especificamente para parteiras, mas se descrevia como "um guia para mulheres" no ato de conceber, dar à luz e amamentar seus bebês.[51] Um século depois, *Domestic Medicine* ("Medicina doméstica", em tradução livre, de 1769), do médico escocês William Buchan, tornou-se um *best-seller*. Entre seus concorrentes, títulos como *The Poor Man's Medicine Chest* ("A gaveta de remédios do pobre", em tradução livre, de 1791) lembravam aos leitores que livros daquele tipo custavam bem menos do que os honorários dos médicos.

Um movimento pela popularização da filosofia natural estava se espalhando no final do século XVIII. Alguns cientistas importantes participaram do movimento. O botânico sueco Carl Linnaeus, por exemplo, produziu pequenos livros, escritos de maneira simples e rapidamente traduzidos para outras línguas, e assim "abaixou o preço educacional e financeiro do ingresso para o estudo da natureza".[52] Um novo grupo surgiu, o dos popularizadores profissionais.

Um meio importante de difusão do conhecimento científico no século XVIII foi a palestra popular, uma apresentação que frequentemente incluía "demonstrações", ou seja, experimentos realizados em público.[53] No século XIX, o cientista britânico John Henry Pepper ficou famoso por esse tipo de apresentação para públicos leigos. Em suas palestras sobre a física da luz, por exemplo, uma figura sombria semelhante a um fantasma aparecia no palco. Menos vistosas, mas no mínimo igualmente bem-sucedidas, foram as palestras sobre o cosmos dadas por Alexander von Humboldt ao público em geral em um salão de música em Berlim, em 1828. Também foi famosa a palestra de T. H. Huxley aos trabalhadores de Norwich, em 1868, sobre "um pedaço de giz", assim lhes apresentando a química, a geologia e a paleontologia. Outra forma de popularização era a revista científica, como a *Scientific American*, que foi fundada em 1845, visando "artesãos e mecânicos", e continua em circulação até os dias de hoje.[54]

O século XIX foi também uma época de resistência leiga a algumas teorias científicas, notadamente a teoria da evolução de Darwin, com sua crítica implícita ao relato bíblico da criação visto no *Gênesis*, bem como à argumentação de que o projeto do mundo natural provava a existência de Deus. Darwin algumas vezes usou o termo "criacionistas" para se referir aos opositores de seus pontos de vista que acreditavam que a natureza era uma criação divina. Esse termo, e muitas dessas pessoas, ainda continuam ativos hoje, especialmente nos Estados Unidos.

No Tennessee, uma lei aprovada em 1925 proibia os professores de contradizer o relato bíblico da criação, e um professor, John Scopes, foi levado ao tribunal por infringir essa lei (para ser mais exato, o próprio Scopes concordou em desafiar essa lei no tribunal). Após extensa publicidade, o julgamento foi abandonado, mas a lei não foi revogada até 1967.[55] O que seus defensores chamam de "criacionismo científico" continua poderoso. Um Instituto de Pesquisa da Criação foi fundado em 1970, enquanto o bioquímico católico norte-americano Michael Behe, descrito como "um Agassiz moderno", opõe-se ao darwinismo e defende o argumento do "*design* inteligente".[56] Uma pesquisa norte-americana realizada pelo Instituto Gallup, em 2017, descobriu que 38% dos adultos nos Estados Unidos ainda acreditavam que "Deus criou os humanos em sua forma atual em um só momento nos últimos 10 mil anos".[57]

Apesar da resistência a Darwin, o século XIX parece, hoje, ter sido uma era de ouro para o conhecimento laico da ciência, seguida de um lento declínio desde então. Esse declínio foi famosamente lamentado em uma palestra dada em Cambridge, em 1959, por C. P. Snow, ex-físico-químico que se tornou romancista. Em sua palestra, Snow descreveu as ciências naturais e as áreas humanas como duas culturas separadas, afirmando, provavelmente com razão, que os não cientistas, ainda que bem-educados, eram tão ignorantes da física que não eram capazes de citar a segunda lei da termodinâmica, e muito menos de entender sua importância. "Assim, o grande edifício da física moderna vai subindo, mas a maioria das pessoas mais inteligentes do mundo ocidental tem tanta percepção dela quanto seus ancestrais neolíticos teriam tido".[58]

Alguns anos depois de Snow, em 1963, foi fundado, nos Estados Unidos, o Instituto dos Cientistas para Informação Pública, a fim de auxiliar a difusão do conhecimento científico por meio do jornalismo. Pode ser significativo que o instituto tenha considerado necessário adotar uma abordagem indireta, informando jornalistas que, por sua vez, informariam o público. Os programas de televisão se tornaram particularmente importantes no processo de popularização. Na Inglaterra, por exemplo, a BBC encomendou uma série sobre astronomia ao físico Brian Cox, assim como muitas séries sobre história natural ao famoso apresentador David Attenborough. Seria interessante saber quanto da informação apresentada aos telespectadores em tais programas é lembrada por eles alguns meses ou anos depois. Uma pesquisa realizada em 1989 por John Durant, professor de uma disciplina sobre compreensão pública da ciência, concluiu que "os britânicos e os norte-americanos têm um interesse mais aguçado pela ciência do que por esporte, cinema ou política, mas raramente possuem um conhecimento profundo que corresponda à sua curiosidade sobre o assunto".[59]

No entanto, uma minoria de leigos é bem-informada acerca de pelo menos alguns aspectos de algumas ciências. As evidências para essa afirmação vêm do papel desempenhado por alguns cidadãos no que tange à mobilização da ciência em campanhas de defesa do meio ambiente.[60] Outra minoria, oficialmente descrita como "voluntários dispersos não especialistas", contribui para a "ciência cidadã", observando a migração das aves ou os efeitos da mudança climática em um determinado local e enviando as informações via internet.[61] Outra exceção deve ser feita para o conhecimento do público sobre computadores. A maioria de nós pode ainda ignorar a segunda lei da termodinâmica, mas a lei de Moore – de que o número de transistores em um circuito integrado denso dobra a cada dois anos – é provavelmente familiar a muitos membros da geração mais jovem.

Apesar de iniciativas sempre presentes como essas, a ciência está se tornando ainda mais inacessível ao público em geral do que antes, de tal maneira que talvez não seja exagero falar do rápido crescimento da ignorância nesse grande domínio. Uma razão para esse crescimento é a especialização cada vez maior, tornando muito mais difícil do que era no século XIX ver o *quadro maior* da ciência. Como Stuart Firestein escreveu em 2012, "hoje, a ciência é tão inacessível ao público como se fosse escrita em latim clássico".[62] Até mesmo os próprios cientistas se tornaram parte dos leigos quando se veem fora do campo particular em que trabalham.

A especialização não é a única razão para essa inacessibilidade. Ela é também uma consequência do crescente afastamento dos experimentos científicos da vida cotidiana. Os experimentos do século XIX ainda eram visíveis a olho nu, permitindo que popularizadores como John Henry Pepper impressionassem o público. Por outro lado, os elétrons e os cromossomos só podem ser percebidos por especialistas com o uso de aparelhagem complexa. O movimento para a "compreensão pública da ciência" nos anos 1990, incluindo uma revista com esse mesmo título e cadeiras sobre essa disciplina (uma delas mantida por Richard Dawkins), é um sinal de um aumento na consciência da ignorância que os leigos têm nesse vasto domínio, bem como do desejo de combatê-la.

8

A ignorância da geografia

Terra incognita
Ptolomeu

Este capítulo trata do desconhecimento da superfície terrestre, do que costumavam ser os espaços em branco no mapa e das partes que eram cobertas por nuvens que iam recuando gradualmente, conforme ilustradas no atlas triunfalista de Edward Quin – mostrando o que era conhecido do mundo em diferentes períodos –, já mencionado no capítulo um. É claro que é necessário perguntar o seguinte (algo que Quin não fez): no mapa de *quem* (seja físico, seja mental) estavam os espaços em branco? Quem ignorava *o quê*?

Tal como os historiadores, os geógrafos se preocupam com a ignorância pública acerca de sua disciplina. No Reino Unido, uma pesquisa da OnePoll, relatada no jornal *Daily Mail*, em 2012, descobriu que mais de 50% dos adultos britânicos pensavam que o Monte Everest se situava na Inglaterra, enquanto 20% não sabiam onde ficava a cidade de Blackpool (na Inglaterra). Nos Estados Unidos, a National Geographic Society há muito tempo se preocupa com o que ela chama de "luta contra o analfabetismo geográfico". Uma pesquisa realizada em 2006 constatou que "dois terços dos norte-americanos entre 18 e 24 anos de idade não conseguiam localizar o Iraque em um mapa-múndi".[1]

Onde quer que os humanos tenham vivido, eles adquiriram conhecimento *local* de seu território; em várias culturas, incluindo os chamados "primeiros povos" do Canadá e da Austrália, eles produziram representações visuais desse conhecimento. O que muda, às vezes de forma surpreendente, é o conhecimento das pessoas de fora, algumas das quais exploraram novos territórios com a ajuda de guias nativos e se dispuseram a elaborar seus próprios mapas.²

Parte da ignorância desses forasteiros, os colonizadores, era tão conveniente que deve ter sido fingida. Estivesse a expressão "terra de ninguém" (*terra nullius*) em uso ou não (uma questão controversa), a suposição de seu significado certamente estava presente entre os colonizadores brancos dos séculos XVI ao XIX. Como Colombo, quando tomou posse das "Índias", em 1492, os colonos britânicos não queriam saber nada a respeito de como era usada a terra antes de sua chegada, fosse pelos primeiros povos das Américas, pelos maoris, na Nova Zelândia, ou pelos grupos aborígines, na Austrália.

Em 1824, por exemplo, Francis Forbes, então presidente do Supremo Tribunal, descreveu Nova Gales do Sul como "desabitada", muito embora não houvesse qualquer possibilidade de que ele desconhecesse a presença dos habitantes nativos, enquanto *Sir* Richard Bourke, governador da mesma Nova Gales do Sul, emitiu uma proclamação em 1835 dizendo que a terra estava "desocupada" antes que a Coroa tomasse posse dela. Esse deliberado desconhecimento já foi descrito como "o apagamento conceitual daquelas sociedades que já estavam lá antes".³

Este capítulo segue o método retrospectivo descrito anteriormente. Como Alain Corbin em seu recente estudo dos séculos XVIII e XIX, ele faz uso de descobertas como lembretes daquilo que não era conhecido antes ou do que se pensava ser conhecido, mas estava errado.⁴ Um exemplo óbvio é a suposição, na Europa medieval, de que o mundo estava dividido em três continentes. Outro é a crença do antigo geógrafo grego Ptolomeu de que a Escandinávia era uma ilha, então chamada "Scandia insula".⁵ Seria fascinante ler um estudo global que tratasse do que as pessoas em cada parte do mundo desconheciam a respeito de todo o resto, mas tal estudo dependeria de uma infinidade de trabalhos que ainda não foram escritos. O que se segue, portanto, vai se concentrar na ignorância dos europeus em relação ao mundo além deles, bem como na discussão de sua falta de conhecimento sobre a própria Europa. Na Sicília, por exemplo, já nos anos 1950, um investigador se surpreendeu ao descobrir camponeses que não sabiam onde estava a Rússia.⁶

Olhando para trás, é difícil imaginar como os europeus sabiam tão pouco sobre o resto do mundo no ano 1450 ou mesmo em 1750 (sem mencionar a ignorância da Europa Ocidental sobre a Europa Oriental).[7] É verdade que, na Idade Média, alguns europeus tinham conhecimento em primeira mão de partes do mundo além da Europa. Navegadores, comerciantes, peregrinos, cruzados e missionários, todos adquiriram algum conhecimento do Oriente Médio, especialmente de certas cidades, centros de comércio internacional, como Cairo, Alepo, Caffa (atual Feodosia), assim como Acre, a cidade das Cruzadas hoje situada em Israel, e, claro, Jerusalém, a meta de muitos peregrinos.[8]

Por outro lado, pouco se sabia sobre a China (discutiremos isso abaixo) ou sobre a Índia, além da existência de ascetas nus conhecidos como "ginosofistas" (e mais tarde como "iogues") e também dos chamados cristãos "nestorianos", um ramo da Igreja supostamente fundado pelo apóstolo São Tomé.

Um dos exemplos mais emblemáticos da ignorância europeia nessa época foi apresentado por Cristóvão Colombo. Colombo, que foi enviado em uma missão à China, não sabia – na verdade, nem queria saber – que a ilha de Hispaniola, onde ele desembarcou, não fazia parte da Ásia. De fato, levou algum tempo para o público aceitar a ideia de um "novo mundo" que era desconhecido dos antigos gregos e romanos.[9] Foi por essa razão que o historiador mexicano Edmundo O'Gorman intitulou seu conhecido livro sobre o assunto como "a invenção" da América, em vez de sua "descoberta". Pela mesma razão, o sociólogo Eviatar Zerubavel escreveu sobre "a descoberta mental da América". Em sua própria época, tanto Américo Vespúcio quanto Martin Waldseemüller, que aceitaram as evidências que apontavam para um novo continente, estavam em minoria.[10]

Em qualquer caso, essa "descoberta" da América por Colombo foi na verdade uma *redescoberta* por parte dos europeus. Por volta do ano 1000, um explorador nórdico, Leif Erikson, já havia chegado ao que ficou conhecido como "Vinland" – parte da costa norte-americana, talvez onde hoje fica o Labrador, no Canadá. Gravada nas sagas do século XIII sob o nome "Markland", a existência desse território a oeste chegou a um frade italiano do século XIV, Galvano Fiamma, que o chamou de "Marckalada" e o descreveu como sendo habitado por gigantes.¹¹ Depois disso, o conhecimento parece ter sido perdido.

No século XVIII, época de um *boom* dos livros de viagem na Inglaterra, na França e em outros lugares, a ignorância que restou é revelada pelo que foi deixado de fora ou apenas publicado no final do século, incluindo descrições da Birmânia e da Abissínia, como Mianmar e Etiópia eram conhecidas naquela época. Não é de admirar, então, que Jean-Jacques Rousseau tenha se declarado impressionado com a enormidade da ignorância europeia sobre a maior parte do mundo. "A Terra inteira é coberta por nações das quais só conhecemos os nomes, mas temos a presunção de fazer julgamentos sobre a raça humana!"¹²

IMAGINANDO O EXÓTICO

Os espaços em branco nos mapas feitos por forasteiros foram frequentemente povoados pela imaginação. Como foi observado anteriormente, a natureza humana abomina o vácuo. Movida por curiosidade, esperanças e medos, a imaginação coletiva preenche os espaços em branco. No curto prazo, esse vácuo é preenchido por rumores, e, no longo prazo, por lendas ou mitos.¹³

Um exemplo vívido é o das "raças monstruosas". Na Grécia e na Roma antigas, acreditava-se comumente que povos não humanos podiam ser encontrados em partes distantes do mundo, na Ásia ou na África. Havia os "cinocéfalos" (*Cynocephali*), com cabeça de cão; os "ciápodes", cada um com apenas um pé enorme; os blêmios ou blemitas (*Blemmyae*), "cujas cabeças sob seus ombros crescem", como os descreveu o Otelo de Shakespeare; e outras "raças plinianas", como são conhecidas atualmente, uma vez que foram famosamente descritas em uma antiga enciclopédia romana compilada pelo naturalista romano Plínio, o Velho.¹⁴ Histórias como essas podem ter despertado a curiosidade de alguns indivíduos, mas, para outros, podem ter sido um impedimento para viajar.

Passando do medo à esperança, uma história circulava na cristandade, especialmente entre os séculos XII e XVI, a respeito do governante de um grande império na Ásia, um rei-sacerdote cristão conhecido como "Preste João".¹⁵ Esse aliado em potencial contra pagãos e muçulmanos era às vezes descrito como imperador das "três Índias", e se supõe que tenha escrito uma carta em latim ao imperador bizantino Manuel Comnenus, do século XII, descrevendo seu reino. Esse texto foi traduzido em muitos idiomas, e, no decorrer de sua circulação, foram acrescentados mais detalhes.

Onde esse Preste João teria vivido é algo que suscita discussão.[16] O cronista alemão Otto de Freising, do século XII, descreveu-o como vivendo "além da Pérsia e da Armênia". Alguns pensavam que ele pudesse ser encontrado na Ásia Central; Marco Polo, por exemplo, menciona seu "grande império" e diz que ele foi morto em uma batalha com Gêngis Khan. Como nenhum vestígio do Preste João foi encontrado na Ásia, o tal rei foi "transferido" para a Etiópia, que era, como a Índia, um país no qual cristãos já vinham vivendo por séculos. O viajante espanhol do século XV Pero Tafur alegou que o viajante veneziano Niccolò de'Conti lhe disse que ele havia de fato visitado a corte do Preste João.[17] Quando Vasco da Gama e seus homens chegaram à costa de Moçambique, em 1498, "foi-lhes dito que o Preste João não residia longe desse lugar", embora sua corte fosse situada mais ao interior, de modo que "só se podia ir até lá em camelos".[18] De maneira semelhante, depois de 1492, as tais raças monstruosas – que haviam se mostrado impossíveis de encontrar na África ou na Ásia – foram realocadas para as Américas inexploradas. Quando Walter Raleigh chegou à Guiana, na década de 1590, por exemplo, foi informado de homens sem cabeça com os olhos nos ombros.

Essa realocação também ocorreu no caso das amazonas, mulheres guerreiras que foram mencionadas no século V a.C. nas *Histórias*, de Heródoto. No século XIII, Marco Polo declarou que elas se encontravam no leste asiático. Colombo se referiu à "Ilha das Mulheres, que ele pensava serem amazonas", mas foi Francisco Orellana, um desertor da conquista do Peru por Francisco Pizarro, que afirmou tê-las encontrado nas proximidades do rio que ainda hoje conhecemos, graças a esse encontro, como Rio Amazonas.[19]

Alguns exploradores espanhóis tinham lido um romance de cavalaria publicado em 1510 que descrevia uma ilha imaginária chamada "Califórnia", governada pela rainha Calafia. Hernán Cortés e seus homens acreditavam ter descoberto aquela ilha, e o que hoje é conhecido como Baja California, no México, ainda se via representado nos mapas do século XVII como uma longa ilha ao largo da costa oeste. Essa crença foi colocada em xeque pelo jesuíta Eusebio Kino, que sustentou, em 1701, que a Califórnia era na verdade uma península, mas os mapas continuaram a representá-la como uma ilha até meados do século XVIII.[20]

Assim como a história do Preste João, o mito de El Dorado oferece um exemplo contundente do que Freud descreveu como "realização de desejos". A história circulou depois que aquele mesmo líder espanhol, Hernán Cortés, descobriu ouro em meio aos tesouros do imperador asteca Montezuma. Em Cundinamarca, nos Andes, ainda *terra incognita* para os conquistadores espanhóis nos anos 1530, foi dito que o ouro era tão abundante que o chefe ou rei local era coberto de pó de ouro todos os anos. A história, influenciada pelo mito grego do velo de ouro, expandiu-se, saindo da referência a uma pessoa para uma cidade e mesmo a um país. Tal como as raças de Plínio, o lugar chamado El Dorado foi realocado várias vezes, "da Colômbia para a bacia da Amazônia para as selvas da Guiana, uma vez que cada um desses locais, por sua vez, não cumpria sua brilhante promessa". As muitas expedições fracassadas para encontrar a cidade, à custa de grandes esforços e muitas mortes, incluíram a última viagem de Walter Raleigh.[21]

A IGNORÂNCIA OCIDENTAL ACERCA DA CHINA

As duas seções seguintes discutem a ignorância ocidental sobre a China e também seu inverso, a ignorância chinesa acerca do Ocidente. Naturalmente, será necessário evitar a conversão tanto de "China" quanto de "Ocidente" em entes únicos, fazendo distinções entre a ignorância dos imperadores, dos literatos, dos missionários e dos comerciantes, assim como entre diferentes períodos e locais.

A China (ou "Catai", como foi chamada na Europa por um longo tempo) era um grande desconhecido para os europeus até a invasão mongol da Rússia, da Hungria e da Polônia, no século XIII, uma ameaça que obrigou alguns ocidentais a tentar remediar essa ignorância.[22] Em resposta às invasões, missões foram enviadas aos *khans* [ou cãs, como eram chamados os imperadores] dos mongóis pelo papa Inocêncio IV e por Luís IX da França, tentando descobrir os planos dos invasores e fazer uma aliança com eles, assim como convertê-los ao cristianismo. Os mais famosos desses missionários foram quatro frades franciscanos, três deles italianos (Giovanni da Pian del Carpine, Giovanni da Montecorvino e Odorico de Pordenone) e um flamengo (Willem van Rubroeck). Três deles escreveram relatos de suas viagens a Catai, por via da Pérsia, da Índia e, no caso de Odorico, de Sumatra. O interesse evocado pelas experiências, particularmente as de Odorico, é demonstrado pela sobrevivência de 73 manuscritos de sua narrativa, que foi finalmente publicada em 1574.[23]

Ainda mais bem-sucedido entre os leitores europeus foi o relato das viagens do mercador veneziano do século XIII Marco Polo, o *Divisament dou monde* [bastante conhecido em português como *As viagens de Marco Polo*].[24] Foi traduzido do francês original (mais exatamente, do franco-veneziano) para veneziano, toscano, latim, espanhol, catalão, aragonês, alemão e irlandês, e se tornou um dos livros mais conhecidos no final da Europa medieval.[25] Marco Polo, que se colocou a serviço do grão-cã de então e passou dezessete anos em Catai, notou com alguma surpresa o uso do papel-moeda. Também ficou impressionado, seja em primeira, seja em segunda mão, com o famoso Lago Oeste de Hangzhou, escrevendo que "uma viagem por esse lago oferece mais refresco e divertimento do que qualquer outra experiência na Terra".[26]

Marco Polo não visitou todos os lugares descritos em suas viagens, provavelmente incluindo a maioria daqueles no centro e no sul da China (embora ele tenha começado seu retorno para o oeste a partir do porto sul de Quanzhou).[27] De fato, seu livro não é tanto um diário de viagem, mas um tratado informal sobre geografia. O importante para nossos propósitos no momento é que foi esse livro, "uma revisão um tanto drástica de tudo o que antes se pensava sobre o Oriente", que colocou a China no mapa mental de muitos europeus, tornando seus leitores conscientes de uma cultura que era muito diferente da sua.[28]

O reino do grão-cã também foi descrito de forma vívida em outro *best-seller* medieval, o relato de viagem atribuído a um "*Sir* John Mandeville". Mais de trezentos manuscritos do livro sobreviveram. Ele foi traduzido do francês original para mais nove idiomas: inglês, alemão, holandês, espanhol, italiano, latim, dinamarquês, tcheco e irlandês, e lido por indivíduos que vão desde Cristóvão Colombo até o moleiro Menocchio, do século XVI.[29] A (in)confiabilidade do texto será discutida mais adiante neste capítulo.

Quando Colombo partiu para encontrar uma nova rota para a Ásia, suas expectativas foram moldadas por sua leitura tanto de Marco Polo (cujo livro ele carregava consigo) quanto de Mandeville. Ele acreditava, como outros europeus, que a China ainda fosse governada pelo grão-cã e esperava lhe entregar uma carta em "Quinsay" (o lugar mais bem conhecido como Hangzhou). Colombo não sabia que suas instruções estavam desatualizadas em 124 anos, já que os mongóis haviam sido substituídos pela dinastia Ming em 1368.[30]

Nessa época, a ignorância ocidental sobre a China ainda se estendia à sua geografia, sua história, sua língua, seu sistema de escrita, sua medicina, sua arte, sua estrutura política e social e seus sistemas de crenças (confucionista, taoísta e budista). O rei Manuel de Portugal oferece um exemplo precoce daquela mistura de ignorância com curiosidade. Suas instruções ao capitão de um navio que navegava para Malaca [cidade do sul da Malásia onde se fala português] em 1508 eram para descobrir tudo o que pudesse sobre os chineses, não apenas "quando eles vão a Malaca", e com quantos navios e que mercadorias, mas também sobre sua religião e forma de governo, incluindo "se eles têm mais de um rei entre eles".[31]

Essas lacunas só começaram a ser preenchidas no final do século XVI, especialmente por três livros: *Tractado de la China* ("Tratado sobre a China", em tradução livre, de 1569), escrito pelo frade dominicano português Gaspar da Cruz; *Reino de la China* ("Reino da China", em tradução livre, de 1577), pelo soldado espanhol Bernardino de Escalante; e *El Gran Reyno de la China* ("O Grande Reino da China", em tradução livre, de 1585), por Juan González de Mendoza, um padre (mais tarde bispo) que atuava no México. O livro de Mendoza foi um grande sucesso, chegando a 47 edições em sete idiomas até o final do século. Montaigne possuía uma cópia e fez uso dela em seu ensaio "On Coaches" ("Sobre carroças", em tradução livre), onde escreveu que "exclamamos hoje o milagre da invenção de nossa artilharia e de nossa impressão; outros homens, em outro canto do mundo, na China, já desfrutavam disso mil anos antes".

Nenhum dos três autores que acabamos de mencionar havia realmente visitado a China, mas seus relatos eram baseados em fontes relativamente confiáveis.³² Menos confiável, e também mais vívido, foi *Peregrinação*, livro do viajante português Fernão Mendes Pinto publicado em 1614, mas escrito na década de 1570.

Um ano depois, o livro de Mendes Pinto foi seguido por um relato impresso da missão jesuíta na China, com base nos diários mantidos pelo italiano Matteo Ricci e editado por um colega flamengo.³³ Esse relato, logo reimpresso e também traduzido do latim para o francês, foi o primeiro de uma sequência notável de relatos jesuítas sobre a China que se tornou a principal fonte de informação sobre aquele país até o final do século XVIII. Durante cerca de duzentos anos, os jesuítas desempenharam um papel importante como mediadores, corrigindo tanto a ignorância europeia sobre a Terra do Meio quanto a ignorância chinesa sobre o mundo além de seu império.

Por exemplo, Ricci forneceu aos europeus "informações geográficas mais confiáveis sobre a China".³⁴ Um segundo italiano, Martino Martini, que chegou à China em 1642, publicou um atlas do país, um histórico da mudança de dinastia (da Ming para a Qing, em 1644) e um relato da história mais antiga do país. Quando vivia em Roma, Martini teve como professor o polímata jesuíta alemão Athanasius Kircher. Os dois homens permaneceram em contato, e Martini forneceu muitas informações a seu ex-professor, cuja *China illustrata* (1667) levou ao conhecimento dos seus leitores, entre outras coisas, o hábito de beber chá e a acupuntura.

A história da China escrita por Martini, publicada em latim, em 1658, preencheu uma grande lacuna no conhecimento ocidental, mas gerou controvérsia, porque, de acordo com a cronologia chinesa, sua história remontava a pelo menos 600 anos antes do dilúvio de Noé, o que solapava a declaração bíblica de que toda a humanidade descendia de Noé.³⁵ Alguns estudiosos ocidentais não queriam saber dessa reivindicação chinesa à antiguidade. O famoso *Discourse on Universal History* (publicado em português como *Discurso sobre a história universal*, originalmente de 1681), do bispo francês Jacques Bossuet, não mencionava a China. Em seu *New Science* ("Nova Ciência", em tradução livre, de 1744), Giambattista Vico afirmou que a história dos hebreus era mais antiga do que a história da China. Voltaire, por outro lado, valeu-se da história da China para obter munição para formular sua crítica ao eurocentrismo de Bossuet.

Um grupo de missionários jesuítas, que incluía o belga Philippe Couplet, mostrou aos europeus a filosofia chinesa, publicando textos em tradução latina. É graças a esse livro que o filósofo Kong Fuzi ainda é conhecido no Ocidente como "Confúcio".[36] O polímata alemão Gottfried Wilhelm Leibniz era fascinado pela China e aprendeu o máximo que pôde sobre o país com os missionários jesuítas, assim como por meio de livros. Seu entusiasmo é um exemplo precoce da admiração pela China entre estudiosos e homens de letras durante o Iluminismo, alguns dos quais, incluindo Voltaire, consideravam aquele país como um paradigma de bom governo (graças, em parte, à ignorância de exemplos que contradissessem esse pensamento).[37] Porcelana e outros artefatos chineses chegavam à Europa em número crescente e criaram uma moda para o que era conhecido como *chinoiserie*, desde a decoração de interiores até o design de jardins.[38]

Os novos conhecimentos sobre a China, incluindo mapas feitos para o imperador pelos jesuítas, foram resumidos nos quatro volumes de *Description de la Chine* ("Descrição da China", em tradução livre, de 1735) por Jean-Baptiste Du Halde, colega dos jesuítas que permaneceu na França. Em sua tradução em inglês, o título do livro se tornou *Geographical, Historical, Chronological, Political, and Physical Description of the Empire of China and Chinese Tartary* ("Descrição geográfica, histórica, cronológica, política e física do Império da China e dos tártaros chineses", em tradução livre, de 1738).

A partir daquele momento, a ignorância sobre a China não poderia mais ser usada como desculpa, porque já não faltava informação. No entanto, ela tem persistido entre o público em geral, que às vezes é mantido na ignorância dos acontecimentos recentes pela falta de cobertura ou pela cobertura pouco confiável daquele país na mídia. No início dos anos 1960, por exemplo, o jornalista Felix Greene publicou dois livros nos quais criticava "a (im)precisão de algumas reportagens sobre a China comunista transmitidas ao povo norte-americano pela imprensa, por especialistas e por funcionários públicos".[39] Será que eles são mais precisos hoje?

A IGNORÂNCIA CHINESA SOBRE A EUROPA

É claro que é um exagero dizer que os chineses não estavam interessados no mundo exterior, mas, dos séculos XVI ao XVIII, enquanto os ocidentais se interessavam cada vez mais pela China, houve relativamente pouca reciprocidade, produzindo uma "discrepância de conhecimento" que "iria perseguir as relações da China com o Ocidente até o século XX".[40] O governo chinês não queria saber, ou, mais exatamente, acreditava que *não precisava* saber sobre países distantes. Foi a ameaça do Ocidente do século XIX que obrigou os chineses a remediar sua ignorância sobre o mundo mais além, assim como os europeus haviam sido forçados a fazê-lo pela invasão mongol, seis séculos antes.

Antes da década de 1840, o que os estudiosos chineses tinham aprendido sobre a Europa era em grande parte resultado de iniciativas europeias, especialmente dos missionários jesuítas. Quando Matteo Ricci chegou à China, em 1582, ele descobriu que geralmente lá se acreditava que a Terra era plana e quadrada, embora rodeada pelos "céus arredondados" (também na Europa medieval, a Terra tinha sido considerada como "um quadrado perfeito").[41] Ricci informou seus interlocutores chineses de que a Terra era um globo, além de mostrar-lhes mapas do mundo, melhorados em sucessivas edições, e fornecer informações sobre a Europa, a África e as Américas.[42]

A fim de ajudar seus convertidos a compreender o catolicismo, Ricci mandou para casa um pedido para que enviassem gravuras religiosas. Essas imagens também introduziram os chineses à perspectiva, embora os pintores de lá, especialmente os acadêmicos, tenham se mantido à parte na adoção de convenções pictóricas ocidentais, permanecendo fiéis às suas formas tradicionais, não geométricas, de representação do espaço. No entanto, há sinais de que a consciência das convenções ocidentais levou a mudanças na pintura chinesa, em direção ao que foi descrito como uma "convergência" entre tradições. Aprender que existia uma alternativa à sua própria tradição inspirou alguns pintores paisagistas chineses a inovar à sua própria maneira.[43]

No século XVII, outros jesuítas conscientizaram pelo menos alguns chineses de outras formas do que eles chamavam de "aprendizado ocidental" (*xixue*). O italiano Giulio Aleni publicou seu *Zhifang waiji* em chinês ("Crônicas de terras estrangeiras", em tradução livre), em 1623, incluindo um mapa que informava os leitores sobre a Europa, a África e as Américas.[44] O polímata suíço-alemão Johann Schreck escreveu uma introdução à anatomia ocidental e colaborou com um estudioso local, Wang Zheng, na tradução de um texto cujo título chinês dizia "As estranhas máquinas do extremo Ocidente" (*Yuanxi Qiqi Tushuo Luzui*, 1627).

Quando Schreck mostrou que era capaz de prever o eclipse de 1629 com mais precisão que os astrônomos chineses, ele foi convidado pelo último imperador da dinastia Ming para reformar o calendário, enquanto o alemão Adam Schall von Bell foi nomeado diretor do observatório imperial. Schall e seu assistente, o flamengo Ferdinand Verbiest, levaram adiante a reforma do calendário e aproveitaram a oportunidade para apresentar os chineses à astronomia ocidental – sem mencionar Copérnico, a quem os chineses foram apresentados somente depois que a proibição da Igreja de ensinar heliocentrismo foi suspensa, em 1757.[45]

Sob a nova dinastia Qing, Verbiest se tornou diretor do observatório e tutor do imperador Kangxi, cujo reinado começou quando ele tinha 7 anos de idade. Kangxi, que não gostava da acupuntura tradicional chinesa, demonstrou interesse pela medicina ocidental, bem como pela tecnologia militar. Os jesuítas franceses lhe deram quinino (conhecido na Europa como "casca jesuíta") para curar sua malária, enquanto ele encarregou um deles, Jean-François Gerbillon, de escrever um relato da medicina ocidental. Outro jesuíta francês, Joachim Bouvet, começou uma tradução para a língua manchu de um livro didático ocidental sobre anatomia.[46] É difícil dizer o quanto essas introduções à medicina, à anatomia e à astronomia ocidentais circularam, mas pelo menos ficaram conhecidas na corte imperial.

Os jesuítas também foram contratados para mapear o império, usando instrumentos científicos, como quadrantes, integrando métodos ocidentais com práticas tradicionais chinesas e apresentando seus resultados ao imperador em 1717.[47] Já foi sugerido que Kangxi estava usando o conhecimento ocidental para diminuir sua dependência de seus próprios oficiais.[48]

O sucessor de Kangxi, o imperador Qianlong, também estava interessado no Ocidente. Certa vez, ele interrogou um jesuíta francês,

Michel Benoist (que passou trinta anos em sua corte, entre 1744 e 1774) sobre a política europeia – sobre a relação entre a França e a Rússia, por exemplo, e se um Estado europeu poderia se tornar supremo acima de todos. Cabe aqui enfatizar tanto a curiosidade do imperador sobre o Ocidente quanto a ignorância do governo acerca do sistema político europeu mesmo no cargo mais alto da China.[49]

É difícil medir o sucesso dessas tentativas de introduzir o aprendizado ocidental, especialmente fora dos círculos da corte. Alguns oficiais e estudiosos chineses certamente se interessaram por essas ideias estrangeiras. Por exemplo, quando Wang Pan, governador de Zhaoqing, ouviu falar dos conhecimentos de Ricci em matemática e cartografia, ele o convidou para ir à cidade, onde Ricci apresentou seu mapa do mundo, em 1602. Wang Pan lhe pediu para traduzi-lo e mandou gravar uma matriz, "uma vez que ele desejava que fosse impresso e divulgado em toda a China", e "começou a dar cópias como presentes a todos os seus amigos naquela província, e a enviar cópias para outras províncias".[50] Em Pequim, Ricci fez amizade com dois acadêmicos, Feng Yingjing e Li Zhizao, ambos versados em geografia ocidental.

Outro amigo de Ricci, o estudioso Xu Guangqi, estava "entusiasmado em adquirir novos conhecimentos do mundo", incluindo a matemática dos "países ocidentais". Sua tradução dos *Elementos*, de Euclides, feita com Ricci, corrigia a ignorância chinesa sobre a geometria euclidiana. Enquanto isso, os matemáticos chineses estavam fazendo estudos de álgebra linear que permaneciam desconhecidos para seus pares no Ocidente.[51]

Entre os estudiosos chineses interessados no aprendizado ocidental também estava Wang Zheng, que conheceu Schall e outros jesuítas, converteu-se, estudou engenharia mecânica e concebeu a ambição de unir os conhecimentos ocidentais e chineses, como fez Mei Wending no século seguinte.[52]

Além desse punhado de exemplos, no entanto, há poucas evidências de qualquer interesse sério chinês no aprendizado ocidental, especialmente no início do período Qing. De qualquer forma, havia obstáculos consideráveis para a busca desse conhecimento. A informação era "bloqueada e filtrada em todos os pontos de interface". Os chineses não tinham permissão para visitar o Ocidente, enquanto os ocidentais não podiam ir além de Macau – um porto que tinha sido fundado em meados do século XVI para incentivar o comércio internacional e ao mesmo tempo manter os estrangeiros à distância.[53]

Há também evidências de oposição ao aprendizado ocidental por parte de alguns dos *literati*. O estudioso Wei Chün, por exemplo, declarou que "Matteo Ricci utilizou alguns ensinamentos falsos para enganar o povo", criticando-o por não colocar a China no centro do mundo.[54] Outro estudioso, Dong Han, escreveu uma crítica ao relato de Aleni sobre a viagem de Colombo à América, a conquista do México e a circum-navegação do mundo por Fernão de Magalhães. Ele acusou o autor de afirmações "fantásticas e exageradas", "sem qualquer base".[55] O apego à tradição confucionista em uma época na qual ela se via desafiada pelo aprendizado ocidental é ilustrado em um romance do final do século XVIII, *Yesou puyan* (traduzido para o inglês para algo como "As palavras humildes de um velho rústico"), no qual os seguidores do protagonista-herói de habilidades super-humanas visitam a "Europa" (*Ouluoba*) e convertem seu povo ao confucionismo.[56]

A cosmografia e a cartografia tradicionais chinesas continuaram a ser praticadas, fosse porque os cartógrafos simplesmente ignoravam as novas informações (incluindo a ideia da Terra como um globo), fosse porque deliberadamente escolhiam ignorá-las.[57] Foi sugerido que, "mesmo já em meados do século XIX, os chineses tinham pouco mais informações à sua disposição sobre o Ocidente do que seus antepassados de cerca de quinhentos anos antes". Mais uma vez, as lacunas de conhecimento eram preenchidas por mitos. Alguns chineses acreditavam que os ocidentais fossem canibais. Um membro da primeira embaixada chinesa na Inglaterra e na França escreveu em sua revista que "Tudo na Inglaterra é o oposto da China", uma resposta ao estrangeiro que faz lembrar o que Heródoto escrevera sobre os egípcios.[58]

Foi somente na época da primeira Guerra do Ópio (de 1839 a 1842), quando as canhoneiras britânicas combateram as fortalezas chinesas, que alguns membros da elite perceberam que a autodefesa exigiria que eles remediassem sua ignorância acerca do Ocidente, embora acadêmicos conservadores continuassem a resistir a essa ideia.[59] Logo após aquela guerra, em 1844, o polímata Wei Yuan, que "enxergava os mapas como algo essencial para tornar os países estrangeiros mais acessíveis aos leitores chineses", publicou um relato do que ele chamou de "reinos marítimos" além da China, focalizando a Ásia marítima e as incursões nela por parte do Ocidente. Wei Yuan criticou a ignorância das pessoas sobre essa penetração, observando que, quando os chineses souberam que "a Inglaterra tinha estabelecido uma base comercial rica e populosa em Singapura", ninguém "sabia onde ficava aquele lugar".[60] Ele também informou seus leitores a respeito da África, da Europa e das Américas.

Pouco se sabia da história ocidental nos séculos anteriores, mas Guo Songtao, o diplomata que conduziu a embaixada no Ocidente em 1866, mostrou ter consciência da Guerra Civil inglesa, descrevendo-a em seu diário como "uma luta pelo poder entre o rei e o povo que causou muito derramamento de sangue".[61]

Os missionários continuaram a desempenhar um papel importante na difusão do aprendizado ocidental na China, embora os missionários protestantes fossem "ainda mais unânimes na oposição a Darwin do que os jesuítas tinham sido contra Copérnico", enquanto "as ciências ocidentais eram embaladas por via de tradução em uma teologia natural" que atrasou a recepção do darwinismo.[62]

Poucas traduções de línguas ocidentais tinham sido feitas entre os séculos XVI e XVIII, mas em 1867 foi fundado um Departamento de Tradução oficial em Xangai, localizado no chamado Arsenal (onde se localizava toda a indústria bélica chinesa), um símbolo apropriado para as razões práticas e especialmente militares por detrás do renovado interesse pelo aprendizado ocidental. O inglês John Fryer, que trabalhou lá, traduziu 78 livros sobre ciência e tecnologia ocidentais, além de editar o primeiro jornal chinês e escrever livros didáticos científicos para uso em escolas chinesas – seria fascinante saber como os leitores de Fryer entenderam e responderam a seus livros.[63]

A ignorância da literatura e das ideias ocidentais começou a ser substituída pelo conhecimento graças aos esforços de certos indivíduos. Um deles foi Lin Shu, um homem das letras que não conhecia idiomas estrangeiros, mas que, com a ajuda de intérpretes, traduziu Dickens e Dumas. Outro foi Yan Fu, que estudou no Royal Naval College, em Londres, nos anos 1870 e traduziu Adam Smith, John Stuart Mill e T. H. Huxley.[64]

JAPÃO, COREIA E FORMOSA

A ignorância europeia acerca de outras partes da Ásia levou mais tempo para se dissipar. O Japão, por exemplo, já havia sido visitado por europeus, desde o missionário espanhol Francisco Xavier, em 1549, até o navegador inglês William Adams, que chegou com sua tripulação em 1600. O novo xogum, Tokugawa Ieyasu, interrogou Adams, perguntando-lhe quais eram suas crenças religiosas e se seu país tinha guerras. Adams foi transformado em samurai, recebeu um pedaço de terra e foi solicitado a dar conselhos sobre a construção de um navio em estilo europeu.

No entanto, Adams foi proibido de deixar o país, onde morreu, em 1620. Após 1635, o Japão foi cortado da maioria dos contatos com estrangeiros, uma resposta defensiva ao crescente número de japoneses que os jesuítas haviam convertido ao cristianismo. O fechamento do Japão aos estrangeiros fomentou a ignorância de ambos os lados.[65]

Apesar dessa política, a Companhia Holandesa das Índias Orientais foi autorizada a criar um ponto de comércio no Japão. Para minimizar seu contato com os japoneses, os funcionários da companhia eram confinados – como os comerciantes ocidentais em Macau – a Deshima, uma pequena ilha artificial próxima ao porto de Nagasaki. Eles só podiam sair da ilha para fazer visitas oficiais à capital. Informações europeias sobre o Japão, filtradas por meio dos holandeses, eram limitadas.

Durante muito tempo, a descrição mais completa do Japão em uma língua ocidental permaneceu sendo a de Engelbert Kaempfer, médico alemão a serviço daquela companhia, que havia participado das visitas de funcionários da companhia à capital e observado cuidadosamente o país no caminho de ida e volta. O manuscrito de Kaempfer foi publicado postumamente em tradução inglesa em 1727, precedendo, inclusive, a publicação do texto original alemão.[66]

Por outro lado, o governo desencorajava os japoneses de se interessarem pela Europa, embora alguns indivíduos mostrassem entusiasmo pelo aprendizado ocidental – que eles chamavam de "aprendizado holandês" (*Rangaku*) –, especialmente no campo da medicina.[67] Os obstáculos ao conhecimento do Ocidente só foram removidos depois que os japoneses foram forçados a sair de seu isolamento voluntário, na década de 1850. Assim como ocorrera na China, alguns deles começaram a estudar e a imitar a cultura ocidental, viajando para os Estados Unidos e para a Europa a fim de sanar sua ignorância.[68]

Menos ainda era conhecido pelos europeus sobre outras partes da Ásia. A Coreia, por exemplo, era outro país fechado, apelidado de "Reino Eremita".[69] Permaneceu praticamente desconhecido no Ocidente até se tornar um protetorado do Japão, em 1905. Um dos raros visitantes estrangeiros – que chegou lá de maneira não intencional – foi o holandês Hendrick Hamel. O autor, contador da Companhia Holandesa das Índias Orientais, naufragou na Coreia a caminho do Japão. Ele não pôde deixar o país, mas, depois de treze anos em cativeiro, conseguiu escapar e mais tarde escreveu um diário descrevendo suas experiências. A obra foi publicada em holandês em 1668 e em tradução francesa dois anos mais tarde.[70]

A ignorância europeia a respeito de quase tudo o que dizia respeito a Taiwan (outrora conhecido como Formosa) pode ser ilustrada por sua exploração pelo impostor do século XVIII que se chamava George Psalmanazar. Seu verdadeiro nome permanece desconhecido, mas Psalmanazar foi um francês que fez carreira fingindo ser um nativo de Formosa, inventando, entre outras informações falsas, uma língua e até mesmo um alfabeto que ele atribuía aos ilhéus. Psalmanazar foi convidado à Inglaterra para ensinar futuros missionários a respeito da ilha e se tornou uma celebridade temporária na sociedade londrina. Sua enganação acabou sendo exposta por membros da Royal Society, não porque eles tivessem informações precisas sobre Formosa, mas porque desconfiaram daquele informante. Solicitado em duas ocasiões diferentes a traduzir uma passagem de Cícero para a língua de Formosa, Psalmanazar produziu versões irreconciliáveis. Quando o astrônomo Edmond Halley lhe perguntou sobre a duração do crepúsculo em Formosa, ele não soube responder. Psalmanazar ainda tentou se defender por um tempo, mas por fim admitiu sua "impostura" em suas *Memoirs* ("Memórias", 1747), explicando que havia escolhido Formosa porque "seus estudos o haviam informado de que todos os europeus ignoravam aquela ilha".[71]

TRÊS CIDADES MISTERIOSAS

Algumas cidades asiáticas famosas, notadamente Meca e Lhasa, resistiram ao conhecimento europeu até o século XIX. Meca era considerada fora de questão para não muçulmanos, embora alguns viajantes ousados, incluindo o explorador inglês Richard Burton e o estudioso holandês Christiaan Snouck Hurgronje, estivessem preparados para arriscar visitar a cidade disfarçados. Ambos os viajantes publicaram relatos sobre a famosa peregrinação.[72]

Os europeus sabiam pouco sobre a segunda cidade, Lhasa, e também muito pouco sobre o Tibete como um todo antes de 1626, quando um relato sobre a cidade, publicado pelo missionário jesuíta português Antônio de Andrade, surgiu impresso. Noventa anos depois, outro jesuíta, Ippolito Desideri, chegou ao Tibete. Ele passou cinco anos no país, mas seu relato permaneceu enterrado nos arquivos até o século XX.[73] O inglês George Bogle, que estava a serviço da Companhia das Índias Orientais, foi enviado em uma missão diplomática ao Tibete em 1774, mas não foi autorizado a visitar Lhasa. O país permaneceu "área proibida para os cartógrafos" até que espiões enviados por Thomas Montgomerie, um capitão do exército britânico na Índia, pesquisaram-no, a partir de 1863. Um desses espiões, Pundit Nain Singh, chegou a Lhasa em 1865 disfarçado de homem santo budista e registrou a longitude e a latitude da cidade.[74]

Timbuktu, situada em um oásis onde hoje fica o Mali, havia florescido na baixa Idade Média como centro de comércio e aprendizado, mas mais tarde se tornou – para os europeus – um símbolo de distanciamento e mistério. Mesmo sua localização, tal como a do Rio Níger, era geralmente desconhecida até o início do século XIX, embora sociedades geográficas tanto no Reino Unido como na França tenham patrocinado expedições para encontrar a cidade. No Reino Unido, o presidente da Royal Society, *Sir* Joseph Banks, ajudou a fundar a Associação Africana com essa finalidade, em 1788. Trinta e seis anos depois, em 1824, com a localização da cidade ainda por se descobrir, a Sociedade Geográfica de Paris ofereceu um prêmio à primeira pessoa que retornasse de Timbuktu com uma descrição em primeira mão. O explorador René Caillié finalmente conquistou aquele prêmio em 1830.[75]

OBSTÁCULOS AO CONHECIMENTO

Para entender como a ignorância europeia sobre esses lugares durou tanto tempo, é necessário considerar os vários obstáculos no caminho dos forasteiros que desejavam explorá-los. Como vimos, alguns países eram oficialmente fechados aos estrangeiros pelas autoridades, fosse por razões políticas, fosse por razões religiosas. O Japão foi mais ou menos fechado aos ocidentais de 1635 até a década de 1850. O Tibete fechou suas fronteiras aos europeus em 1792. A Coreia foi fechada aos estrangeiros – com exceção dos chineses – até o ano 1905.

Em outros lugares, o problema não era a proibição, mas as dificuldades e os perigos da viagem. Os desertos permaneceram por muito tempo não mapeados. Eram lugares que só podiam ser atravessados a pé ou no dorso dos camelos, sob risco de morte se os suprimentos de comida e água se esgotassem. Em 1865, um funcionário indiano, Mohamed-i-Hameed, foi enviado por Thomas Montgomerie em uma expedição secreta ao deserto Taklamakan, próximo aos Himalaias. Ele morreu no caminho de volta, mas um agrimensor inglês, William Johnson, conseguiu recuperar as anotações de Hameed e visitou, ele mesmo, uma cidade perdida enterrada na areia perto de Khotan (hoje parte da China), a antiga capital de um estado localizado na famosa Rota da Seda. Alguns anos mais tarde, em 1879, um botânico em uma expedição apoiada pela Sociedade Geográfica Russa descobriu outra cidade enterrada na areia do Turquistão, a antiga capital uigure de Karakhoja, que havia sido conquistada por um exército chinês no ano 640.[76] Outros desertos não foram mapeados até o século XX, entre eles o chamado "Bairro Vazio" (*Rub'al Khali*), na Arábia, visitado por Jack Philby (pai do agente anglo-soviético Kim Philby) na década de 1930, em busca de outra cidade perdida, e atravessado pelo explorador britânico Wilfred Thesiger em 1946.[77]

Mesmo quando não era perigoso, viajar por terra era mais difícil e mais caro do que viajar por mar ou por rio. Assim, o conhecimento da costa da Ásia, da África e das Américas precedeu em muito o conhecimento do interior. Na América do Sul, o frei Vicente de Salvador, conhecido como o "Heródoto Brasileiro", reclamou, em sua história do Brasil, que os portugueses não tenham se preocupado em explorar o interior do país, preferindo aglomerar-se ao longo da costa "como caranguejos".[78] No caso da América do Norte, pouco se sabia a respeito do que hoje é chamado de "Meio-Oeste" até a expedição liderada por Meriwether Lewis e William Clark entre 1803 e 1806.

O INTERIOR DA ÁFRICA

De maneira semelhante à história dos "caranguejos", a descrição da África publicada em italiano, em 1550, por al-Hasan ibn Muhammad al-Wazzan, conhecido na Europa como Leo Africanus [e em português como Leão, o Africano], forneceu muito mais informações sobre a costa do continente do que sobre seu interior. Os relatos desse autor não teriam sido publicados em italiano, e poderiam mesmo nunca ter sido escritos, se ele, um berbere do norte da África, não tivesse sido capturado por piratas espanhóis e apresentado ao papa Leão X, de quem ganhou seu apelido.[79]

Uma parte da África que durante muito tempo permaneceu misteriosa para os ocidentais foi a Etiópia, também conhecida como Abissínia. Como no caso do Tibete, os missionários jesuítas foram os primeiros visitantes europeus a retornar com informações; um relato do país por Pedro Páez foi publicado em 1622. Após a expulsão dos jesuítas, em 1633, porém, tornou-se difícil para os estrangeiros entrar na Etiópia, e ainda mais difícil sair. A descrição do país por outro missionário jesuíta, Jerônimo Lobo, permaneceu inédita até 1728, enquanto "os poucos mapas vagos que existiam eram zelosamente guardados pelos jesuítas".[80]

Uma resposta a esse desafio veio do lorde escocês James Bruce. Bruce era uma figura descomunal, autor de um livro bastante extenso que contava sobre suas viagens em cinco volumes.[81] Indicado como cônsul em Argel pelo governo britânico, ele decidiu, em suas próprias palavras, que "o mundo terá um verdadeiro relato da Etiópia, com um mapa daqueles lugares que visitamos e suas posições determinadas pela mais precisa observação com grandes instrumentos".[82] Bruce chegou com seu quadrante, seus sextantes e seus telescópios em 1769, disfarçado de médico sírio. Era obcecado por encontrar a nascente do Nilo, descrevendo a ignorância europeia a respeito disso como "um desafio a todos os viajantes, e uma vergonha à geografia".[83] Bruce encontrou a nascente do Nilo Azul, descrevendo-a, em seu estilo tipicamente hiperbólico, como "aquele ponto que tinha confundido a genialidade, a industriosidade e a investigação tanto dos antigos como dos modernos durante quase 3 mil anos", apesar do fato de que a nascente do rio já era conhecida por seus antecessores jesuítas.[84]

Ainda que Francis Moore, agente da Royal Africa Company, tivesse publicado um relato chamado *Travels Into the Inland Parts of Africa* ("Viagens às partes interiores da África", em tradução livre, de 1738), o interior da África ainda podia ser descrito por um inglês em 1790 como "um vasto espaço em branco".[85] A nascente do Nilo Branco, no Lago Vitória, permaneceu por ser descoberta pelos europeus até 1856. Henry Stanley, que confirmou a descoberta na década de 1870, usou a expressão "Continente Negro" para se referir a "quanto do interior escuro" da África "ainda era desconhecido para o mundo".[86]

Os obstáculos para explorar o interior da África eram bem sérios. Poucos rios eram completamente navegáveis, enquanto a vulnerabilidade dos cavalos aos ataques fatais da mosca tsé-tsé tornava necessário viajar a pé ou ser transportado por carregadores. Era difícil encontrar guias, ao passo que os habitantes de localidades na rota muitas vezes não estavam dispostos a dar informações a estranhos. Viajantes podiam ser roubados e mortos por tribos locais; podiam também se afogar em um rio, morrer no deserto por falta de comida ou água ou sucumbir a alguma doença fatal, como disenteria, malária ou doença do sono.

Os perigos envolvidos em preencher aqueles "espaços em branco no mapa" são revelados de maneira vívida na forma das desventuras dos líderes das expedições a Timbuktu. Dois exploradores foram mortos a caminho de lá, outro foi morto no caminho de volta e um quarto nunca mais voltou. O francês René Caillié completou a tarefa com sucesso, recebeu o prêmio de 9 mil francos da Sociedade Francesa de Geografia e publicou um relato de suas viagens – mas morreu aos 39 anos de uma doença que havia contraído na África.[87]

Para observarmos outro exemplo de dificuldades e perigos, podemos recorrer a *Travels in the Interior Districts of Africa* ("Viagens às regiões interiores da África", em tradução livre, de 1799), livro escrito pelo explorador escocês Mungo Park, ex-cirurgião a serviço da

Companhia das Índias Orientais. Como o frontispício de seu livro deixa bem claro, as viagens de Park foram "Realizadas sob a Direção e o Patrocínio da Associação Africana". Em sua primeira expedição, em 1795, ele foi capturado por um chefe "mouro", mas liberado após três meses, sem seu dinheiro e seus suprimentos. Ele foi novamente roubado mais tarde em sua viagem, perdendo seu cavalo e suas roupas extras. Apesar dessas experiências, Park retornou à África Ocidental em 1805, para descobrir a nascente do Rio Níger. Nessa ocasião, experimentou a hostilidade dos comerciantes muçulmanos, que o viam como um concorrente, enquanto sua equipe aprendeu que era mais prudente ficar bem longe da costa enquanto navegava pelo rio. Foram regularmente perseguidos por canoas hostis, que os apanhavam quando seu barco encalhava. Em uma luta subsequente, Park foi afogado.[88]

Outro explorador, o irlandês James Tuckey, morreu em 1816 em uma tentativa fracassada de encontrar a nascente do Rio Congo. Não é de se admirar, então, que já em 1878 Henry Stanley (que encontrou a nascente do rio) tenha começado seu diário de viagem dizendo "graças à Divina Providência pela graciosa proteção que foi concedida a mim e aos meus seguidores sobreviventes durante nossos trabalhos perigosos na África".[89]

Diante desses problemas, o primeiro-ministro britânico lorde Salisbury pode não ter exagerado muito em seu comentário sobre a ignorância dos governos europeus quando dividiram os despojos na Conferência de Berlim (1884-1885), na época da chamada "Partilha da África": "Temos dado montanhas, lagos e rios uns aos outros, só dificultados pelo pequeno impedimento de que nunca soubemos exatamente onde estavam essas montanhas, rios e lagos".[90]

MAPAS SECRETOS

Mesmo quando descobertas eram feitas, as informações muitas vezes permaneciam em segredo, mantendo os estrangeiros na ignorância. À primeira vista, a história da cartografia nos últimos quinhentos anos, aproximadamente, parece dar sustento à noção de um progresso constante no conhecimento, já que cada vez mais partes do mundo foram mapeadas, e os próprios mapas se tornaram cada vez mais precisos, graças a melhorias técnicas na topografia. Entretanto, o *sigilo oficial* apresentou um grande obstáculo ao conhecimento do mundo em geral.

Em um estudo pioneiro do que ele chamou de "silêncios cartográficos" (um termo que ele preferia à expressão tradicional dos "espaços em branco"), o geógrafo britânico Brian Harley observou o paradoxo de que, justamente na época em que os mapas impressos estavam disseminando mais amplamente o conhecimento geográfico, "alguns estados e seus príncipes estavam mantendo seus mapas em segredo", tentando assegurar que seus rivais políticos ou econômicos permanecessem ignorantes de seus recursos.[91]

No século XVI, os portugueses, que estavam estabelecendo postos avançados de comércio e império na Índia, na China, na África e no Brasil, geralmente guardavam suas informações para si mesmos, incluindo seus mapas. Em 1504, por exemplo, o rei Manuel I proibiu os cartógrafos de mostrar a costa da África Ocidental além do Congo e exigiu que os mapas existentes fossem censurados. A *Suma oriental*, um relato de viagens ao Oriente pelo farmacêutico português Tomé Pires, dirigido ao rei Manuel, não pôde ser publicado por causa das informações que o escritor dava sobre o comércio de especiarias.[92] Essa preocupação portuguesa com o sigilo das informações durou muito tempo. Em 1711, um tratado sobre a economia do Brasil, escrito por um jesuíta italiano, foi recolhido imediatamente após sua publicação, aparentemente por medo de que os estrangeiros aprendessem as rotas para as minas de ouro brasileiras.[93]

Os concorrentes dos portugueses naturalmente fizeram mesmo tentativas de conseguir essas informações. Em 1502, por exemplo, um italiano, Alberto Cantino, contrabandeou um mapa português para fora de Portugal, mapa hoje conhecido como "Planisfério de Cantino", enquanto em 1561 o embaixador francês em Lisboa foi instruído a subornar um cartógrafo português para que ele lhe fornecesse um mapa do sul da África.[94]

Embora os portugueses fossem notórios por sua política de sigilo, eles não eram os únicos. Os mapas também eram mantidos em segredo de estrangeiros em outros lugares naquela época. O conhecimento acerca do Império Espanhol era controlado pelo governo, enquanto "cosmógrafos davam aulas sobre navegadores que juraram não compartilhar seu conhecimento com estrangeiros".⁹⁵ Um comerciante holandês que vivia na Moscóvia no final do século XVI se viu impossibilitado de obter mapas do território, porque sua divulgação era proibida, sob pena de morte.⁹⁶ Esse tipo de sigilo não se limitava aos governos europeus. Em 1522, visitantes coreanos na China foram confinados aos seus aposentos após a compra de um manual ilustrado sobre o império Ming.⁹⁷ Considerava-se que mapas do Japão continham segredos de Estado, e assim era proibido tirá-los do país.

No século XVII, quando os holandeses substituíram os portugueses como mestres do comércio intercontinental, sua equivalente à Companhia das Índias Orientais, a VOC, seguiu uma "estratégia de sigilo".⁹⁸ Seus mapas eram mantidos em uma sala especial na sede da companhia, em Amsterdã. O conhecimento de rotas era especialmente sensível. Os cartógrafos tinham de fazer um juramento perante os burgomestres de Amsterdã de não imprimir as informações desses mapas e de não as divulgar a ninguém que não fosse membro da empresa. As cartas eram emprestadas aos navegantes para uso em viagens, mas deveriam ser devolvidas. Mesmo assim, às vezes eram colocadas à disposição de estrangeiros a um preço. Um mapa holandês atualmente em um arquivo francês traz a inscrição "Comprado de um navegante holandês".⁹⁹ Aqueles que não pagavam o preço permaneciam na ignorância.¹⁰⁰

No século XVIII e início do século XIX, a Companhia Britânica das Índias Orientais era responsável tanto pela produção de mapas quanto pela restrição de sua divulgação. Em 1811, o conselho da companhia impediu a publicação de alguns mapas da Índia, para que eles não chegassem, "em algum período futuro, às mãos de europeus agindo de maneira hostil à companhia" –, mãos, em particular, de seus rivais franceses.¹⁰¹ Os franceses retribuíram: alguns dos mapas feitos no Egito durante a expedição de Napoleão em 1798 foram mantidos em segredo, tendo justamente os britânicos em mente. Foram mantidos em segredo até a queda do regime napoleônico.¹⁰²

Mesmo nos séculos XX e XXI, alguns regimes e empresas continuam a política de sigilo. Na União Soviética, por exemplo, os *naukograds*, cidades onde a pesquisa científica era realizada, ficaram ausentes dos mapas da região. Hoje, o Google Maps não permite que seus usuários visualizem determinados locais.¹⁰³

A EPISTEMOLOGIA DAS VIAGENS

Durante milhares de anos, o conhecimento de terras estrangeiras veio de observações feitas por viajantes, em vez de pesquisas sistemáticas feitas por especialistas. A confiabilidade desses diários de viagens há muito vem sendo objeto de debate.[104] No mundo antigo, por exemplo, Heródoto foi frequentemente acusado de mentir, enquanto o geógrafo Strabo discutia a falta de confiabilidade dos escritores de viagens. Mas essa falta de confiabilidade varia. De maneira relativamente branda, ela pode consistir em basear as declarações em uma visita apressada, transformando uma única experiência em uma generalização, reivindicando aos eventos um papel mais central do que era realmente o caso, ou confiando na palavra de viajantes anteriores ou em informações mal-entendidas dadas pelos nativos.

No entanto, em sua forma mais extrema, a falta de confiabilidade inclui fingir ter visitado o lugar descrito ou mesmo nem existir, como no notório caso de um certo "*Sir* John Mandeville" de St Albans (um nome falso usado por Jean Mandeville de Liège), suposto autor de um livro que descreve uma visita ao Oriente no século XIV. O livro acabou se revelando uma colagem de fragmentos de relatos de viajantes anteriores, notadamente de Odorico de Pordenone, sobre a Ásia Oriental, e do peregrino alemão Wilhelm von Boldensele, sobre a Terra Santa. Incluído na primeira edição da antologia de viajantes de Richard Hakluyt, *The Principal Navigations* ("As principais navegações", em tradução livre, de 1589), "Mandeville" foi excluído da segunda edição, presumivelmente porque o relatório sobre "o que eu vi" não inspirava qualquer confiança.[105]

O relato das *Viagens*, de Marco Polo (originalmente, *Divisament dou monde*), oferece um exemplo famoso de diário de viagem de confiabilidade bastante duvidosa. A popularidade de seu livro, desde a Idade Média até o presente, sempre se deveu, em boa parte, ao amor dos leitores por uma boa história. Descrevendo a Índia, por exemplo, através da qual ele passou a caminho da China, Marco menciona iogues que vivem de "150 a 200 anos" graças a comer pouco e beber uma mistura de "enxofre e mercúrio".[106] Embora seja improvável que ele tenha visitado o Japão, que ele descreve como "uma ilha muito grande", Marco Polo afirmou que havia ouro lá "em quantidades sem medida" e que o governante "tem um palácio muito grande, totalmente coberto com ouro fino".[107] Em outras palavras, ele oferece um exemplo mais antigo de uma esperança que mais tarde se cristalizaria no mito de El Dorado.

A parte mais famosa do livro de Marco Polo é o relato da China na época do Kublai Khan. No entanto, se Marco viveu na China durante dezessete anos, como diz o texto, algumas das omissões de sua descrição são extremamente surpreendentes. Essas omissões incluem o chá, os pauzinhos usados para comer, o sistema de escrita, a impressão, a prática dos "pés de lótus" e a própria Grande Muralha.[108] Outra característica intrigante da obra é que ela fornece o nome dos lugares em persa, deixando claro o desconhecimento do autor sobre o chinês e implicando que muitas das informações que ele ofereceu ali não foram obtidas em primeira mão. Na verdade, o prólogo de seu livro admite que, enquanto algumas de suas observações foram obtidas "com seus próprios olhos", algumas tinham sido ouvidas de outros, descritos como "homens de crédito e veracidade". Marco provavelmente viu a Mongólia por si mesmo, mas só viu a China por meio de "olhos mongóis, turcos e persas".[109]

Devemos lembrar também que o livro de Marco, ao contrário dos relatos dos três frades do século XIII mencionados anteriormente, foi escrito por um *ghost-writer* que era contador de histórias profissional, Rustichello da Pisa, que Marco conheceu quando ambos estavam na prisão, em Gênova. Rustichello também escrevia ficção, mais exatamente romances de cavalaria, e o relato de Marco sobre sua chegada à corte do Kublai Khan já até foi comparado por um estudioso italiano aos romances de Rustichello, especialmente seu relato sobre a recepção do cavaleiro Tristão na corte do rei Arthur.[110]

Não é de admirar, portanto, que Robert Burton, autor da famosa *Anatomia da melancolia*, tenha rejeitado o que ele chamou de "Marcus Polus lyes" ("mentiras de Marco Polo").[111] Um estudo recente concluiu que, embora uma expedição anterior de seus tios seja "confiável", o próprio Marco "provavelmente nunca viajou muito além dos portos comerciais da família no Mar Negro e em Constantinopla".[112] Sua ignorância sobre o centro e o sul da China em particular também foi notada.[113]

Outro exemplo de confiabilidade questionável, dessa vez do século XVI, é dado por Fernão Mendes Pinto, um português que passou 21 anos na Ásia e escreveu um relato de suas viagens, chamado de *Peregrinação* (publicado postumamente, em 1614), no qual ele afirmava ter visitado a China. Alguns de seus leitores do século XVII o descreveram como um mentiroso, embora um deles, a talentosa escritora de cartas Dorothy Osborne, tenha declarado que "suas mentiras são tão agradáveis e inofensivas quanto mentiras podem ser".[114] Já Jonathan Spence, historiador britânico da China, está preparado para "supor que Pinto nunca viajou à China", embora ele provavelmente tenha visitado Macau e talvez outros portos. O veredito de Spence é que é impossível "decidir que ações Pinto realmente realizou, quais ele viu em primeira mão, quais ele ouviu de outros, sobre as quais ele leu [...] e quais ele inventou".[115] A esse respeito, Pinto não foi muito diferente de muitos autores de diários de viagens, embora suas histórias sejam mais pitorescas do que a maioria.

Na era da "revolução científica", os livros de viajantes continuaram a ser uma importante fonte de conhecimento do mundo natural. A fim de tornar as futuras fontes mais sistemáticas e mais confiáveis, uma série de questionários foi elaborada pela Royal Society nos anos 1660. No século XVIII, essas instruções para amadores foram substituídas por expedições científicas que incluíram observadores especializados em astronomia, geologia, botânica e zoologia.

A confiabilidade dos diários continuou a ser controversa. Quando James Bruce voltou da Etiópia para a Inglaterra, por exemplo, foi recebido com uma reação cética às suas descrições do que havia visto. O próprio Bruce havia acusado Jerônimo Lobo de ser "o maior mentiroso dentre os jesuítas", mas Samuel Johnson, que havia traduzido Lobo e utilizado informações dele em seu romance *Rasselas*, voltou a acusar o próprio Bruce.[116]

No século XX, Laurens van der Post e Bruce Chatwin, que publicaram romances e relatos de viagem, foram acusados de confundir os dois gêneros, exagerando suas próprias conquistas como viajantes. O livro de Van der Post, *Venture to the Interior* ("Aventuras no interior", em tradução livre, de 1952), que descreve sua ascensão ao Monte Mulanje, em Nyasaland (atual Malawi), foi criticado por afirmar que a área era remota, embora tenha sido "visitada com frequência por expatriados locais e funcionários coloniais", enquanto seu autor foi acusado de ter "uma obsessiva necessidade de fantasiar". O livro de Chatwin, *Na Patagônia* (1977), foi recebido com críticas semelhantes.[117] Tanto Post como Chatwin podem ter ido longe demais na direção da ficção, sem admiti-lo a seus leitores (ou possivelmente até para si mesmos), mas, como no caso da autobiografia, um relato de experiências pessoais nunca será capaz de se conformar completamente aos padrões objetivos de confiabilidade.

DA GEOGRAFIA À ECOLOGIA

No século XXI, agora que o desconhecimento da geografia da Terra foi reduzido pela exploração, pela pesquisa científica e, no caso de um público mais amplo, pela fundação do Google Earth (2005), nossa ignorância remanescente e suas trágicas consequências foram reveladas pelos debates acerca de armas nucleares, poluição, o declínio da biodiversidade e, sobretudo, pelas previsões da mudança climática.

As armas nucleares têm sido tema de debate público desde que as bombas atômicas foram lançadas sobre Hiroshima e Nagasaki, em 1945. Seus efeitos sobre os habitantes das duas cidades são bem conhecidos, levando tanto Einstein quanto Bertrand Russell a alertar o mundo sobre a possível extinção da humanidade, enquanto o filósofo Toby Ord data o início do que ele chama de "precipício" – definido como "nossa era de risco elevado" – de 16 de julho de 1945, quando a primeira bomba atômica foi detonada no Novo México.[118] O que permanece incerto é o efeito de uma guerra na qual seja realmente utilizado um número maior das bombas muito mais poderosas hoje disponíveis. Além de matar centenas de milhões de pessoas, tal guerra poderia levar a um "inverno nuclear" (uma queda na temperatura devido ao bloqueio da luz solar) e até mesmo à "morte da Terra" – em outras palavras, à extinção da vida no planeta. Simplesmente não sabemos.[119]

A preocupação com o meio ambiente se tornou cada vez mais difundida no final do século XX, encorajada por livros como o eloquente *Primavera silenciosa* (1962), da bióloga norte-americana Rachel Carson, bem como por organizações como a Friends of the Earth, fundada em São Francisco, em 1969. *Primavera silenciosa* lida com os efeitos tóxicos dos pesticidas sobre a terra, os rios, as plantas, os animais, os humanos e os pássaros (é à ausência de canto de pássaros que o título se refere).

O despertar de Carson veio como uma resposta ao que era então uma tendência relativamente nova (ela data o início do uso em massa de pesticidas como "meados dos anos 1940"). Relendo o livro hoje, as repetidas referências da autora à ignorância saltam aos olhos. Ela argumentou que produtos químicos tóxicos haviam sido colocados "nas mãos de pessoas muito ou totalmente ignorantes de seu potencial de causar danos", e que eles foram disponibilizados "com pouca ou nenhuma investigação prévia de seus efeitos". Ela citou a confissão de Rolf Eliassen, especialista norte-americano em engenharia ambiental: "Qual é o efeito sobre as pessoas? Não sabemos". Citou também a bióloga holandesa C. J. Briejer: "Não sabemos se todas as ervas daninhas nas plantações são prejudiciais ou se algumas delas são úteis". A própria Carson observou que a ecologia do solo "tem sido largamente negligenciada até mesmo pelos cientistas e quase completamente ignorada pelos homens no controle das coisas".[120]

Primavera silenciosa se tornou um clássico, com edições especiais para os 40º e 50º aniversários de sua publicação original. Na geração seguinte, um livro do jornalista norte-americano Bill McKibben com um título marcante, *O fim da natureza* (1989), teve um sucesso semelhante. O autor explica que, "por 'fim da natureza', não quero dizer o fim do mundo. Quando digo 'natureza', quero dizer certo conjunto de ideias humanas sobre o mundo e nosso lugar nele. Uma razão pela qual prestamos tão pouca atenção ao mundo natural separado de nós ao nosso redor é que ele sempre esteve lá e presumimos que sempre estaria".[121] Nesse sentido, nós o ignoramos.

É intrigante notar que alguns anos antes do livro de McKibben, o historiador Keith Thomas havia publicado um estudo intitulado *O homem e o mundo natural* (1983), levantando questão semelhante – mas para o período entre 1500 e 1800. Na Inglaterra, "novas sensibilidades surgiram em relação a animais, plantas e paisagens. A relação do homem com outras espécies foi redefinida; e seu direito de explorar essas espécies em seu benefício próprio foi fortemente questionado".[122] Por quê? A explicação oferecida nos dois casos é semelhante: a destruição, ou a ameaça de destruição, como resultado de duas fases de industrialização, despertou o interesse por aquilo que estava ameaçado.

No final do século XX, as atenções se voltaram para os efeitos locais e muito perceptíveis da poluição industrial, como no caso judicial norte-americano associado à denunciante Erin Brockovich, que será discutido no capítulo treze. Esses efeitos continuam a causar preocupação, sempre trazidos à tona por desastres como derramamentos de petróleo ou, mais recentemente, por pesquisas sobre os efeitos, na vida marinha do despejo de grandes quantidades de plástico nos oceanos.[123] Entretanto, o recente debate sobre o aquecimento global, incluindo sua negação, revelou nova ignorância sobre a Terra, além de apresentar novos desafios a todos os seus habitantes.

O declínio da biodiversidade, por exemplo, está agora sob os olhos do público. Em 2014, Elizabeth Kolbert publicou *A sexta extinção*, escrito para o público em geral e que coloca o recente declínio no contexto das "cinco grandes extinções em massa" na história da Terra, desde o impacto de um asteroide gigante, há 66 milhões de anos, que dizimou três quartos de todas as espécies, até a "extinção da megafauna", incluindo o mamute e o mastodonte, apenas 13 mil anos antes do nosso tempo. Um relatório das Nações Unidas sobre o declínio "sem precedentes" da biodiversidade em todo o mundo foi publicado em 2019.[124]

O debate público sobre a mudança climática também é relativamente novo, embora o conhecimento do problema seja consideravelmente mais antigo. Foi em 1896 que um químico-físico sueco, Svante Arrhenius, previu o aquecimento global – como os leitores podem ter adivinhado, suas previsões foram descartadas por seus colegas mais velhos na época. Em 1938, Guy Callendar, engenheiro britânico, demonstrou que esse aquecimento já vinha ocorrendo meio século antes. Esses cientistas estavam cientes de que o aquecimento global não é o resultado de um ciclo natural, mas do que hoje é conhecido como "efeito estufa" advindo da queima de combustíveis fósseis. Como tantas vezes acontece no caso de más notícias, suas descobertas foram em grande parte ignoradas e às vezes negadas por completo. Agora que elas são amplamente discutidas, só temos de esperar que respostas práticas venham a tempo e também na escala necessária, em vez de (como no caso das catástrofes descritas no capítulo doze) terem pouca eficácia e virem tarde demais.

Parte II
Consequências da ignorância

Como sugere a discussão sobre o meio ambiente no final do capítulo anterior, as consequências da ignorância para os tomadores de decisão são geralmente graves e às vezes fatais. A lição de moral a ser tirada disso é a necessidade de educação. Em um famoso debate presidencial no Brasil, em 1989, quando Fernando Henrique Cardoso reclamou do custo da educação, a resposta de seu rival Leonel Brizola foi a de que "A educação não é cara. Cara mesmo é a ignorância".[1]

Esse ponto será ilustrado nos capítulos nove, dez e onze, concernentes, por sua vez, à guerra, aos negócios e à política. O papel da ignorância em diferentes tipos de desastre – fome, enchentes, terremotos, pandemias e assim por diante – é discutido no capítulo doze. A ignorância do público, e as formas como ele é mantido na ignorância, é o tema do capítulo treze. O capítulo quatorze se preocupa com as tentativas de remediar nossa ignorância do futuro, enquanto o capítulo quinze se volta para as consequências infelizes da ignorância do passado.

Segundo Edward Gibbon, "os crimes, loucuras e infortúnios da humanidade" constituem a maior parte da história humana. Seja esse o caso ou não, eles constituem a maior parte dos capítulos seguintes.

9
A ignorância na guerra

A guerra é o reino da incerteza.
Clausewitz

As guerras não são apenas "uma continuação da política por outros meios", como expressaram as famosas palavras do general prussiano Carl von Clausewitz; elas são casos ainda mais extremos do problema de tomar decisões em condições de incerteza, de planejar o futuro apesar de saber que ele não vai correr conforme o planejado. Para citar outro famoso teórico militar, Sun Tzu (Sunzi, *c.* 544-496 a.C.),

> Há três maneiras pelas quais um governante pode trazer infortúnio ao seu exército: mandando-o avançar ou recuar, ignorando o fato de que ele não pode obedecer; tentar comandá-lo da mesma forma como administra um reino, ignorando as condições que formam um exército; empregar os oficiais de seu exército sem a devida discriminação, ignorando o princípio militar de adaptação às circunstâncias.[1]

Mesmo em tempo de paz, os exércitos, incluindo as divisões, as tropas e os regimentos em que estão divididos, são locais da "ignorância organizacional", discutida em outra parte deste livro. Não conheço nenhum estudo histórico sobre esse problema, mas, nesse caso, tenho algo a dizer como testemunha. Quando, em 1956-1957, atuei como encarregado de pagamentos no Regimento de Comunicações do Distrito de Singapura, composto principalmente de malaios, os oficiais britânicos claramente ignoravam muito do que acontecia às suas costas, especialmente no período em que estavam nos seus aposentos (das 4 horas da tarde às 6 horas da manhã). Material dos estoques dos contramestres aparecia no centro da cidade, no chamado "mercado dos ladrões", enquanto alguns soldados coletavam dinheiro "de proteção" das lojas do bairro. O esquema mais lucrativo era provavelmente aquele organizado por um civil indiano muito digno, cujo trabalho diurno era servir chá nos vários escritórios, incluindo aquele em que eu trabalhava. Seu trabalho noturno era como "empreendedor", alugando espaço para civis dormirem dentro do quartel em uma época de falta de moradia. Na posição de rapaz inocente de 18 anos, que havia deixado a escola apenas alguns meses antes, observei essas operações com uma mistura de incredulidade e entretenimento, mas nunca pensei em contar às autoridades a respeito. Na escola, teríamos chamado isso de "se esgueirar".

Em caso de guerra, as operações militares são, entre outras coisas, batalhas entre a ignorância e o conhecimento, tentando manter o inimigo ignorante dos planos daqui enquanto se busca descobrir os de lá. Como o duque de Wellington gostava de dizer, "toda a arte da guerra consiste em chegar ao que está do outro lado da colina". A penalidade pelo fracasso é alta: a guerra é um jogo de soma zero no qual a resposta rápida aos movimentos do inimigo é crucial. O primeiro-ministro britânico Harold Wilson gostava de dizer que "uma semana é muito tempo na política". Em uma batalha, quinze minutos é muito tempo.

Os erros no campo de batalha são punidos mais rapidamente e mais visivelmente do que na política ou nos negócios. Há muitas biografias de vencedores nesse jogo, mas também se pode aprender muito com as poucas biografias de perdedores como Ludwig von Benedek, lembrado atualmente por seu papel na derrota austríaca na Batalha de Königgrätz (também conhecida como Sadowa), em 1866. Benedek foi "mal servido por seu serviço de inteligência". Sua leitura errada da situação o levou a dividir seu exército em dois e, assim, a um desastre.[2]

Neste momento, parece útil apresentar a ideia de "ignorância relativa". Na guerra, ambos os lados sofrem de ignorância; o vencedor é aquele que comete menos erros, ou erros menores, graças a estar um pouco mais bem informado. Por exemplo, na campanha de Napoleão contra os russos na Europa Central, em 1806-1807, ele fez uma "falsa suposição" na Batalha de Jena, julgando erroneamente a posição da maior parte das forças prussianas. Na Batalha de Eylau, foi a vez de o comandante russo, Theophil von Bennigsen, equivocar-se porque não sabia que Napoleão havia esgotado suas reservas, e por isso perdeu uma oportunidade de vitória. Na Batalha de Friedland, Napoleão superestimou o poderio das forças russas, porque não sabia que 25 mil soldados haviam sido destacados do conjunto principal e enviados para Königsberg.[3] Durante a "Guerra da Península" na Espanha, os franceses sabiam menos sobre o que estava acontecendo do que os britânicos, já que os espanhóis estavam ajudando seus aliados a abrir caminho em terreno desconhecido, bem como lhes passando informações francesas que haviam sido interceptadas.[4]

A ignorância que importa é a dos comandantes. Os soldados comuns são geralmente deixados no escuro a respeito da hora e do lugar de seu próximo ataque ou retirada. E, mais uma vez, esse vácuo de conhecimento é preenchido por boatos. Após seu retorno à vida civil, o historiador francês Marc Bloch, que serviu na Primeira Guerra Mundial, escreveu um estudo pioneiro sobre as "falsas notícias" que circulavam nas trincheiras entre 1914 e 1918.[5]

A questão fundamental sobre se batalhas e guerras podem ser vencidas com planejamento continua controversa. De um lado, em dois romances famosos do século XIX, *A cartuxa de Parma* (de Stendhal, 1839) e *Guerra e paz* (de Tolstói, 1869), as batalhas – de Waterloo, no primeiro caso, e de Borodino, no segundo – são apresentadas como puro caos no qual todos ignoram igualmente o que está acontecendo a alguns metros de distância. Stendhal descreve Waterloo pelos olhos de Fabrice, de 17 anos, que nunca testemunhara uma batalha antes. Fabrice experimenta "confusão", e, às vezes, quando tenta espreitar através da fumaça dos canhões, é incapaz de ver o que está acontecendo. De maneira semelhante, Tolstói descreve Napoleão em Borodino, de pé em uma colina e olhando em volta com seus binóculos, mas não vendo nada além de fumaça. O autor repete o termo "impossível": "Era impossível dizer o que estava sendo feito"; "Era impossível perceber o que estava ocorrendo"; "Era impossível, no calor da batalha, dizer o que estava acontecendo em um dado momento". As ordens de Napoleão e de seus generais não eram cumpridas. "Na maior parte das vezes, as coisas aconteceram ao contrário das ordens dadas".[6]

Por outro lado, alguns comandantes, notadamente Napoleão e Wellington, parecem ter exercido um grau considerável de controle sobre as batalhas que venceram. Wellington, armado com seu telescópio, procurava uma colina ou torre a partir da qual pudesse observar o relevo do terreno e a posição do inimigo, e depois contornaria o campo de batalha a cavalo, pronto para responder tanto às ameaças como às oportunidades. Wellington tinha bastante "habilidade de absorver informações", enquanto "seus poderes de concentração eram prodigiosos", e ele utilizava bem essas duas qualidades, tanto dentro como fora do campo de batalha.[7] Pode-se dizer que tanto Stendhal quanto Tolstói carregaram um pouco nas tintas em favor de sua visão do caos, apresentando as duas batalhas a seus leitores pelos olhos de observadores que ignoravam totalmente o que era a guerra.

No entanto, vale a pena levar a sério os testemunhos desses dois romancistas, uma vez que ambos tinham experiência de batalha. Stendhal, ex-tenente de regimento de cavalaria, serviu no exército de Napoleão na Rússia, em 1812. Tolstói (cujo pai havia servido do outro lado) serviu como oficial de artilharia na Guerra da Crimeia, participando do cerco de Sebastopol e da Batalha de Chernaya.[8] A ênfase no caos, conforme o retratado por esses dois romancistas, recebeu algum apoio de um teórico militar posterior aos acontecimentos, o coronel inglês Lonsdale Hale, que cunhou a memorável expressão "a névoa da guerra". Hale descreveu essa névoa como "o estado de ignorância no qual os comandantes frequentemente se encontram no que diz respeito ao poder e à posição reais não apenas de seus inimigos, mas também de seus amigos".[9] A metáfora certamente foi sugerida pela fumaça da artilharia (nesse caso, a expressão "névoa da batalha" poderia ser mais exata).

A noção da ignorância no campo de batalha foi descrita em detalhes mais concretos por um especialista nos primórdios da guerra moderna:

> Os mensageiros eram emboscados e quartéis-generais eram forçados a se deslocar, interrompendo o fluxo de comunicações. Formações eram às vezes empurradas umas em direção às outras, bloqueando as estradas e confundindo o comando. Retiradas e recuos precipitados levavam unidades inteiras a ficarem perdidas, muitas vezes sem nem perceberem isso, tornando seus relatórios ao quartel-general

tardios e inerentemente incorretos, até mesmo incompreensíveis. No quartel-general, à medida que a compreensão da situação se tornava mais debilitada, a incerteza e a indecisão começavam a retardar a tomada de decisões.[10]

Duas famosas batalhas nas quais Napoleão estava no comando revelam tanto a ignorância quanto o planejamento: Austerlitz (onde a expressão "névoa da batalha" se tornou realidade no sentido literal) e Waterloo. Em Austerlitz, a posição do exército austro-russo, "baseada em suposições errôneas a respeito do poderio e das intenções francesas", colocou-o "em uma situação em que a derrota era provável desde o início". Quando a névoa se dissipou, Napoleão, observando do monte Zuran, foi capaz de planejar seus movimentos e de modificá-los em uma resposta rápida à movimentação inimiga. Ele decidiu "atrair o inimigo para uma posição de onde ele tentaria atacar seu flanco direito", levando-os assim a expor sua retaguarda às suas forças. Embora o exército francês estivesse em menor número que o russo, Napoleão e seus generais fizeram bom uso da "superioridade numérica local". Como o czar Alexandre admitiu depois, seu exército nunca teve tempo de reforçar os locais onde os franceses atacaram: "em todos os lugares vocês eram duas vezes mais numerosos que nós".[11]

Antes de Waterloo, Wellington estava incerto sobre as intenções de Napoleão. Quando entendeu o verdadeiro direcionamento das forças francesas, ele explodiu: "Napoleão me humilhou, por Deus; ele ganhou 24 horas de marcha sobre mim". No campo de batalha, Wellington esperava um ataque ao seu flanco que, de fato, não ocorreu. Ainda assim, foi capaz de responder adequadamente aos desafios franceses até a chegada das forças prussianas, colocando a vitória ao seu alcance.[12]

TECNOLOGIA MILITAR

As batalhas podem ser perdidas devido a diferentes tipos de ignorância. Uma delas é o resultado da arrogância, ao se subestimar o inimigo. Um vívido exemplo da era medieval é a Batalha de Crécy, na qual os cavaleiros franceses não levaram a sério os arqueiros ingleses e foram mortos ao tentar superá-los na corrida a cavalo. Nesse caso, sua fraqueza foi o resultado do que chamaríamos de "preconceito de classe". Outro tipo de ignorância vem como resultado de não acompanhar os novos desenvolvimentos da tecnologia militar, incluindo a falta de consciência de que o inimigo tinha armas capazes de atirar mais rapidamente, com mais precisão ou a um alcance mais longo do que o que se tem em casa. Uma tática que antes era considerada eficaz, por exemplo, a chamada carga ou avanço, tornou-se algo suicida, como nos lembram dois exemplos famosos do século XIX, a Carga da Brigada Ligeira (1854) e a Carga de Pickett (1863).

A carga da cavalaria ligeira britânica contra as armas russas ocorreu na Batalha de Balaclava, durante a Guerra da Crimeia, quando a Inglaterra apoiou o Império Otomano contra a Rússia. A carga, levada a cabo no assim chamado "Vale da Morte", aparentemente como resultado da má compreensão de uma ordem, levou à destruição da brigada. Em contraste, a Carga de Pickett foi um ataque de infantaria dos confederados na Batalha de Gettysburg durante a Guerra Civil norte-americana. No ataque, sob fogo pesado, metade dos atacantes foram ou mortos ou feridos. Os confederados perderam a batalha, e logo depois perderam a guerra também.[13]

Essas cargas ocorreram em uma época na qual as melhorias na artilharia estavam fazendo dos ataques desse tipo um verdadeiro convite ao massacre, mesmo em situações em que os dois lados estavam mais ou menos equiparados. Entretanto, não havia igualdade na Batalha de Omdurman (1898), um encontro entre o exército britânico, com seus canhões e armas Maxim (uma forma primitiva de metralhadora), e os seguidores do Mahdi (um messias árabe), armados apenas com espadas e lanças. Os árabes muito provavelmente ignoravam as consequências de investir contra armas carregadas. Para citar os versos sarcásticos do escritor anglo-francês Hilaire Belloc, "Aconteça o que acontecer, nós temos/As armas Maxim, e eles não".

ESTRATAGEMAS E SURPRESAS

Nos casos que acabamos de mencionar, a artilharia era visível, mas às vezes foi possível ocultá-la, levando o inimigo a cair em uma armadilha com efeitos devastadores. Alguns dos comandantes mais famosos da história – Aníbal, Cipião Africano, Napoleão, almirante Horatio Nelson – foram mestres na enganação, elaborando planos que surpreenderam e enganaram o inimigo.

Aníbal, por exemplo, destruiu um exército romano bem maior que o seu na aldeia de Canas, na Apúlia, ao bolar uma armadilha. Ele apresentou um núcleo aparentemente fraco ao inimigo, de modo a encorajar um ataque que lhe permitiu cercar os atacantes com um movimento de pinça (convergente).[14] No próprio tempo de Aníbal, seu inimigo e rival Cipião Africano obteve duas grandes vitórias contra os cartagineses por seus ataques-surpresa noturnos. Já foi descrito, por isso, como "maior que Napoleão".[15]

Os estratagemas de Aníbal foram admirados pelos principais generais nos séculos XIX e XX, entre eles Helmuth von Moltke, o mais velho, arquiteto das vitórias prussianas contra os austríacos e os franceses em 1866 e 1870; Alfred von Schlieffen, general alemão chefe do Estado-Maior, cujo plano de ataque foi seguido em 1914; e, mais recentemente, Norman Schwarzkopf, o comandante norte-americano na Primeira Guerra do Golfo (1991), na qual a enganação das forças iraquianas desempenhou um papel significativo.

Napoleão estudava as batalhas dos comandantes europeus mais famosos do passado e às vezes venceu montando armadilhas para o inimigo. Em Austerlitz, por exemplo, ele fingiu recuar para atrair os austríacos e os russos ao ataque, e fez seu flanco direito parecer fraco, distraindo o inimigo enquanto atacava seu centro. Em Waterloo, como já vimos, Napoleão enganou Wellington movendo suas forças em uma direção inesperada.

Por sua vez, Wellington surpreendeu os franceses em uma ocasião com um falso ataque vindo de uma direção que escondia um ataque mais sério em outra parte do campo. Um general francês elogiou as táticas de Wellington na Batalha de Salamanca, porque "ele manteve suas intenções ocultas durante um dia quase inteiro". Em campanha em Portugal, Wellington mandou construir as "linhas de Torres Vedras", muralhas que atrasavam os inimigos e os tornavam vulneráveis a tiros vindos das colinas próximas. O general francês André Masséna nada sabia sobre esses obstáculos até os encontrar, e precisou recuar para evitar pesadas perdas.[16]

Na guerra naval contra Napoleão, o almirante britânico Horatio Nelson surpreendeu o inimigo ao desconsiderar as convenções prevalecentes com relação a batalhas marítimas. Na Batalha do Nilo, sua primeira grande vitória, os franceses estavam ancorados e desprevenidos, porque, como força maior, não esperavam de forma alguma que os britânicos atacassem. Nelson ordenou seu ataque quando estava "quase escuro", enquanto a decisão normal teria sido esperar até o dia seguinte. O comandante francês esperava um ataque no lado externo ou a estibordo de seus navios, que era o procedimento normal, mas o capitão à frente da linha britânica fez o contrário, a fim de "encontrar os franceses despreparados para a ação no lado interno". Os navios atrás dele fizeram o mesmo.[17]

Na Segunda Guerra Mundial, a enganação mais uma vez desempenhou um papel importante na vitória.[18] Por exemplo, a rendição dos alemães em Stalingrado, em janeiro de 1943, veio depois do cerco de suas forças pelo marechal Zhukov na Operação Urano. A enganação foi conseguida durante a operação ao se reduzir a comunicação por rádio ou por escrito, ao se marchar à noite e ao se dar aos alemães a impressão de que havia atividade em outros setores. Enquanto o cerco acontecia, o exército alemão estava "cego pela ausência de informações claras". No dia do ataque russo, 19 de novembro de 1942, houve uma névoa gelada seguida por uma nevasca, de modo que "nem mesmo era possível ter uma visão geral da situação por meio de reconhecimento aéreo", como um dos principais generais alemães observou na época. Como no caso de Austerlitz, a conhecida frase da "névoa da guerra" se tornou realidade tanto no seu sentido literal quanto no metafórico.[19]

Portanto, em algumas grandes batalhas, os planos dos vencedores foram bem-sucedidos em grande parte porque o inimigo não esperava o que realmente aconteceu. Ou seja, os comandantes não consideraram as possíveis opções de seu adversário. Será que as guerras, bem como as batalhas, podem ser descritas como triunfos do conhecimento sobre a ignorância?

A GUERRA FRANCO-PRUSSIANA

Uma guerra do século XIX em particular dá sustento à argumentação de Tolstói sobre o caos reinante nas batalhas: a Guerra Franco-Prussiana, de 1870-1871. O autor deve ter se sentido justificado quando leu sobre uma guerra que eclodiu apenas um ano após a publicação de seu famoso romance. Em sua história da derrota francesa, *A derrocada* (1892), Émile Zola fez um personagem principal, Maurice, acusar a si mesmo de "uma ignorância crassa de tudo o que era necessário saber" (*une ignorance crasse en tout ce qu'il aurait fallu savoir*).[20] Zola sem dúvida estava ciente da existência de *Guerra e paz*, mas também realizou uma pesquisa cuidadosa antes de escrever seu romance. Qualquer que seja o caso, suas reflexões sobre a ignorância são abundantemente confirmadas pelo relato clássico da guerra, escrito por um dos principais historiadores militares de nossos dias, Michael Howard.

O próprio Howard serviu na Segunda Guerra Mundial e ganhou a Cruz Militar por sua bravura. "Muito tempo depois, perguntado sobre esses eventos, ele disse que só por ser tão jovem (apenas 20 anos) e tão ignorante é que ele pôde realizar tal ato."[21] Em seu livro, entretanto, o que Howard enfatiza é a ignorância dos generais franceses — uma ignorância da topografia do terreno onde estavam lutando e especialmente das posições tanto de seus próprios exércitos quanto dos do inimigo. Não havia "mapas disponíveis, exceto mapas da Alemanha", já que os franceses esperavam invadir em vez de ser invadidos. No caso de uma batalha em particular, o comandante francês, marechal Achille Bazaine, reclamaria mais tarde da "total ausência de informações das autoridades civis sobre o avanço alemão à sua esquerda". Na Batalha de Sedan, em que a derrota dos franceses levou à sua rendição e ao fim efetivo da guerra, o comandante, marechal Patrick MacMahon, sentiu que não tinha informações suficientes para decidir o que fazer, enquanto seu segundo no comando "não sabia a posição das outras tropas, nem a dos alemães, nem que suprimentos estavam disponíveis".[22]

Os prussianos também sofriam com a ignorância. Na Batalha de Beaumont, em cujo comando estava o marechal Helmuth von Moltke, sua "principal dificuldade em planejar seu avanço residia em sua ignorância da posição do exército inimigo", enquanto seu subordinado Leonhard von Blumenthal "resmungava sobre a constante mudança de ordens com base em informações inadequadas".[23] Os prussianos ganharam não porque eram oniscientes, mas porque ignoravam menos o terreno e o inimigo do que os franceses.

Os franceses aprenderam sua lição, assim como os prussianos a haviam aprendido sessenta anos antes. Após a derrota da Prússia contra

Napoleão na Batalha de Jena, em 1806, mais geografia foi ensinada em suas escolas. De maneira semelhante, após a derrota francesa, em 1870, em uma guerra descrita por um geógrafo norte-americano como "uma luta tanto por meio de mapas quanto com armas", foi dada mais importância ao estudo da geografia na educação francesa.

GUERRA DE GUERRILHA, 1839-1842 E 1896-1897

Quando generais arrogantes e "assustadoramente ignorantes" subestimam o inimigo em encontros entre exércitos comuns e guerrilheiros locais, desastres são particularmente prováveis de acontecer. Um estudo comparativo de "Grandes catástrofes militares" oferece onze exemplos dessa categoria.[24]

A Primeira Guerra Afegã permanece sendo memorável por conta da trágica retirada do exército britânico de Cabul, em 1842, quando as forças lá presentes foram virtualmente aniquiladas. Em retrospectiva, pode-se dizer que os britânicos cometeram todos os erros possíveis. Esses erros se deveram essencialmente ao desconhecimento das condições locais: o terreno, o clima e as armas do inimigo. Os comandantes britânicos não haviam percebido como seria fácil para os afegãos armar uma emboscada para as tropas enquanto elas marchavam através das estreitas passagens das montanhas. Para piorar a situação, os britânicos também pareciam desconhecer que os mosquetes afegãos, os famosos *jezails*, tinham mais alcance que os mosquetes britânicos, de modo que os afegãos podiam atirar no exército do alto dos penhascos, seguros de que as balas britânicas não os iriam alcançar.[25]

Os britânicos também cometeram o erro de recuar durante o inverno, apesar do fato de que o xá Shuja, que o exército havia reconduzido ao trono, havia-os aconselhado a adiar sua partida até a primavera. Na falta de roupas de inverno, os soldados se resfriaram até a morte durante a noite. Para aqueles que sobreviveram, suas mãos e pés congelados e necrosados os tornaram ineficazes contra o inimigo. Na estreita passagem do Jugdulluck, uma emboscada se transformou em um massacre. Apenas um homem voltou para contar a história, representado na pintura de Lady Butler *Remnants of an Army* ("Resquícios de um exército", em tradução livre, de 1879).[26] O viajante Richard Burton, que se orgulhava de seu conhecimento "do Oriente", acreditava que a derrota britânica era o resultado de "ignorância crassa a respeito dos povos orientais".[27]

Voltando ao tema da ignorância relativa, deve-se notar que os afegãos também cometiam erros, especialmente antes de saberem que as tropas britânicas geralmente venciam quando faziam o que haviam sido treinadas para fazer: travar batalha campal em terreno nivelado. Entretanto, os afegãos aprenderam rapidamente com a derrota e cometeram menos erros. Os britânicos acabaram por aprender sua lição. O chamado "exército de retaliação" marchou para Cabul no verão de 1840 e se certificou de dominar as partes altas antes de marchar por alguma passagem de montanha. Os rifles de recarga tornaram os *jezails* obsoletos. No final do século XIX, já haviam sido publicados manuais sobre as táticas apropriadas de guerra nas montanhas ou sobre "guerrilhas selvagens" na fronteira noroeste da Índia.[28]

Como veremos no capítulo quinze, erros semelhantes foram cometidos em nosso próprio tempo no decorrer das invasões russas e norte-americanas no Afeganistão.

A GUERRA DE CANUDOS

A Guerra de Canudos (1896-1897) oferece um exemplo bem conhecido no Brasil, mas não em outros lugares, da combinação fatal da arrogância com a ignorância por parte dos soldados profissionais que combatem guerrilhas. A revolta foi imortalizada por um grande escritor, Euclides da Cunha, ex-cadete de uma escola militar que se tornou repórter de um jornal, *A Província de São Paulo*, que o enviou para cobrir o evento. Seu relato foi reelaborado em um livro, *Os sertões*, publicado em 1902, que se tornou um clássico da literatura brasileira. Mereceria igualmente se tornar um clássico da história da guerrilha.

Canudos era uma pequena cidade no Nordeste do Brasil que se tornou um refúgio para os opositores da recém-fundada república (proclamada em 1889). Seu líder era o carismático Antônio Conselheiro, um profeta errante que previu o iminente retorno do rei Sebastião de Portugal, que morrera lutando contra os muçulmanos no norte da África, em 1578. Em novembro de 1896, uma pequena força militar foi enviada para suprimir uma assim chamada "revolta" ali – mesmo que os monarquistas locais não tivessem tomado nenhuma ação agressiva. A força enviada foi logo obrigada a recuar. Uma força maior de quase oitocentos homens foi enviada logo em seguida, com resultados semelhantes. No início de 1897, uma terceira força, ainda maior, foi derrotada, e seu comandante, Moreira César, foi morto.[29]

Moreira César, soldado profissional de sucesso, cometeu o clássico erro de subestimar seus inimigos, considerando-os como meros amadores. O preconceito racial provavelmente também desempenhou um papel nisso: muitos dos defensores eram "mestiços", misturas de origem europeia, indígena e africana. O comandante também sofria de simples ignorância. Desconhecia que a cidade era defendida por um grupo substancial dos chamados jagunços, soldados improvisados que sabiam bem fazer seu trabalho. Os defensores enviavam espiões para observar e relatar os movimentos do inimigo, cavavam trincheiras, camuflavam sua posição com galhos e se movimentavam com facilidade através da vegetação tropical, que não era familiar à maioria das tropas enviadas contra eles. Como os afegãos em 1840, os jagunços controlavam as altitudes em torno de Canudos e atiravam lá de cima sobre o inimigo, como fizeram da torre da igreja quando os soldados entraram na cidade. Na luta de rua que se seguiu à invasão, os habitantes tinham a vantagem do conhecimento local e podiam facilmente surpreender seus atacantes.

Em suma, Moreira César sofria, segundo Euclides da Cunha, de ignorância dos princípios mais elementares da arte da guerra ("a insciência de princípios rudimentares da sua arte", nas palavras do escritor).[30] Por exemplo, ele ordenou um ataque quando suas tropas estavam exaustas, após uma longa marcha no calor tropical. Foi somente quando os revoltosos sofreram um quarto ataque, dessa vez por mais de 8 mil soldados, completos com metralhadoras e artilharia, que eles foram finalmente vencidos.

A GUERRA DO VIETNÃ

O papel da ignorância norte-americana na Guerra do Vietnã foi crucial. Como observou o professor de sociologia James Gibson em seu estudo da guerra, houve muitas "ausências de conhecimento". "Alguns pontos são simplesmente espaços em branco", enquanto outros "indicam lugares onde o conhecimento sobre a guerra foi desconsiderado e ignorado por várias razões". Por exemplo, "as burocracias militares não têm interesse [...] em estimar as baixas civis", já que "unidades militares são recompensadas pela eficiência", e as baixas civis diminuem essa eficiência.[31] Em uma conferência realizada em 1983 para reconsiderar a guerra e aprender com ela, "mostrou-se que ali corria, como uma linha-guia vermelha, a questão da ignorância – a ignorância dos legisladores; a ignorância dos militares; a ignorância do público; a ignorância da imprensa quanto ao que era o Vietnã, do que se tratava e até mesmo onde estava geograficamente".[32] Todas essas múltiplas ignorâncias merecem discussão.

Os comandantes norte-americanos cometeram no Vietnã erros semelhantes aos que cometeriam algumas décadas mais tarde no Afeganistão. Em ambos os casos, viram-se encorajados pela consciência de sua superioridade em artilharia, bombas, helicópteros e tecnologia em geral para combater o que Gibson chama de "tecnoguerra" (*technowar*) contra "uma nação de camponeses com bicicletas".[33] O que eles não levaram em conta foi a força das ideias e a vontade de um povo de lutar em defesa de seus valores fundamentais, tal como os próprios norte-americanos haviam feito em 1776.

A grande desvantagem militar dos invasores era que eles eram forasteiros, a maioria ignorando a língua, os costumes e o terreno (incluindo o clima tropical) do país onde estavam lutando. A ignorância da língua significava que "a maioria dos norte-americanos era incapaz de se comunicar com seus chamados congêneres vietnamitas".[34] Eles eram um exército comum enfrentando uma força de guerrilha, os vietcongues, que possuía tanto o conhecimento local quanto o apoio dos habitantes civis do país.

Os norte-americanos pagaram um alto preço por essas ignorâncias: vinte anos de luta (de 1955 a 1975), quase 60 mil mortos norte-americanos, 168 bilhões de dólares gastos e, apesar disso, uma derrota ignominiosa. Como os militares, o governo norte-americano não levou o idealismo em consideração. Eles não aprenderam com o passado, uma vez que "a longevidade da resistência vietnamita ao domínio estrangeiro poderia ter sido aprendida com qualquer livro de história sobre a Indochina".[35] O governo estava ciente do nacionalismo vietnamita e do anticolonialismo, lado a lado com o comunismo, mas "ignorou a implicação dessa informação – a de que a intervenção externa tornava a revolução pretendida ainda mais viável, e não menos".[36] Em outras palavras, eles não queriam saber que a maioria dos vietnamitas estava contra eles, tanto no sul como no norte.

O próprio governo estava faminto de informações essenciais. Por exemplo, a CIA não havia estudado os possíveis efeitos do bombardeio do norte (a Operação Rolling Thunder, ou "trovão rimbombante"), de modo que o presidente Johnson "foi deixado para tropeçar no escuro em uma das decisões mais cruciais da guerra, sem orientação do setor de inteligência". A própria CIA sofreu com a ignorância organizacional. Alguns de seus agentes de campo estavam bem cientes da corrupção do exército do Vietnã do Sul, mas foram proibidos por seus superiores imediatos de mencioná-la em seus relatórios ao quartel-general.[37]

Um estudo da guerra realizado por um ex-participante concluiu que "os dois lados subestimaram grosseiramente a determinação e o poder de permanência um do outro". O fracasso norte-americano "foi um fracasso de compreensão e de imaginação".[38] Para piorar a situação, a ignorância organizacional mais uma vez teve um papel importante nesse fracasso. Robert McNamara, secretário de Defesa norte-americano de 1961 a 1968 (e ex-gerente-geral da Ford Motors), não percebeu que "a intensa pressão que ele exerceu sobre os militares para que fornecessem sinais palpáveis de progresso levou muitos dos que lhe informavam, tanto acima quanto abaixo na linha de comando, a fabricar as informações que estavam fornecendo", especialmente a contagem de corpos. Houve "falsificação sistemática de relatórios de batalha" para atender ao que Gibson chama de "cotas de produção" ordenadas pela gerência. Em outras palavras, havia uma séria lacuna de conhecimento entre os homens de coturno no solo do Vietnã e os gerentes distantes lá em Washington.[39]

McNamara chegou a acreditar que a guerra fosse um erro e enumerou onze razões para o fracasso norte-americano. Sua quarta razão era a de que "Nossos juízos errados acerca tanto de amigos quanto de inimigos refletiam nossa profunda ignorância da história, da cultura e da política do povo da região".[40] Argumentando pela necessidade de "ter empatia para com seu inimigo", McNamara acrescentou: "No caso do Vietnã, não os conhecíamos suficientemente bem para ter empatia. Como resultado, houve um total mal-entendido".[41] Outros comentaristas também enfatizaram o lugar da ignorância na derrota norte-americana, e alguns deles mencionam também a arrogância.[42] Os preconceitos, incluindo o racismo, tiveram também um papel. Os comandantes norte-americanos, soldados profissionais, consideravam os líderes inimigos como amadores, enquanto os soldados comuns desprezavam os vietnamitas, a quem chamavam de "*gooks*" (termo pejorativo). Como em Canudos e no Afeganistão, subestimar o inimigo teve consequências fatais.

A imprensa norte-americana também sofria com a ignorância. Olhando para trás tempos depois, o jornalista Robert Scheer confessou que "não tínhamos nem percebido que o Vietnã existia até que nosso governo assim percebeu – de modo que tudo o que aconteceu antes de 1950 era totalmente desinteressante para nós". Por isso eles "eram terrivelmente ignorantes acerca do cenário do conflito".[43] Na época, os repórteres culparam tanto os militares (em seus *briefings* regulares) quanto o governo por mentir para eles da imprensa, exagerando os sucessos, minimizando as baixas e escondendo as atrocidades.[44] O bombardeio do Camboja foi encoberto, assim como o massacre de centenas de civis na aldeia de My Lai, em 1968. "Todo mundo estava dando cobertura a todos." O acobertamento do massacre foi exposto pelo jornalista freelancer Seymour Hersh, cuja independência lhe permitiu ir atrás daquela história.[45]

Repórteres em campo, por mais despreparados que estivessem para entender o que estava acontecendo, aprenderam com a experiência. Entretanto, em mais um caso de ignorância organizacional, "o vasto complexo que denominamos de 'imprensa' não estava realmente a par do que escreviam os correspondentes no campo". A revista *Life* rejeitou a história de Hersh, que acabou sendo publicada em um meio relativamente obscuro, o *Dispatch News Service*. "O massacre estava agora público", e 35 jornais republicaram a matéria.[46]

Quanto ao público norte-americano, eles "foram mal informados por seus líderes políticos" sobre o que implicava aquele compromisso com o Vietnã do Sul.[47] Quando a guerra começou, eles tinham pouca chance de entender o que estava acontecendo, dada a má informação e a desinformação que chegava depois de muita filtragem – sem mencionar as informações que não conseguiam chegar até eles de maneira alguma.

UMA FORMA INTERMEDIÁRIA?

As derrotas e vitórias são resultado do planejamento ou do caos? Na controvérsia entre admiradores de generais famosos e seguidores de Tolstói, a verdade provavelmente está, como de costume, entre os dois extremos. Clausewitz afirmou que a guerra é o reino da incerteza, já que "toda ação acontece, por assim dizer, em uma espécie de crepúsculo, que, como a névoa ou a luz do luar, muitas vezes tende a fazer as coisas parecerem grotescas e maiores do que realmente são", um simulacro que inspirou a famosa frase do coronel Hale sobre a "névoa de guerra", citada anteriormente.[48] Apesar dessa afirmação pessimista, Clausewitz continuou a acreditar que a coragem, a autoconfiança e a inteligência dos generais com certeza fizeram diferença em seus resultados.

Outro testemunho em favor desse meio-termo vem de Vasily Grossman, repórter russo que cobriu o cerco de Stalingrado em 1942 e fez uso dessa experiência em dois romances, *Stalingrad* e *Vida e destino*. Grossman se refere frequentemente a *Guerra e paz*, um livro que ele claramente deseja imitar, embora às vezes discorde das generalizações do autor. Em *Stalingrad*, o oficial Novikov "foi surpreendido por sua capacidade de encontrar sentido em um caos que muitas vezes parecia além da compreensão", enquanto *Vida e destino* descreve uma espécie de intuição militar, "o sentido que permite a um soldado julgar a verdadeira correlação de forças em uma batalha e prever o resultado". Grossman às vezes usa o termo "caos", mas sua narrativa sugere que esse caos é mais aparente do que real.[49]

É claro que há a necessidade de se fazerem distinções: entre batalhas campais (Borodino, Waterloo) e de guerrilha (no Afeganistão, no Brasil e no Vietnã); entre guerra em terra e guerra no mar ou no ar; entre cenários de guerra e entre períodos da história. Há também grandes diferenças entre esboçar táticas de planejamento e garantir que as tropas tenham comida suficiente, munições, roupas apropriadas e meios de transporte, como cavalos, caminhões e trens, que foram cruciais para o sucesso prussiano em 1870. Em todos os períodos e lugares, porém, a ignorância pode ser literalmente fatal.

A invasão alemã da Rússia em 1941 oferece um caso espetacular da combinação tóxica da ignorância com a arrogância. Uma das maiores fraquezas da campanha era a determinação de Hitler em controlar o que seus generais estavam fazendo, embora eles estivessem em campo enquanto ele estava distante – na verdade, virtualmente isolado –, emitindo ordens de seu "covil do lobo", em Rastenburg (que hoje se encontra na Polônia). Tal controle de forma remota teria sido fisicamente impossível antes da invenção do telefone. Nesse caso, revelou-se algo insensato.

Um mensageiro que reportou a Hitler, em janeiro de 1943, sobre a terrível situação das forças alemãs o observou olhando o mapa cravejado com bandeiras representando as divisões alemãs, como se ele ignorasse o fato de que aquelas divisões não estavam mais em plena atividade. O mensageiro depois comentou: "Vi então que ele havia perdido o contato com a realidade. Ele vivia em um mundo de fantasia de mapas e bandeiras".[50] Esse incidente oferece uma ilustração vívida de um conceito que o antropólogo James Scott chama de "simplificações reducionistas" [*thin simplifications*], incluindo tomar o mapa como se ele fosse a realidade que supostamente deveria representar. Em uma escala maior, toda a campanha atesta o risco envolvido na tentativa de controlar as operações militares a partir da retaguarda. Inconsciente ou desinteressado da situação, Hitler proibiu a retirada quando ela se tornou necessária e roubou aos comandantes em campo a oportunidade de responder a eventos inesperados com a flexibilidade necessária.[51] Falando de maneira mais geral, sua autoconfiança, para não dizer arrogância, impediu-o de aprender as lições da campanha russa de Napoleão de 1812. O capítulo quinze oferece mais discussões sobre os fracassos a serem aprendidos com o passado.

10

A ignorância nos negócios

Se pelo menos soubéssemos qual é o nosso conhecimento na HP...
Ex-presidente da Hewlett-Packard

No mundo dos negócios, como no mundo da guerra e da política, devem ser tomadas decisões a respeito do futuro, que é inevitavelmente incerto. Como no caso da ciência, as ignorâncias dos profissionais – aqui agricultores, comerciantes, financistas e industriais – serão diferenciadas das do público, seja como consumidores, seja como investidores.

AGRICULTURA

Os perigos da ignorância na agricultura são particularmente claros quando os agricultores acabaram de chegar à terra que estão cultivando, como no caso dos colonos na região norte-americana da Nova Inglaterra, no século XVII, ou na Austrália e na Nova Zelândia, no século XIX. Na Nova Inglaterra, "a maioria dos colonos previa que eles seriam capazes de viver tal como na Inglaterra", mas os recém-chegados não estavam cientes dos rigorosos invernos e morreram de fome, porque não haviam levado suprimento suficiente de alimentos para durar até a primavera.[1] Na Austrália e na Nova Zelândia, "agricultores e fazendeiros se lançaram às novas terras com grandes esperanças e pouca informação. Alguns foram arruinados por seca, geada ou calor, e outros falharam quando suas técnicas agrícolas ou de pastagem esgotaram a terra".[2] Eles levaram animais que conheciam, notadamente coelhos, sem consciência das consequências de sua rápida reprodução, criando uma nova praga que era impossível erradicar: "não apenas os colonos não conseguiram detê-la como também não tinham como explicá-la".³ Novamente a ignorância.

Segundo o príncipe de Trabia (hoje na ilha italiana da Sicília), um grande proprietário de terras, a principal razão para o declínio da agricultura na Sicília foi a ignorância dos trabalhadores locais.⁴ A ignorância era frequentemente atribuída aos camponeses pelos membros da classe alta das muitas sociedades agrícolas fundadas na Europa na era do Iluminismo, a começar pela Sociedade para a Melhoria do Conhecimento da Agricultura, fundada em Edimburgo, em 1723.

De fato, foi no contexto da agricultura que o termo "melhoria", uma palavra-chave do Iluminismo, foi originalmente empregado. Ele se referia à rotação de culturas, ao uso de uma nova forma de arado e a outros aspectos do que hoje é conhecido como a Segunda Revolução Agrícola, promovida pelos proprietários de terras. Entre as muitas sociedades desse tipo fundadas no século XVIII estavam a Society for the Advancement of Agriculture and Manufacture (Sociedade para o Avanço da Agricultura e da Manufatura), em Dublin, a Accademia Economico-Agraria dei Georgofili (Academia Econômico-Agrária de Trabalhadores da Terra), em Florença, a Société d'Agriculture (Sociedade da Agricultura), em Paris, a Gesellschaft des Ackerbaues (Sociedade da Agricultura), em Klagenfurt, e a rede espanhola de Sociedades Económicas de los Amigos del País (Sociedades Econômicas dos Amigos do País).⁵ Vale ressaltar que todas essas sociedades se reuniam em cidades.

Outro passo para fazer da agricultura uma ciência foi dado no século XIX por Justus von Liebig, professor de química da Universidade de Giessen. Liebig estava interessado em aplicar a química orgânica na agricultura, aumentando o rendimento por meio do uso de fertilizantes nitrogenados. Olhando em retrospecto, suas descobertas revelam a ignorância anterior dos agricultores, assim como as críticas mais recentes sobre fertilizantes químicos jogam uma nova luz sobre aquilo que o professor Liebig não sabia.

Se o trabalho das sociedades e de Liebig, como a Revolução Verde, de meados do século XX, ilustram o sucesso das campanhas para melhorar a agricultura vindas de cima, outros exemplos revelam os perigos de se imporem mudanças desafiando o conhecimento local. Se estamos à procura de desastres que se devem à ignorância, então o domínio econômico, e particularmente a agricultura, chega a um segundo lugar bem perto da guerra. Repetidas vezes, os desastres se seguem a um planejamento centralizado que não leva em conta o conhecimento local. Desastres desse tipo são o tema central no estudo comparativo de James Scott, *Seeing Like a State* (algo como "Vendo as coisas do ponto de vista de um Estado", em tradução livre), que demonstra "como certos esquemas para melhorar a condição humana falharam".[6]

Para darmos um exemplo britânico, podemos citar o Groundnut Scheme ("Esquema do Amendoim", em tradução livre, de 1947 a 1951), um projeto do governo do Partido Trabalhista (especialmente de seu ministro da Alimentação, John Strachey). O plano era cultivar amendoins em Tanganica (hoje parte da Tanzânia), limpando 5 milhões de acres de terra. O fracasso do projeto, com um custo de cerca de 36 milhões de libras (em valores de 1951) para o contribuinte, foi essencialmente devido à ignorância do governo britânico sobre as condições locais – a falta da chuva necessária àquele cultivo, o solo duro demais e uma força de trabalho que não havia sido treinada, ou não o suficiente, para operar o maquinário fornecido. Como no caso da guerra, a receita do desastre foi a combinação de ignorância com arrogância, nesse caso, a mentalidade de que "Whitehall (sede do governo) é quem sabe das coisas".[7] Para algo em uma escala muito maior, pense no custo humano do fracassado "Grande Salto Para a Frente", de Mao Zedong, entre 1958 e 1962).[8]

Em outros casos, o desastre veio depois de decisões tomadas pelos próprios agricultores, como no conhecido caso do "Dust Bowl" ("bacia de poeira", em tradução livre), fenômeno ocorrido nas Grandes Planícies do Meio-Oeste dos Estados Unidos, nos anos 1930. Quando o preço do trigo estava alto, as pastagens eram aradas em um ritmo sem precedentes, o que deixou o solo vulnerável à erosão. Isso não foi resultado de pura ignorância somente, mas também de riscos (mal) calculados por parte de empresários do agronegócio, que escolheram não saber sobre o perigo de arar a terra daquela forma. Aprenderam sua lição com as secas dos anos 1930.[9]

O dano às vezes vem como resultado não da ignorância, mas de interesses particulares de curto prazo, como no caso da longa história de desmatamento no Brasil, primeiro na Mata Atlântica e mais recentemente na Amazônia, limpando a terra primeiro para o plantio de cana-de-açúcar, depois para o café e então para a soja. Apenas um grupo, o dos agricultores, colheu os benefícios em curto prazo, enquanto outros grupos, como os povos indígenas e a humanidade em geral, pagaram ou pagarão o preço.[10]

COMÉRCIO E INDÚSTRIA

Alguns tipos de ignorância podem ser benéficos nos negócios, pelo menos para uma das partes envolvidas. Nos leilões, por exemplo, os vendedores se beneficiam quando os licitantes não sabem o quão longe seus concorrentes estão dispostos a ir. Já se postulou que o comércio se beneficia da "ignorância simétrica" das duas partes em uma transação.[11] Mas a ignorância assimétrica é mais comum. Um exemplo famoso foi oferecido pelo economista norte-americano George Akerlof. Em seu hoje famoso "princípio dos limões", os carros usados de qualidade ruim [chamados em inglês de "limões"] superam em quantidade no mercado aqueles usados de boa qualidade, já que os bons são valorizados por seus proprietários e assim permanecem fora do mercado. A ignorância leva ao desapontamento dos compradores.[12] Outros tipos de ignorância levam ao fracasso dos vendedores, o que é medido pela taxa de falências.

Não é de admirar, então, que o estudo do papel da informação na vida econômica se tenha tornado um campo importante dentro da disciplina da economia. Uma contribuição importante nesse campo foi dada conjuntamente pelo economista Oskar Morgenstern e pelo matemático-polímata John von Neumann, fazendo uso da teoria dos jogos. O comportamento econômico tem alguns elementos básicos em comum com os jogos: jogadores, estratégias e recompensas. Ele se assemelha a um tipo de jogo em particular, aquele no qual os jogadores ignoram as escolhas uns dos outros. O problema é descobrir a melhor estratégia nessa situação.[13]

O economista Kenneth Arrow ficou famoso por sua análise do problema de compra e venda de informações. O "paradoxo de Arrow" observa a incompatibilidade que existe entre a necessidade dos clientes de saberem antecipadamente o que estão comprando e a igual necessidade dos vendedores de não divulgarem informações completamente antes de serem pagos.[14] Como no caso da guerra, a ignorância relativa é a chave. Todos os participantes são ignorantes até certo ponto, mas os menos ignorantes provavelmente serão os mais bem-sucedidos.

É importante distinguir domínios, bem como graus de ignorância. Nos negócios, a ignorância tem sido geralmente maior no comércio internacional do que em sua variante interna. A "ignorância recíproca" dos comerciantes europeus e dos comerciantes otomanos no início do Mediterrâneo moderno foi notada em um estudo recente. No caso da Inglaterra, "o comércio ultramarino era necessariamente uma atividade de alto risco para a comunidade empresarial do século XVIII".[15] Numa era de navios a vela, o risco de naufrágio e de perda da carga era particularmente alto. Era um grande "desconhecido conhecido" tanto para os comerciantes quanto para a tripulação. Não é à toa que a história dos seguros começou não com seguros de vidas, ou mesmo de casas, mas de navios.

A guerra foi e continua sendo outro grande perigo. Na Inglaterra do século XVIII, "as guerras criavam um alto grau de incerteza, ao cortar os fluxos de informações, dinheiro e mercadorias e interromper o acesso aos mercados". A incerteza também vem como resultado da inovação. Afinal, "novos métodos de produção ou comercialização são inevitavelmente mais arriscados do que os antigos". A ignorância relativa a novas oportunidades acontece em particular quando a comunicação é lenta e infrequente. Durante a Revolução Industrial, por exemplo, "um comerciante de milho na cidade de Hemel Hempstead, em Hertfordshire, nunca poderia saber o suficiente sobre como era o mercado de produtos de algodão em Bolton, para juntar suas coisas e se mudar para lá na década de 1780, a fim de se estabelecer como fabricante de algodão".[16]

Outra área de ignorância diz respeito ao "outro lado da colina", ou seja, as políticas e técnicas dos rivais. Saber se os concorrentes estão fazendo uso de novas técnicas é obviamente importante, assim como tentar mantê-los na ignorância das suas próprias receitas para fabricação, de sua tecnologia, seus clientes, seus projetos para o futuro e assim por diante. Com o intuito de manter o conhecimento de seus processos técnicos em segredo, diz-se que o fabricante inglês Benjamin Huntsman, do século XVIII, só operava sua siderúrgica à noite.[17]

A espionagem industrial tem uma longa história. No século XVII, os segredos dos fabricantes de vidro venezianos, por exemplo, foram cobiçados por seus colegas e rivais na França e na Inglaterra. Na era da Revolução Industrial, alguns visitantes suecos na Inglaterra relataram ao Conselho de Minas e ao Departamento do Ferro em seu próprio país sobre a nova maquinaria que haviam observado e copiado em papel. Na década de 1780, um engenheiro francês visitou a Inglaterra para coletar informações sobre a cerâmica Wedgwood, seus teares e outras máquinas, e voltou para casa levando três operários "sem os quais as próprias máquinas teriam sido bastante inúteis".[18] Durante a Guerra Fria, espiões do bloco comunista tinham sucesso em roubar informações técnicas de países ocidentais.[19] Quanto à situação no século XXI, entre as revelações de Edward Snowden, a serem discutidas a seguir, estava o fato de que a Agência Nacional de Segurança dos Estados Unidos tinha espionado empresas alemãs que competiam com os norte-americanos.

Outra importante área de ignorância nos negócios é a falta de conhecimento de possíveis mercados. Erros podem sair caro, como no caso de uma história ocorrida no início da Companhia Inglesa do Mar do Sul, quando ela ainda tinha relações comerciais com a América do Sul e enviou tecidos de lã para Cartagena, em 1714, sem se dar conta de que o clima tropical tornava aquele tipo de tecido inapropriado.[20] Uma tentativa precoce de remediar essa espécie de situação foi feita pela Companhia Holandesa das Índias Orientais. Graças a um de seus diretores, Johannes Hudde, os números das vendas já vinham sendo analisados em 1692 a fim de determinar a política futura da empresa com relação a preços e pedidos de pimenta e outras *commodities* vindas da Ásia.[21] A pesquisa sistemática de mercado é algo muito mais recente. Voltando à retrospectiva, a história da pesquisa de mercado nos lembra de uma ignorância inicial por parte dos gerentes a respeito do tipo de pessoa que comprava determinado produto (homem ou mulher, jovem ou velho, classe média ou classe trabalhadora), bem como suas razões ou motivos para escolher uma marca em detrimento de outra.

Em 1923, um psicólogo norte-americano, Daniel Starch, fundou uma empresa para se dedicar à pesquisa de mercado com foco na eficácia da publicidade. Ao passo que Starch e seus assistentes apenas perguntavam às pessoas a respeito de suas preferências, o psicólogo austro-americano Ernst Dichter, em atividade nos anos 1940, adotou uma abordagem freudiana em sua "pesquisa motivacional", focando nos desejos inconscientes subjacentes à escolha do consumidor, com relação a produtos que iam dos sabonetes aos carros, e assim ajudando os vendedores a alcançar essas pessoas por meio da publicidade. Hoje, esse tipo de "persuasão oculta" se tornou lugar-comum na publicidade.[22]

A ignorância organizacional é um problema sério tanto para as empresas quanto para os governos. De fato, foi no domínio econômico que se desenvolveram estudos sobre esse tipo de ignorância. Nos Estados Unidos, a partir do início do século XX, "pequenas empresas foram agrupadas em grandes".[23] À medida que as empresas iam se tornando maiores, elas adquiriam mais informações, mas também mais camadas de gestão interpostas entre o topo e a base da empresa. Com esse desenvolvimento, surgiu uma nova fraqueza, o "silêncio organizacional", ou seja, uma falha na comunicação, na transferência de conhecimento de uma parte da empresa para a outra.[24]

Por exemplo, os trabalhadores no chão de fábrica adquirem por experiência um conhecimento sobre o processo de produção que os gerentes e o CEO podem não ter, assim como os trabalhadores podem ser ignorantes, ou ser mantidos ignorantes, dos planos do CEO. Os trabalhadores e a gerência muitas vezes se assemelham a "duas culturas" distintas (para adaptar a frase de C. P. Snow sobre as ciências e as áreas de humanas). Cada lado ignora o conhecimento do outro. O problema já foi descrito como uma questão de "conhecimento grudado", que se fixa a um lugar, ponto ou pessoa e não se move facilmente.[25] Se imaginarmos o conhecimento como algo em fluxo, esse fluxo é às vezes interrompido por barreiras e pode ser "filtrado". A falta de disposição em ouvir por parte da gerência leva à falta de vontade de falar, ou seja, a um "clima de silêncio".[26] Em casos extremos, os gerentes ficam com medo de dizer aos chefes o que acham que eles não querem ouvir, um problema que surgirá novamente em um contexto político no capítulo seguinte. Como resultado, problemas graves acabam sendo ignorados. Exemplos gritantes de ignorância organizacional vieram de fábricas em países comunistas, da Hungria à China, onde os gerentes não sabiam ou fingiam não saber que os trabalhadores se ausentavam, se descuidavam ou furtavam.[27]

Um escritor que trata da área empresarial apresentou a metáfora do "iceberg da ignorância": quanto mais alto na hierarquia se sobe, menos se sabe sobre os trabalhadores abaixo, incluindo o que esses trabalhadores sabem sobre a própria empresa e seus produtos. Como observou com pesar um presidente da Hewlett-Packard: "Se pelo menos soubéssemos qual é o nosso conhecimento na HP...".[28] O "esquecimento" organizacional é um problema semelhante. Os funcionários que trabalham na mesma empresa durante décadas adquirem "conhecimento tácito", ou seja, conhecimento que talvez nem saibam que têm. Muitas vezes, eles não colocam por escrito esse conhecimento nem o transmitem aos seus sucessores, o que o leva a ser perdido para a empresa quando se aposentam. Como diz o consultor administrativo David DeLong, pensando em particular na década vindoura em 2004, "aquele som ensurdecedor de sucção que você vai ouvir é todo o conhecimento descendo pelo ralo das organizações por aposentadorias e outras formas de rotatividade".[29] Esse problema naturalmente não se limita aos negócios, mas também afeta governos, igrejas, exércitos e outras organizações. Entretanto, as empresas, especialmente no Japão, têm sido pioneiras nas tentativas de superar isso.[30]

Nem todas as políticas oficiais que levaram a um declínio econômico foram resultado de simples ignorância. Alguns governos, por exemplo, deram menos prioridade à prosperidade e mais à ortodoxia religiosa, como em dois casos bem conhecidos do início da Europa moderna: a expulsão dos moriscos (descendentes de árabes suspeitos de lealdade ao Islã) por Filipe III da Espanha, em 1609, e a expulsão dos protestantes da França por Luís XIV, em 1685. Essas expulsões significaram a perda de muitos trabalhadores qualificados. Em ambos os casos, os governantes agiram por razões religiosas. No entanto, podemos dizer que eles ignoraram as consequências econômicas da perda.[31]

IGNORÂNCIA DO CONSUMIDOR

Assim como as empresas e os governos, também os consumidores tomam decisões econômicas em condições de incerteza. Os economistas com frequência analisam o comportamento daqueles como se suas escolhas fossem completamente racionais, caso em que seria obviamente importante a extensão de seu conhecimento – ou o contrário, a extensão de sua ignorância. Psicólogos como Starch e Dichter, por outro lado, às vezes analisaram o comportamento do consumidor como sendo irracional (ou pelo menos *não racional*, ou seja, o produto de desejos inconscientes), caso em que a ignorância é irrelevante. Na prática, poderia ser mais esclarecedor fazer distinções não apenas entre consumidores individuais, mas também entre produtos. Desejos inconscientes são certamente mais importantes na escolha de um carro do que na escolha de ovos em um supermercado.

As escolhas eram relativamente simples no mundo pré-industrial de bens limitados, oferecidos para venda em mercados, em feiras e do lado de fora das oficinas dos artesãos. Mesmo naquele mundo, no entanto, ainda havia muita informação a se dominar. Muitos preços não eram fixos, mas negociados, então os compradores precisavam saber se um determinado vendedor era flexível ou obstinado. Visitar diferentes bancas ou lojas permitia comparar a qualidade, bem como o preço de diferentes produtos. Por outro lado, no caso de compras substanciais, como a de um cavalo, por exemplo (assim como no mercado posterior para carros usados), era fácil que um comprador desinformado fosse enganado por um negociante astuto. "Tome cuidado, comprador" (*caveat emptor*) é um conselho bem antigo.[32]

A situação ficou mais complexa, pelo menos para os relativamente abastados, a partir do século XVII, quando a ascensão da moda, principalmente no vestuário, exigiu que os consumidores que desejassem seguir as últimas tendências tivessem de descobrir que tendências eram essas, às vezes lendo revistas especializadas, como *Le Cabinet des Modes* (1785). A complexidade aumentou ainda mais na era da industrialização, com um crescimento vertiginoso do número e da variedade de mercadorias à venda. Os consumidores começaram a estudar catálogos e ver anúncios impressos antes de fazer escolhas, enquanto nomes de marcas nas *commodities* começaram a se tornar cada vez mais comuns.

Os anúncios, que foram originalmente concebidos para informar o comprador, gradualmente se transformaram em uma forma de persuasão, apelando para desejos que os consumidores nem sabiam que tinham.[33] É obviamente muito simplista sugerir que, se os compradores tivessem mais conhecimento, nunca seriam persuadidos. Por outro lado, a ignorância, principalmente o desconhecimento da estratégia dos anunciantes, torna os consumidores mais vulneráveis à manipulação, como no caso de muitos golpes.[34] Para responder a esse problema, informar os consumidores e estimular a diferenciação de produtos, institutos como o Consumer's Research (1929) foram fundados, e revistas como a *Which?* (1957) passaram a ser publicadas. A pesquisa acerca de produtos para servir ao consumidor hoje ocorre lado a lado com a pesquisa acerca do mercado consumidor para se venderem produtos. Mesmo assim, muitos consumidores continuam a ignorar os produtos concorrentes, ou os materiais que entram na constituição de determinado produto, ou qual é o efeito de sua fabricação em seus trabalhadores ou no meio ambiente.

O problema é que avaliar alguns produtos – principalmente se forem de ordem legal, médica ou financeira – exige conhecimento especializado, tornando o consumidor comum dependente da assessoria de intermediários. No mundo especializado de hoje, esse é o caso até mesmo dos médicos, especialmente dos clínicos gerais, que precisam saber qual medicamento prescrever a um paciente. Como foi observado no capítulo sete, é impossível acompanhar os artigos sobre novos medicamentos publicados em revistas médicas, deixando o generalista à mercê de empresas farmacêuticas que podem oferecer informações enganosas, incluindo artigos acadêmicos escritos por funcionários da própria empresa.[35]

Em suma, consumir com sabedoria sem ajuda se tornou praticamente um trabalho de tempo integral. Uma observação semelhante pode ser feita sobre finanças, contabilidade e especialmente sobre investimentos.

ANALFABETISMO CONTÁBIL

No mundo das finanças, expressões como "educação financeira" e "educação contábil" se tornaram comuns. A Accounting Literacy Foundation (Fundação pela Educação Contábil), que foi criada em 1982 e se tornou uma fundação em 2020, define essa forma particular de instrução como "a capacidade de ler, interpretar e comunicar uma situação ou evento financeiro, normalmente refletida nos cinco elementos do balanço patrimonial e no demonstrativo de renda: receita, patrimônio líquido, passivo, ativo e despesa".[36]

O que nos interessa aqui é o inverso, o analfabetismo contábil e suas consequências, tanto para pequenas empresas que não têm condições de contratar um especialista financeiro quanto para pessoas comuns que planejam sua aposentadoria. Nesse último caso, já se observou que "as mulheres são menos educadas financeiramente do que os homens" e que "os jovens e os idosos são menos educados financeiramente do que as pessoas de meia-idade".[37]

Quando voltamos no tempo, observamos que foi a necessidade de registrar o armazenamento e o fluxo de mercadorias que levou à invenção da escrita em tábuas de argila, na antiga Babilônia. Instruções para se fazer a contabilidade de partidas dobradas (débitos de um lado, créditos do outro) podem ser encontradas em manuais para comerciantes na Itália a partir do século XV e, mais tarde, para chefes de família em muitas cidades europeias. Por outro lado, governantes como Filipe II (discutido no capítulo onze) e sua nobreza se contentavam em ser analfabetos em contabilidade, ao passo que a maior parte da população rural da Europa ainda não sabia nem mesmo ler e escrever no ano 1800.

No século XIX, os contadores emergiram como uma profissão à parte, enquanto a contabilidade se tornou mais complexa, um processo que vem sendo continuado desde então.[38] Já inclusive se cogitou que a contabilidade é, em si mesma, "uma tecnologia da ignorância". Por exemplo, um estudo de dezessete escândalos de corrupção na Itália relatados entre 2014 e 2018 concluiu que "a contabilidade desempenha um papel importante na produção e na sustentação da ignorância".[39] Contrariamente a isso, pode ser argumentado que, seguindo a analogia do pensamento que diz "as estatísticas não mentem, os estatísticos, sim", a contabilidade não mente, enquanto indivíduos e empresas podem mentir e efetivamente mentem nos balanços. O preço do analfabetismo contábil é a incapacidade de detectar essas mentiras.

INVESTINDO EM IGNORÂNCIA

Do ponto de vista de um leigo, os perigos do analfabetismo financeiro são maiores no domínio dos investimentos. Esse vem sendo o caso já há muito tempo. Entre as inovações institucionais do final da Idade Média e o início do período moderno estava a sociedade anônima. Exemplos famosos incluem a Companhia das Índias Orientais na Inglaterra, fundada em 1600, na qual um grupo de comerciantes detinha ações, e sua rival holandesa, a VOC (Vereenigde Oostindische Compagnie, ou Companhia Unida das Índias Orientais), fundada em 1602, que tinha apelo tanto para pequenos investidores quanto para os ricos. Outra inovação foi a bolsa de valores, notadamente a Bolsa de Amsterdã (1602).[40] As bolsas preexistentes ofereciam oportunidades para compra e venda de mercadorias, mas a Bolsa de Amsterdã servia para comprar e vender *ações*, ou seja, participações em empresas. Seu equivalente em Londres era a chamada "Change Alley", pequena rua em Londres rica em comércio, localizada perto, mas à parte da bolsa oficial britânica, que é a Royal Exchange, enquanto seu equivalente em Nova York era Wall Street. Os corretores de valores se reuniam sob uma árvore em Wall Street antes de fundarem a Bolsa de Valores de Nova York, em 1792.[41]

Como a VOC, as bolsas de valores mobilizaram os recursos de muitos pequenos investidores. Naquela época, como atualmente, os investidores incluíam profissionais (comerciantes e especuladores) e amadores. A ignorância dos investidores, tal como a dos consumidores, não tem sido objeto de pesquisas sistemáticas. No entanto, as rápidas flutuações do mercado de ações ao longo dos séculos, seus altos e baixos, seriam difíceis de explicar sem a presença de muitos "investidores inexperientes".[42]

Também como no caso dos consumidores, a linguagem da psicologia, muitas vezes da antiquada psicologia coletiva, é frequentemente empregada para descrever o comportamento dos investidores, tratando-os como um "rebanho" em vez de indivíduos, e empregando termos como "exuberância", "mania", "pânico" ou "histeria".[43] Mais uma vez, mostra-se bastante necessário fazer distinções, aqui, entre os investidores cautelosos e os incautos, bem como entre investimentos em tempos normais e em momentos de *boom* econômico, quando mais e mais indivíduos querem uma participação nos lucros. A inovação em tecnologia pode levar a um rápido crescimento da especulação, graças à "excitação em torno da tecnologia" combinada com a ignorância, ou, mais exatamente, com a "informação limitada com a qual avaliar as ações com precisão".⁴⁴

O resultado dessas condições é o rápido crescimento e o estouro, mais rápido ainda, de "bolhas": a bolha ferroviária, a bolha das bicicletas e, mais recentemente, a "bolha pontocom". Um fator crucial nesse processo é o desconhecimento dos investidores (exceto os *insiders*) sobre o estado das finanças da empresa em que estão investindo, conhecimento que os teria permitido vender suas ações antes do estouro da bolha. Todo investimento envolve incerteza, mas, no caso de bolhas como a da Companhia dos Mares do Sul, em 1720, ou quebras como a Grande Crise de 1929, discutida a seguir, a ignorância e sua companheira, a credulidade, também desempenharam papéis importantes.

Investir é algo frequentemente comparado a jogos de azar. Realmente, reside nisso parte de seu apelo. Para algumas pessoas, certo grau de risco com possibilidade de grandes ganhos é preferível à maior segurança e ao menor retorno de emprestar dinheiro aos bancos. Alguns jogadores estudam a "forma" de determinados cavalos antes da corrida, ou as estatísticas de ganhos e perdas na mesa de roleta, enquanto outros não se importam. A situação parece ser a mesma no caso dos investidores. Alguns estudam os altos e baixos de determinadas mercadorias. Alguns seguem os conselhos de corretores da bolsa. Alguns consultam livros ou assistem a programas de televisão de consultores autônomos, como a norte-americana Suze Orman, autora de *best-sellers* que também apresentou um programa desse tipo no canal de notícias de negócios CNBC de 2002 a 2015.

Outros simplesmente compram e vendem ações porque outras pessoas estão fazendo isso, ou então se deixam enganar por vigaristas como Charles Ponzi, que atuou nos Estados Unidos em 1920. Ponzi oferecia aos investidores taxas de lucro inacreditavelmente altas, mas financiava seus pagamentos para investidores anteriores com os investimentos dos clientes que iam chegando depois na fila. Mais cedo ou mais tarde, o esquema estava fadado ao colapso, como ocorreu um ano após seu lançamento. Ponzi foi preso por fraude, enquanto os investidores perderam quase tudo, ilustrando a máxima de que "se alguma coisa parece boa demais para ser verdade, provavelmente não é verdade".⁴⁵

Como vimos nos capítulos anteriores, um vácuo de conhecimento confiável é rapidamente preenchido por boatos, que circulam oralmente e se espalham ainda mais na mídia impressa e em outros meios de comunicação. Já se observou que a história das bolhas especulativas "começa mais ou menos com a história dos jornais", no início do século XVIII. Os meios de comunicação continuaram a estimular ou desencorajar o investimento na era do telefone (tão importante na bolsa), do rádio, da televisão e da internet.[46] Uma vez que as bolsas de valores foram fundadas, alguns especuladores não tardaram a descobrir que podiam manipular o mercado espalhando o que hoje chamamos de "*fake news*". Uma história sobre a perda de uma carga de especiarias no mar, por exemplo, aumentaria o preço de uma determinada mercadoria.

Rumores políticos também já tiveram esse efeito. Um boato sobre a morte de Napoleão foi deliberadamente espalhado de forma dramática em 1814, quando um homem vestido com uniforme de ajudante de campo chegou a Dover e fez saber que o imperador havia sido derrotado e abatido pelos cossacos. Essa notícia falsa levou a um aumento repentino no preço das ações na Bolsa de Valores de Londres, permitindo que um pequeno grupo ou sindicato de pessoas que conheciam o segredo aproveitasse a ignorância temporária do público sobre a verdadeira situação para vender suas ações a um preço alto antes que a verdade fosse descoberta. Até então, a Bolsa de Valores fechava os olhos para a disseminação deliberada de boatos, mas, naquela ocasião, ocorreu um julgamento por "conspiração para fraude por meio de relatórios falsos", o que levou a condenações.[47]

De maneira semelhante, mas com efeitos opostos, boatos muitas vezes geraram pânico, venda de ações e corrida aos bancos. Nos Estados Unidos do século XIX, os pânicos eram comuns o bastante – em 1819, 1837, 1857 e 1873 – para serem considerados até como uma espécie de instituição, embora fossem eventos menores em comparação à Grande Crise de 1929 ou à crise financeira mundial de 2008-2009.[48]

Os rumores são eficazes porque jogam com duas emoções poderosas: as esperanças e os medos. As bolsas de valores podem ser vistas como amplificadores de rumores, encorajando os investidores a comprar ou vender simplesmente porque outros estão fazendo isso.[49] A subida no preço de uma ação encoraja sua compra, o que, em troca, leva a mais elevação de seu preço, em uma espécie de reação em cadeia ou retroalimentação contínua.[50] Portanto, a história do mercado de ações é pontuada por *booms* regulares, momentos do que Alan Greenspan, ex-presidente do Federal Reserve, dos Estados Unidos, chamou de "exuberância irracional". Os *booms*, conhecidos desde o século XVIII como "bolhas", são seguidos, de maneira tão inevitável quanto uma ressaca, por *crashes* (quebras), às vezes porque acabou o estoque de compradores e às vezes como resultado de más notícias, verdadeiras ou falsas. Mais uma vez, há uma reação em cadeia: vendem-se ações porque outros estão fazendo isso.

Exemplos relativamente recentes incluem a bolha "pontocom", de ações de empresas relacionadas à internet (1995-2002), e a bolha imobiliária na Espanha, de 2005 a 2008, que terminou com muitas casas inacabadas. Especuladores profissionais observam o que está acontecendo e calculam o momento de vender antes que a bolha estoure, pulando do trem pouco antes de ele bater. Na verdade, em algumas ocasiões, foram eles que colocaram o trem em movimento. O mecanismo foi descrito já em 1690 pelos English Commissioners for Trade (Comissão Inglesa do Comércio), que condenaram a prática de fundar uma empresa apenas com o propósito de vender suas ações para "homens ignorantes, atraídos pela reputação, falsamente levantada e espalhada artisticamente, sobre o próspero estado de suas ações".[51] Essa descrição acabou parecendo uma profecia de um evento que ocorreria na Inglaterra trinta anos depois: o aumento vertiginoso e o rápido estouro da notória "bolha do Mar do Sul".[52]

A BOLHA DO MAR DO SUL

Essa bolha é um caso clássico de ignorância por parte do investidor, que levou à sua credulidade e, assim, ao desastre. Robert Harley, ministro-chefe da rainha Anne, fundou a Companhia do Mar do Sul, em 1711, com a intenção de negociar com a América do Sul, ainda vista naquela época como uma espécie de El Dorado. Sem sucesso nesse campo, a companhia recorreu a um esquema para eliminar a dívida nacional, manipulando o público.[53] Ao lançar suas ações, autorizou pessoas importantes a comprar a uma taxa preferencial ou creditou-lhes ações fictícias, enquanto a companhia emprestava dinheiro a potenciais investidores, incentivando-os a comprar ações que alguns deles não podiam pagar.

Como resultado, as ações subiram de valor, mais pessoas investiram, e o aumento da demanda por ações empurrou o preço ainda mais para o alto. Foi uma espécie de efeito multiplicador, descrito na época como um "frenesi", ou como "vender a pele do urso antes de matar o urso".[54] Os investidores formavam um grupo variado, incluindo o rei George I, Isaac Newton e o poeta Alexander Pope, ao lado de políticos e financistas. Dizia-se que muitas mulheres tinham investido, desde duquesas até as esposas de mercadores de peixe do mercado de Billingsgate.[55]

Alguns indivíduos venderam antes do estouro e tiveram lucro. O ministro da Fazenda, John Aislabie, foi "um dos primeiros a prever o acidente". Ele aconselhou o rei George I a vender, porque "o valor das ações foi levado a um nível exorbitante pela loucura das pessoas", de modo que "era impossível manter aquilo". Como Aislabie, a duquesa de Marlborough saiu a tempo, prevendo que "aquele projeto deveria estourar em pouco tempo", por causa do peso do crédito em relação ao dinheiro real.[56] Outros, descritos na época como "uma multidão crédula" (incluindo o rei George), mantiveram suas ações, que continuavam a subir como que por magia, auxiliadas por notas incentivadoras inseridas nos jornais.[57]

A bolha estourou em setembro de 1720. Era a esse evento que Rishi Sunak, ministro da Fazenda britânico (depois primeiro-ministro), fazia referência, em 2020, ao falar da "pior recessão dos últimos trezentos anos". A quebra foi seguida por uma onda de suicídios e pela queda do governo. Robert Walpole, o novo primeiro-ministro (um termo que era então aplicado pela primeira vez), encobriu muito do que havia acontecido em uma manobra que lhe deu o título de "mestre do tapume" (*screenmaster general*). Esses tipos de acobertamento serão discutidos no capítulo treze.[58]

Os "milhares e milhares de incautos", enganados por uma "habilidosa gestão do espírito de apostas", não foram os únicos ignorantes desse caso.[59] Enquanto os investidores "ignoravam a forma como as altas finanças funcionavam", também os especuladores, tal como a liderança política do país, ignoravam as forças econômicas reais que impulsionavam o país.[60]

Na tentativa de fornecer um veredito equilibrado sobre o caso, é difícil ir além do que disse Adam Smith, que observou que a Companhia do Mar do Sul "tinha um imenso dividendo de capital dividido entre um imenso número de proprietários. Era de se esperar, portanto, que a insensatez, a negligência e a abundância prevalecessem na gestão última de seus negócios". Smith também observou o papel do que ele chamou de "vilania": "a negligência, a abundância excessiva e a malversação dos empregados da empresa".[61] Smith identificou os perpetradores e as vítimas da maioria das bolhas, se não de todas, assim como de todos os *crashes*: de um lado havia os *insiders*, os profissionais conhecedores do assunto, que fazem falsas promessas; de outro, os forasteiros e os amadores, que confiam neles, seja por simples ignorância, seja porque as promessas eram o que eles queriam ouvir. Por essas razões, os *insiders* foram capazes de "intoxicar a mente do povo" em 1720.[62]

A GRANDE QUEBRA[63]

De acordo com um famoso economista norte-americano, o incensado e exuberante John Kenneth Galbraith, a Grande Crise da bolsa de Nova York, em 1929, foi "o maior ciclo de *boom* especulativo e colapso dos tempos modernos – de fato, o maior desde a bolha do Mar do Sul".[64] Escrevendo de forma olímpica e irônica, Galbraith apresentou o *crash* como um exemplo do que Gibbon chamou de "os crimes, loucuras e infortúnios da humanidade".

O relato de Galbraith sobre o declínio e a queda da bolsa de valores apresentou o *crash* como uma "orgia especulativa", revelando "a loucura seminal que sempre toma as pessoas, que, por sua vez, são tomadas pela noção de que podem ficar muito ricas". Ele sugeriu que, nos anos 1920, o povo norte-americano demonstrava "um desejo desmedido de enriquecer rapidamente com um mínimo de esforço físico". Ele também notou a importância do "humor" das pessoas, "um sentimento generalizado de confiança, otimismo e convicção de que as pessoas comuns deveriam ser ricas".[65] O investimento era encorajado pela publicidade, incluindo um artigo no *Ladies' Home Journal* (algo como "Diário de Casa das Senhoras"), intitulado "Everybody Ought to Be Rich" ("Todo mundo deveria ser rico", em tradução livre). Os investidores, especialmente as mulheres (de acordo com Galbraith), não sabiam que não tinham a menor ideia do que estavam fazendo.[66]

Quando as ações começaram a cair, houve outra reação em cadeia. Os investidores venderam, porque outros estavam vendendo, e assim forçaram ainda mais o preço para baixo. A quebra veio em outubro de 1929. Houve um "pânico", uma "briga louca para vender" como resultado do "medo cego". "Rumores após rumores varriam Wall Street". Como no caso da bolha do Mar do Sul, houve suicídios, embora seu número relativo tenha sido exagerado.[67]

Em outro ponto de seu estudo, entretanto, Galbraith minou suas próprias generalizações sobre a irracionalidade dos investidores amadores. Em primeiro lugar, ele observou que a democratização da participação acionária, tanto nesse caso como no da bolha do Mar do Sul, havia sido exagerada: "em seu auge, em 1929, o número de especuladores ativos era menor – e provavelmente muito menor – do que 1 milhão de pessoas".

Em segundo lugar, Galbraith mostrou que os investidores amadores foram manipulados pelos profissionais. Às vezes, "vários comerciantes reuniam seus recursos para inflar o preço de uma determinada ação". Os investidores eram frequentemente encorajados pelos conselhos dos fundos de investimento, uma instituição que veio sendo cada vez mais bem-sucedida nos anos 1920. Os trustes deviam seu sucesso ao respeito público que existia pelo "especialista", o financista profissional, que gozava de uma "reputação de onisciência". O problema era que os trustes não eram confiáveis. O termo "vilania", de Adam Smith, é certamente aplicável aqui.

Em terceiro lugar, Galbraith observou razões estruturais para a quebra. A oferta de novos investidores era limitada, e, quando ela se esgotou, a demanda caiu, e o preço das ações parou de subir, enfraquecendo assim a confiança. Quando a queda começou, o sistema de *stop-loss* (em outras palavras, a venda automática da ação quando um determinado preço mínimo é atingido) ampliou essa tendência. "Cada espasmo de liquidação assegurava assim que outro se seguiria".[68]

Uma explicação com mais nuances acerca do comportamento dos amadores foi oferecida pelo historiador alemão Daniel Menning, que enfatiza a sobrecarga de informação. A quantidade de cifras que iam aparecendo na *ticker tape* era grande demais, e elas mudavam muito rapidamente para que os espectadores pudessem acompanhar.

Pequenos especuladores não sabiam como analisar as informações, e essa ignorância os levou ao desastre.[69]

Em resumo, a ignorância do investidor era uma condição necessária para a quebra, mas não era suficiente para tanto. A suposição de Galbraith sobre a irracionalidade dos investidores também precisa ser questionada. Comprar ações que estão subindo em valor parece ser uma escolha racional, assim como cortar as perdas quando as ações estão caindo. O problema era que o que fazia sentido para os investidores individuais tinha consequências não intencionais e desastrosas quando muitas pessoas faziam a mesma escolha ao mesmo tempo.

NEGÓCIOS CLANDESTINOS

Algumas das atividades comerciais já descritas ocorreram na fronteira da legalidade. Os negócios ilegais, que dependem da dissimulação ou da "ignorância estratégica", no sentido de manter algumas pessoas na ignorância do que está acontecendo, merecem uma seção própria. Eles incluem a produção de mercadorias proibidas (como álcool, drogas e falsificações), seu transporte (contrabando) e sua venda (o mercado negro), bem como a prestação de serviços ilegais que vão desde sexo até proteção e encomenda de assassinatos. Todo esse negócio é clandestino e supostamente invisível, embora um historiador social deva sempre perguntar: invisível *para quem*?

Nesse caso, os ignorantes (pelo menos em teoria) são os funcionários da alfândega, os cobradores de impostos e a polícia. Na prática, muitas pessoas, incluindo indivíduos em altos cargos no governo, sabem o que está acontecendo, embora menos saibam exatamente quando e onde.[70] Em qualquer caso, a ficção da ignorância, se não a própria ignorância, precisa ser mantida. É na análise dos negócios e da política que o conceito de "ignorância fingida" se mostra mais útil.

Alguns desses negócios foram e são de pequena escala, desde o agricultor que produz sua própria aguardente até os encanadores que cobram menos se você os pagar em dinheiro ou os comerciantes de rua que podem não ter uma licença para comerciar ou cujos produtos podem ser falsificações de marcas conhecidas. Se genuína, a mercadoria pode ter sido contrabandeada ou roubada. Como diziam na Londres da infância deste autor inglês que vos fala, "isso aí caiu de um caminhão". Todo esse sistema é conhecido como mercado cinza ou economia informal, paralela, alternativa ou "das sombras".

Em tempos de crise, essa economia não oficial é particularmente importante. Nos Estados Unidos, na era da Lei Seca [chamada em inglês de "A Proibição"], de 1920 até 1923, bebidas alcoólicas foram proibidas. Em resposta, algumas pessoas passaram a produzir suas próprias bebidas, enquanto algumas as contrabandeavam do Canadá em barcos de pesca (uma prática conhecida como "correr o rum") e outras as vendiam apenas de copo em copo (ou em xícaras de chá, para disfarçar melhor) nos bares clandestinos chamados "*speakeasies*" [algo como "fale baixo"], estabelecimentos particulares bem escondidos que estavam de portas abertas apenas para aqueles que sabiam de sua existência e localização. Nas palavras de um historiador que cobriu esse assunto, "a lei seca como que ofereceu um curso de pós-graduação de treinamento na indústria do crime" e fez a fortuna do jovem Al Capone.[71] Os historiadores, claro, adorariam saber quem estava por dentro e quem estava por fora do circuito de informações. Como os clientes potenciais precisavam saber o que estava disponível, quando e onde, a polícia (ou parte dela) provavelmente também sabia, enquanto fingia ignorância se os subornos valessem a pena.

Na China, durante a época da grande fome de 1958-1962, um sistema informal de distribuição surgiu, ou pelo menos se tornou muito mais importante. Os membros do partido "mostraram uma infinita astúcia no sentido de conceber novas formas de defraudar o Estado". Desenvolveu-se uma "economia paralela" que incluía permutas e licenças falsas. Havia mesmo um "comércio dos mortos", já que as unidades de produção inflacionavam o número de trabalhadores para receber mais rações.[72] As autoridades, incluindo a polícia, ou não sabiam o que estava acontecendo ou faziam vista grossa – por um preço.

Nem é necessário dizer que os economistas acham bem difícil estimar o tamanho dessa economia não oficial. Um estudo de 151 países de 1999 a 2007 sugeriu que esse setor da economia era menor na Suíça e nos Estados Unidos (de 8% a 9% do PIB) e maior na Bolívia e na Geórgia (de 68% a 69%).[73] Os historiadores acham ainda mais difícil fazer estimativas semelhantes no passado. No caso da Espanha do século XVI, por exemplo, eles estão bem cientes de que os números oficiais da quantidade de prata do Novo Mundo que chegava a Sevilha a cada ano são subestimados. O que eles não sabem é a escala da operação não oficial. Tudo o que pode ser feito dentro da razoabilidade é estabelecer alguns contrastes gerais entre os diferentes períodos. Antes do aumento do imposto de renda, no século XIX, não havia necessidade de disfarçar os ganhos de alguém (os governos anteriores obtinham grande parte de suas receitas provenientes da alfândega e de impostos, daí suas continuadas batalhas contra os contrabandistas). Antes do avanço da previdência social de cunho governamental, no século XX, não teriam surgido casos de indivíduos recebendo algum tipo de seguro-desemprego enquanto trabalhavam secretamente.

Muitos negócios clandestinos ocorrem em uma escala muito maior do que as míseras transações da economia não oficial. Um exemplo notório é o do comércio de drogas ilícitas. Nessa atividade, organizadores clandestinos se opõem a agentes igualmente ocultos – o FBI, a Agência de Combate às Drogas dos Estados Unidos e assim por diante – em uma espécie de guerra escondida. A produção é frequentemente secreta, incluindo fábricas subterrâneas nas montanhas de Fujian, onde se processa *cannabis* cultivada em contêineres em "enormes buracos na floresta" na Colúmbia Britânica (província na porção oeste do Canadá).[74] A cocaína era geralmente refinada em laboratórios secretos dentro de casas particulares; entretanto, com uma exuberância que lhes era característica, o barão da droga Pablo Escobar e seus parceiros, os irmãos Ochoa, tinham um complexo de laboratórios construído na selva colombiana, completo com pistas de pouso para aviões e dormitórios para trabalhadores (o complexo, conhecido como Tranquilandia, foi descoberto e destruído em 1983).[75]

Passando agora da produção à distribuição, itens ilícitos já foram contrabandeados por rotas secretas, tais como trilhas em meio a montanhas ou túneis, levados nas costas de carregadores ou de burros ou escondidos em carros particulares, aviões e navios e até mesmo no corpo de "mulas" humanas. "Muitas mercadorias ilícitas passam pelo mesmo espaço físico".[76] Armas podem percorrer uma determinada rota em uma direção, e drogas, na direção contrária. Algumas das rotas de exportação de cocaína da Colômbia já haviam sido utilizadas por contrabandistas de esmeraldas, cigarros e maconha.

O tráfico de diamantes já foi descrito como "bastante secreto, talvez mais que qualquer outro", uma vez que compreende pequenos objetos de grande valor que são fáceis de esconder.[77] Os mineiros de diamantes contrabandeiam algumas de suas descobertas, e o que eles passam adiante é contrabandeado através de fronteiras internacionais, uma "exportação invisível" que surge como uma mercadoria legítima na Antuérpia e em outras cidades.

Os principais jogadores nesses campos da clandestinidade usam uma variedade de nomes e passaportes e frequentemente se deslocam de um esconderijo para outro, a fim de manter a polícia e outras agências na ignorância sobre suas identidades e seu paradeiro. Sua riqueza é escondida em contas *offshore* ou nos chamados "paraísos fiscais" desde o século XIX, a começar pela Suíça e as Ilhas do Canal. Eles lavam seu dinheiro o transferindo de uma conta, banco ou empresa para outra e outra, para manter a polícia e os inspetores fiscais ignorantes de suas atividades.[78]

Naturalmente, o sigilo é essencial para operações à margem da lei, quando não totalmente fora dela. Na Suíça, "o sigilo financeiro existe há séculos", culminando na notória Lei de Sigilo Bancário, de 1934. Essa tradição de "privacidade do cliente", combinada com a longa tradição de neutralidade do país, explica como o capital estrangeiro "se derramou nos bancos suíços" durante a Primeira Guerra Mundial e novamente durante a Segunda.[79] Foi onde os nazistas, a máfia norte-americana, o imperador Hailé Selassié, da Etiópia, o xá do Irã e (entre outros) os presidentes Perón, da Argentina, Mobutu, de Zaire e Trujillo, da República Dominicana, esconderam seu dinheiro.[80]

A lavagem de dinheiro é uma parte importante da indústria de serviços clandestinos. Outra parte importante é a proteção, uma espécie de imposto pago a quadrilhas de criminosos por indivíduos e empresas. A máfia siciliana, que foi estudada mais de uma vez por economistas e sociólogos, como Pino Arlacchi e Diego Gambetta, está envolvida desde o século XIX no negócio de vender proteção às pequenas empresas (proteção contra outros criminosos, mas também contra a própria máfia). A proteção também tem sido uma importante fonte de renda para gangues na China, onde as sociedades secretas conhecidas como tríades já existiam no século XVIII, e na Rússia desde o desmembramento da URSS. As gangues russas falam em "criar um problema" e depois se oferecer para resolvê-lo.[81] A venda de proteção está sujeita às leis da oferta e da demanda. A demanda vem de proprietários de bens que temem perdê-los em uma sociedade com déficit de lei e ordem. A oferta vem de ex-soldados, ex-policiais e outros indivíduos especializados em violência.[82]

Como no caso da economia informal em geral, os negócios criminosos florescem em tempos de crise. O contrabando de pessoas se tornou um negócio cada vez maior a partir dos anos 1990. O comércio ilegal de armas costuma tirar proveito de revoluções e guerras civis. Durante a Revolução Mexicana, de 1911, por exemplo, armas foram contrabandeadas dos Estados Unidos através do porto de Veracruz.[83] Uma análise do que seu autor chama de "economia política clandestina de guerra e paz" apresenta um estudo de caso da guerra civil na Bósnia nos anos 1990 e argumenta que "o acesso aos suprimentos por meio de redes de contrabando e o envolvimento de agentes criminosos semiprivados são críticos para explicar o surgimento, a persistência, o fim e as consequências da guerra".[84]

Foi também nos anos 1990 que Viktor Bout (ou Crout), mais tarde descrito como "o mercador da morte", tornou-se notório pelo contrabando de armas para arenas de guerras civis como Afeganistão, Angola, Libéria, Serra Leoa e Congo. Bout, que já havia trabalhado para a inteligência soviética, adquiriu uma frota de velhos aviões de carga russos e os usou para vender armas (às vezes para ambos os lados) nas guerras civis no Afeganistão, em Angola, em Serra Leoa, na República Democrática do Congo e em outros lugares. As armas eram de segunda mão, compradas na Bulgária e na Ucrânia. Os aviões eram registrados em lugares como a Libéria, onde os olhares se desviavam e nenhuma pergunta era feita, enquanto as cargas eram fornecidas com "certificados de usuário final" falsificados para fazê-las parecerem legítimas.[85]

As armas contrabandeadas se tornaram tão parte da vida cotidiana nas fronteiras – notadamente no chamado "Triângulo Ilemi", onde se encontram Quênia, Uganda, Etiópia e Sudão – que um visitante observou que "uma bala pode ser usada como passagem de ônibus ou para comprar um copo de cerveja ou uma garrafa de Coca-Cola".[86]

Os negócios clandestinos com frequência são uma resposta a monopólios e proibições. Viktor Bout, por exemplo, desprezou os embargos de armas da ONU, assim como Al Capone desrespeitou a Lei Seca norte-americana. O comércio clandestino de antiguidades é uma resposta à recusa de se conferirem licenças de exportação para itens considerados como parte do patrimônio nacional (embora essas antiguidades também possam ter sido saqueadas ou falsificadas em um período anterior). As mercadorias legítimas que foram contrabandeadas em algum momento ou outro para escapar de impostos e monopólios incluem seda, especiarias, sal, prata, *brandy* e cigarros.

Em outros casos, a própria mercadoria contrabandeada já era classificada como ilícita. Por exemplo, livros impressos que foram proibidos por serem considerados heréticos, subversivos ou pornográficos há muito tempo circulam disfarçadamente. No século XVI, depois que a Igreja Católica proibiu as obras de Erasmo de Roterdã e Maquiavel, cópias de seus livros continuaram a chegar a Veneza nos anos 1570 e 1580.[87] Livros hereges às vezes eram escondidos em barris cobertos com peixe (assim como gim ou uísque eram ocultados em caminhões supostamente carregados com madeira na era da Lei Seca).

No século XVIII, havia um animado comércio de livros proibidos (conhecidos como "livros filosóficos") na França. Os livros eram contrabandeados do Neuchâtel, na Suíça, e transportados por carregadores ao longo de trilhas secretas sobre as montanhas do Jura em caixotes que também continham material inocente, para serem vendidos na França sob o balcão ou, como diziam na época, "sob um manto".[88]

Durante a Guerra Fria, casos famosos de evasão da censura oficial incluíram contrabando de manuscritos da URSS para serem publicados no Ocidente, entre os quais o romance de Boris Pasternak *Doutor Jivago* (publicado pela primeira vez na Itália por Feltrinelli, em 1957) e obras de Andrei Sinyavsky e Yury Daniel que criticavam o regime e levaram à prisão de ambos sob a acusação de "atividade antissoviética", em 1966. A técnica não é nova: no século XVII, o manuscrito do trabalho antipapal *History of the Council of Trent* ("A história do Concílio de Trento", em tradução livre), do frade veneziano Paolo Sarpi, tinha sido contrabandeado em seções, sob o codinome "canções", para que pudesse ser publicado em Londres tanto em italiano como em inglês.[89]

Quanto à chamada "pirataria" de livros, ou seja, a produção de edições não autorizadas a despeito das leis de direitos autorais, ela remonta há séculos e continua até os dias de hoje. Dublin foi um importante centro de edições piratas no século XVIII, e depois Taiwan, na década de 1960, quando as falsificações iam de *O senhor dos anéis* à *Encyclopædia Britannica* (uma edição anterior havia sido pirateada pelo menos doze vezes por editores norte-americanos entre 1875 e 1905).[90]

Em uma época em que as marcas de designers atraem tanto interesse dos consumidores, a falsificação se tornou um grande negócio. Por volta de 2007, de 20 a 25% das exportações chinesas eram falsificações. Do lado mais rasteiro, incluíam-se cigarros e DVDs; no mais sofisticado, jaquetas Armani, bolsas Louis Vuitton e até mesmo uma Mercedes.[91] Seria interessante saber quantos compradores realmente ignoram que se trata de uma falsificação e quantos não querem saber, ou pelo menos não querem que as pessoas saibam sobre eles.

Um estudo clássico sobre falsificação e contrabando é o trabalho do jornalista italiano Roberto Saviano, que não apenas descreveu as atividades de uma sociedade secreta, a Camorra, mas também revelou nomes. Depois que seu livro foi publicado, Saviano teve de se esconder.[92] Ele descreveu vividamente a imitação de roupas de marca por alfaiates habilidosos, muitas vezes imigrantes ilegais da China ou do Vietnã, em oficinas secretas em Secondigliano, na periferia de Nápoles.[93] Também descreveu como outras falsificações eram contrabandeadas da China para a Europa através do porto de Nápoles. Todos os contêineres que chegavam ao porto eram numerados a fim de facilitar o controle oficial, e então a Camorra se assegurou de dar o mesmo número não apenas a um contêiner legítimo, mas também a vários ilegítimos, de modo que os funcionários da alfândega permanecessem ignorantes sobre as mercadorias contrabandeadas.[94]

A comercialização dessas mercadorias é semiclandestina, um ato cujo equilíbrio é difícil. Os vendedores obviamente precisam que os consumidores potenciais saibam sobre suas mercadorias, mas também precisam manter todo mundo ignorante. Drogas são distribuídas por uma rede de grandes e pequenos traficantes, enquanto os produtos falsificados ou roubados podem ser encontrados para venda se você souber aonde ir. Mercados notórios incluem a Canal Street, em Nova York, a Rua Santa Ifigênia, em São Paulo, e o subúrbio de La Salada, em Buenos Aires, "a meca das falsificações", e até cidades inteiras, como Shenzhen, na China, ou Ciudad del Este, no Paraguai (na fronteira com o Brasil).[95] Algo necessário nesses empreendimentos é a "ignorância fingida", a "cegueira" oficial, "uma sistemática inaplicação da lei por parte da polícia e dos fiscais, de modo a que o negócio prospere".[96]

E quem é que lucrou e ainda lucra com o enorme volume desse comércio ilegal que é, em grande parte, oculto? Alguns produtos estão nas mãos de pequenas gangues, mas é provável que uma grande proporção (obviamente impossível de medir) seja organizada por grandes quadrilhas. Elas incluem várias sociedades secretas, como a máfia, que, nos anos 1970, mudou da sua tradicional concentração em proteção para novas atividades lucrativas, da construção ao tráfico de "drogas, armas e dinheiro sujo", "com o consentimento tácito e a ignorância estudada, se não mesmo o encorajamento direto, de agentes do *establishment* italiano".[97]

Durante muito tempo, os mafiosos eram praticamente intocáveis, defendidos de potenciais testemunhas pela obediência à regra não escrita da *omertà* (juramento de silêncio sobre atividades criminosas), o "fingimento de ignorância". Somente nos anos 1980 é que essa regra de silêncio foi quebrada por Tommaso Buscetta e alguns colegas que seguiram seu exemplo e descreveram o funcionamento do sistema às autoridades. Os próprios mafiosos estavam e estão obrigados ao sigilo, o que explica sua até então inexplicável abstinência de álcool. Como disse Buscetta a seus interrogadores, "um bêbado não tem segredos, enquanto um mafioso deve manter o autocontrole e a decência em todas as circunstâncias".[98] A confiança é algo particularmente importante nos negócios ilícitos, uma vez que as partes lesadas não têm recurso à lei.[99] Assim, as negociatas secretas são frequentemente realizadas dentro de sociedades igualmente secretas, com rituais complexos de iniciação e códigos de honra que ajudam a criar solidariedade entre os membros, como é o caso não só da máfia, mas também das tríades e da Yakuza japonesa.

Acaba que o crime clandestino precisa ser combatido por métodos clandestinos, incluindo informantes, bem como detetives à paisana, que observam e às vezes se infiltram nas organizações que estão combatendo. O paralelo com o mundo político dos espiões e da polícia secreta fica óbvio. A ignorância na política é o tema do capítulo seguinte.

11
A ignorância na política

> *Se uma nação espera ser ignorante e livre,*
> *e ainda em uma condição de civilização,*
> *então ela espera algo que nunca aconteceu*
> *e jamais acontecerá.*
> Thomas Jefferson

As muitas publicações de Michel Foucault ajudaram muitas pessoas a ver a relação entre o poder e o conhecimento mais claramente do que antes. Mas é também esclarecedor examinar a relação entre poder e ignorância.[1] Três formas principais de ignorância política serão discutidas aqui. Em primeiro lugar, a ignorância do povo, daqueles que são governados. Em segundo lugar, a ignorância dos governantes, sejam eles reis, primeiros-ministros ou presidentes. E, finalmente, a ignorância organizacional embutida no sistema político, a máquina do governo. As consequências dessas ignorâncias são muitas vezes involuntárias, imprevisíveis e, não raro, desastrosas. Como Foucault observou certa vez, "as pessoas sabem o que fazem; frequentemente sabem por que fazem o que fazem; mas o que elas não sabem é o resultado do que fazem".[2]

A IGNORÂNCIA DOS GOVERNADOS: AUTOCRACIAS

A ignorância das pessoas comuns é uma vantagem para os regimes autoritários, mas uma causa de nervosismo para as democracias. Para qualificar essa afirmação tão simples, pode ser suficiente observar que o contraste entre a democracia e o despotismo (ou, para usar um termo mais neutro, a autocracia) é uma diferença de grau, em vez de uma diferença de espécie. Os regimes são mais ou menos autoritários ou mais ou menos democráticos.

Na França do século XVII, em uma época de monarquia absoluta, quando o país era governado pelo rei Luís XIII com a ajuda do poderoso cardeal Richelieu, este último observou, com uma clareza brutal digna de Maquiavel, que, embora a ignorância "seja às vezes prejudicial ao Estado" (*préjudiciable à l'Estat*), também o é, por vezes, o conhecimento. A educação dos camponeses e dos trabalhadores rurais, por exemplo, arruinaria a agricultura e dificultaria o recrutamento de soldados. Além disso, uma educação para todos acabaria por produzir mais pessoas "capazes de levantar dúvidas" do que pessoas capazes de resolvê-las. Em outras palavras, deixando implícito em vez de declarar abertamente, Richelieu acreditava que a educação para todos produziria demasiados críticos tanto do governo quanto da Igreja. Um século depois, a Academia de Rouen discutiu se os camponeses que sabiam ler e escrever eram uma vantagem ou uma desvantagem para o Estado.[3]

Voltaire parece ter concordado com Richelieu, agradecendo ao magistrado Louis-René de La Chalotais, em 1763, por sustentar que os trabalhadores deveriam ser excluídos da educação (depois ele reveria seus posicionamentos). De maneira semelhante, duzentos anos depois, o rei Frederico VI da Dinamarca, que governou de 1808 a 1839, declarou que "o camponês deve aprender a ler e escrever e a aritmética; deve aprender seu dever para com Deus, para consigo mesmo e para com os outros, e não mais. Se for diferente disso, ele acaba criando ideias em sua cabeça".[4]

Henry Oldenburg, um alemão que vivia na Inglaterra, tornou-se secretário da Royal Society e passou sua vida profissional disseminando conhecimento, fez uma sugestão semelhante, em 1659, mas de um ponto de vista oposto. Oldenburg escreveu que o sultão otomano (um exemplo importante do que ficou conhecido como "despotismo oriental") "considera vantajoso ter um povo de tal ignorância a quem ele possa se impor".[5]

O jornalista polonês Ryszard Kapuściński concordou com Oldenburg. Em 1982, em seu relatório sobre o Irã sob o xá, ele escreveu que "uma ditadura depende, para sua existência, da ignorância das multidões; é por isso que todos os ditadores se esforçam tanto para cultivar essa ignorância".[6]

Para manter a ignorância, especialmente aquela ignorância relativa a alternativas ao discurso oficial, os regimes autoritários, tanto na Igreja como no Estado, há muito se engajam em praticar censura, que será discutida no capítulo treze.

Manter as pessoas ignorantes pode resolver alguns problemas para os autocratas, mas levanta outros. No caso da política, assim como nos negócios e na geografia, a falta de informação disponível para as pessoas comuns é preenchida por rumores, que florescem quando a demanda por notícias é maior que a oferta.[7] Como o jornal *The Statesman*, de Calcutá, comentou, em 1942, durante o êxodo da cidade após o bombardeio japonês, "quando a autoridade não apresenta informações confiáveis prontamente ou em quantidade adequada sobre os acontecimentos locais, é inevitável que os boatos ganhem lugar".[8] Na Rússia de Stálin, onde as pessoas não acreditavam no que estava impresso nos jornais oficiais *Pravda* e *Izvestiya*, o boato era sua principal fonte de informação.[9]

A ignorância do que está acontecendo nos bastidores incentiva as teorias da conspiração, por isso não é de surpreender que tramas tenham sido um tema importante de rumores no passado, como de fato ainda são. Um exemplo bem conhecido na história da Inglaterra foi a chamada "Popish Plot" [algo como "trama papal"]; tratava-se de uma história, difundida entre 1678 e 1681, de que havia uma conspiração católica para assassinar o rei Carlos II. O próprio rei não levou a história a sério, mas grande parte do país se preocupou. O jornal oficial *Gazette* não fez qualquer menção à história, mas o vácuo resultante foi preenchido por rumores, criando o que os sociólogos chamam de "pânico moral", que levou três anos para arrefecer.[10] Essa trama foi o tema de uma monografia de um importante historiador britânico, que ilustra tanto os pontos fortes quanto os fracos de uma abordagem empírica do senso comum.[11] O autor, John Kenyon, estava preocupado em descobrir "o que realmente aconteceu", e descartou as histórias em circulação na época como exemplos de "histeria coletiva", sem mais análises.

Entretanto, essa trama também urge ser estudada como um evento de mídia, um estudo de caso da propagação, recepção e transformação de rumores, incluindo sua contaminação por – ou assimilação de – estereótipos culturais existentes, como os estereótipos protestantes a respeito do papa e dos jesuítas. Há mais de um século, um historiador norte-americano, Wilbur Abbott, observou paralelos entre as narrativas dessa trama inglesa e relatos anteriores de conspirações, tais como a ainda mais notória "Gunpowder Plot" ["trama da pólvora"], de 1605, quando Guy Fawkes e outros católicos tentaram explodir o Parlamento inglês. Sendo assim, Abbott escreveu não a respeito da "invenção" de novas histórias, mas sobre a "adaptação de histórias antigas a novas circunstâncias".

Esse posicionamento foi ampliado e teorizado por cientistas sociais posteriores.[12] Nos Estados Unidos, nos anos 1850, uma crença semelhante em uma conspiração católica deixou em polvorosa membros do Partido Americano, mais conhecido como o "Partido dos Sabe-Nada" [*Know Nothings*]. Nos últimos anos, circularam rumores acusando a ex-primeira-dama dos Estados Unidos e ex-candidata pelo Partido Democrata Hillary Clinton de uma série de delitos, desde assassinar oponentes até beber o sangue de crianças. Ainda mais recentemente, a suspeita do público a respeito de vacinas tem sido encorajada por histórias que circulam na internet. Outro boato afirma que as vacinas implantam microchips que permitem que qualquer pessoa vacinada seja rastreada.[13]

Não é necessário dizer que conspirações nem sempre são imaginárias. Afinal, cada golpe de Estado é conspirado com antecedência. Os governos realmente empregam informantes e agentes secretos e o fazem há séculos, como no caso de Veneza no início da modernidade, embora o crescimento das agências secretas tenha se intensificado nos últimos cem anos.[14] Sociedades secretas às vezes estão envolvidas no mais alto nível da política. No final do século XIX, na Itália, por exemplo, o primeiro-ministro Francesco Crispi era maçom; cem anos depois, o primeiro-ministro Giulio Andreotti foi conectado à máfia siciliana. Em todo caso, uma grande parte da atividade política ocorre sempre nos bastidores. Mesmo os cidadãos mais bem-informados estão cientes de apenas uma pequena proporção do que está acontecendo.

As formas cotidianas de resistência também fazem uso da ignorância, principalmente fingindo não saber a resposta a perguntas incômodas.

Aquele mesmo Partido Americano mencionado, que era originalmente uma sociedade secreta, adquiriu seu apelido de "Sabe-Nada" porque seus membros eram aconselhados a dizer "não sei de nada" quando confrontados com perguntas sobre sua organização. Tal resistência é às vezes descrita como "ignorância estratégica", embora a mesma frase às vezes tenha o significado oposto de ignorância como meio de dominação.[15]

A IGNORÂNCIA DOS CIDADÃOS: DEMOCRACIAS

Se a ignorância dos governados é cultivada por autocratas, ela é uma fonte de nervosismo nos regimes democráticos. Os norte-americanos lembram o argumento de Thomas Jefferson de que "se uma nação espera ser ignorante e livre, e ainda em uma condição de civilização, então ela espera algo que nunca aconteceu e jamais acontecerá", apoiado por James Madison, que notou a necessidade da "informação popular", já que "o conhecimento sempre governará a ignorância".[16] Quem se opõe a estender o direito de voto muitas vezes se baseia no argumento de que a classe trabalhadora, ou ex-escravos, ou mulheres, simplesmente não têm o conhecimento necessário para um voto racional.

Na Inglaterra, no início do século XIX, esse argumento foi rejeitado por apoiadores da educação popular, como o ministro batista John Foster e o deputado John Roebuck, do Movimento Radical. O ensaio de Foster "sobre os males da ignorância popular" exigia a criação de um sistema nacional de educação e rejeitava o argumento (reminiscente do cardeal Richelieu) de que "um aumento material do conhecimento entre o povo os tornaria impróprios para seus postos de trabalho".[17] Roebuck, por sua vez, apresentou ao Parlamento Britânico em 1833 uma resolução para a extensão da educação nacional, acusando o governo de "fomentar e perpetuar a ignorância entre o povo". O governo conservador não estava interessado no plano de Roebuck, mas ele em seguida publicou *Pamphlets for the People* ("Panfletos para o povo", em tradução livre, de 1835-1836), na intenção de remediar a ignorância dos futuros eleitores.[18] Alguns líderes do movimento popular conhecido como "cartismo" (cujo nome vinha da *Carta do Povo*, escrita por um grupo de deputados e trabalhadores tendo por base a famosa *Magna Carta* britânica), notadamente William Lovett, propuseram uma reforma da educação, uma vez que, citando um artigo no jornal cartista *Northern Star*, "a ignorância das massas as tornava, em todas as épocas, escravas dos iluminados e dos astutos".[19]

Um governo britânico posterior foi forçado a levar a educação popular mais a sério. Em 1867, quando o Projeto de Lei da Segunda Reforma estendeu o direito de voto à mais habilitada classe trabalhadora masculina, importantes intelectuais, como John Stuart Mill e Walter Bagehot, expressaram seu nervosismo a respeito da ignorância, "fazendo julgamentos" sobre o conhecimento e "a supremacia da ignorância sobre a instrução".[20]

Não foi coincidência que a Lei da Educação, de 1870, que tornou a educação escolar obrigatória para todas as crianças, tenha sido aprovada tão logo após a extensão do direito ao voto. A ligação entre educação e voto foi apontada por um oponente dessa extensão, o chanceler do Tesouro Robert Lowe, ainda famoso pelo aforismo "Precisamos educar nossos senhores".[21] Lady Bracknell, personagem central de *A importância de ser prudente*, de Oscar Wilde, não estava sozinha em sua desaprovação de "qualquer coisa que mexa com a ignorância natural [...] Se o fizesse, isso representaria um sério perigo para as classes mais altas".[22]

Mas o problema da ignorância do cidadão comum não desapareceu. Tomemos o caso da Sicília nos anos 1950, como aparece em uma famosa investigação conduzida por Danilo Dolci, engenheiro italiano que se tornou sociólogo e ativista. Uma das onze perguntas que ele fez a quinhentos homens em sua pesquisa social foi: "O que você acha que os partidos políticos italianos deveriam fazer?". Quarenta e cinco membros do grupo entrevistado escaparam da pergunta ou insistiram em sua ignorância: "Como eu poderia saber?"; "Não lemos jornal"; "O governo deveria saber"; "Sou analfabeto"; "Sou um pobre ignorante", e assim por diante. É difícil saber se devemos tomar essas respostas literalmente ou como exemplos de "ignorância estratégica", então empregada, tal como a famosa *omertà* daquela região, como uma forma de autodefesa contra investigações intrusivas.[23]

Hoje, a maioria das pessoas aprende mais sobre política vendo televisão ou lendo mensagens nas mídias sociais do que com os jornais, mas o problema da ignorância do cidadão comum ainda permanece. A "ignorância eleitoral" tem sido objeto de uma série de pesquisas e estudos nos Estados Unidos e em outros lugares. John F. Kennedy uma vez declarou, em um discurso aos estudantes, que "o cidadão educado sabe que [...] somente um povo educado e informado será um povo livre; que a ignorância de um eleitor em uma democracia prejudica a segurança de todos".

Kennedy sem dúvida teria ficado chocado ao saber que pelo menos um terço dos cidadãos norte-americanos no início do século XXI são politicamente ignorantes, dando respostas erradas ou resposta alguma a dois terços das perguntas feitas em pesquisas de conhecimento político.

Um grupo ainda maior falhou em responder perguntas simples desse tipo. No ano 2008, 58% dos entrevistados não sabiam que Condoleezza Rice era secretária de Estado, enquanto 61% não sabiam que Nancy Pelosi era a líder da Câmara dos Deputados. Em 2014, apenas 38% dos norte-americanos sabiam qual partido controlava cada uma das duas casas do Congresso.

Os norte-americanos eram e são especialmente ignorantes em relação a assuntos estrangeiros, pelo menos em relação aos europeus. Em 1964, apenas 38% estavam cientes de que a URSS não era membro da OTAN, enquanto, em 2007, apenas 36% dos entrevistados sabiam fornecer o nome do presidente da Rússia (contra 47% em 1989). Os pesquisadores concluíram que "o conhecimento público das atualidades" foi "pouco alterado pelas revoluções nas notícias e na informação".[24]

O economista Anthony Downs cunhou a expressão "ignorância racional" para descrever as pessoas que acreditam que não vale a pena se informar, já que cada uma delas tem apenas um voto entre milhões.[25] É necessário um adjetivo bastante diferente para descrever a ignorância demonstrada por muitos eleitores de Donald Trump em 2016. Como a filósofa feminista Linda Alcoff observou, essa ignorância

> vai além de uma falta de conhecimento. Não é só que as pessoas não tenham conhecimento. É que sua falta de conhecimento é o produto de algum esforço deliberado, uma escolha consciente ou, na realidade, uma série de escolhas. Certos artigos noticiosos, ou fontes de notícias, são evitados, certos cursos universitários são mantidos longe, certos tipos de pessoa nunca são solicitados a dar sua opinião sobre as notícias do dia.[26]

É fácil descobrir a ignorância a respeito de certos fatos, mas ela pode não ser tão significativa quanto a credulidade, ao se acreditar nas promessas de candidatos em uma eleição ou tomar notícias falsas como reais sem se verificar de onde elas vieram. Em qualquer caso, as consequências políticas da ignorância dos eleitores não se limitam à ignorância da política em si. A ignorância da ciência, por exemplo, pode desviar os eleitores da realidade quando as políticas científicas ou a mudança climática estão entre as questões debatidas em uma eleição. Permitir que questões técnicas sejam submetidas a uma votação majoritária é o que o filósofo Philip Kitcher chama de "democracia vulgar", e ele descreve isso como uma "tirania da ignorância", expressando as apreensões de Mill e Bagehot de uma forma mais precisa.[27]

Nem é necessário dizer que os eleitores norte-americanos não são os únicos ignorantes. Eles são simplesmente aqueles cuja ignorância tem sido pesquisada com mais frequência. No Reino Unido, por exemplo, havia uma ignorância generalizada sobre os efeitos do Brexit na época do referendo crucial de 2016. Mas também se acredita que a taxa de criminalidade na Inglaterra esteja aumentando, embora na realidade ela tenha caído nos últimos anos.[28] Na União Europeia, conforme se tem argumentado, a ignorância política está aumentando, devido ao que já foi descrito como "censura de mercado", o que significa uma inundação de "material redundante" que afoga as informações que são relevantes.[29]

Indo um pouco mais longe nessa direção, a ideia de "ignorância do eleitor" pode ser estendida para incluir pessoas que confiam em informações suspeitas porque não aprenderam a ter pensamento crítico, com relação seja a vieses na mídia, seja à possibilidade das chamadas "*fake news*". Essas pessoas são mais vulneráveis à "desinformação", uma prática que será discutida no capítulo treze.

A IGNORÂNCIA DOS GOVERNANTES DO INÍCIO DA MODERNIDADE

Ainda que as pessoas comuns sofram de ignorância política, elas não são as únicas. Também os governantes muitas vezes ignoraram muito do que deveriam saber. Uma razão para isso é a distância social – a base da sociedade é pouco visível de cima. Tomemos o caso, no

Brasil, de Eduardo Suplicy, que é membro tanto da classe dominante brasileira quanto do Partido dos Trabalhadores. Quando perguntado sobre o preço de um pãozinho numa entrevista ao vivo na televisão pelo conhecido apresentador Boris Casoy, Suplicy não soube responder.[30]

No início da Europa moderna, o problema da ignorância dos governantes era exacerbado pelo fato de que o governo era um negócio de família, no qual os membros mais jovens aprendiam o trabalho não por meio de treinamento formal, mas pelo conselho ou pelo exemplo de seus mais velhos, que eles podiam ou não seguir quando ascendessem ao trono. Alguns reis tinham pouco interesse em adquirir informações sobre seus reinos. Preferiam sair para caçar. De fato, quando diplomatas estrangeiros queriam discutir negócios com um determinado monarca (Francisco I, por exemplo, ou James I), às vezes precisavam procurá-lo na floresta. Esses governantes podem ser descritos como alguém que tomava suas decisões políticas nos intervalos entre as caçadas, em vez de o contrário (já foi sugerido, inclusive, que James "passou cerca da metade de sua vida no campo de caça").[31]

Mesmo os governantes mais conscientes achavam difícil conseguir as informações de que necessitavam. Prestar muita atenção a uma determinada fonte de informação deixava pouco tempo livre para atentar a quaisquer outras. O imperador romano Carlos V passou a maior parte de sua vida viajando entre seus diferentes domínios europeus, em parte porque acreditava em ver em primeira pessoa como seus súditos viviam. O lado negativo dessa abordagem prática – ou, mais exatamente, dessa abordagem olhos-nos-olhos – era que o imperador tinha pouco tempo para ler seus diários oficiais, assim como as cartas que lhe eram enviadas de seus domínios no Novo Mundo para informá-lo sobre as condições por lá. Ele era necessariamente ignorante de muito do que acontecia em seu império. Quando Carlos foi escolhido imperador, aos 19 anos de idade, seu conselheiro o avisou que, "para acelerar os negócios e evitar manter à espera aqueles que precisam de uma decisão, Vossa Majestade deve ouvir três ou quatro pautas de negócios todas as manhãs à medida que se levanta e se veste".[32] Quer o jovem tenha ou não seguido aquele conselho, três ou quatro pautas não eram nada em comparação às crescentes demandas ao tempo de que Carlos dispunha para tratar dos negócios de seu império.

Qualquer que tenha sido o caso, o imperador não estava preparado para trabalhar o tempo todo. Carlos também gostava de caçar. Como seu avô, o imperador Maximiliano I, havia observado, era bom que o menino sentisse prazer em caçar desde cedo, "caso contrário, poderiam pensar que ele fosse um filho bastardo". Na casa dos 30 anos, "a falcoaria e sobretudo a caça podiam manter Carlos longe de seu escritório por dias a fio". Aos 40, o imperador confessou que "passamos todos os nossos dias caçando e lidando com falcões". Ele também encontrava tempo para outros esportes; certa vez, manteve um embaixador inglês esperando a maior parte do dia, porque estava jogando uma espécie de tênis.[33]

Boa parte dos assuntos oficiais era deixada a cargo de secretários, como Francisco de los Cobos, que "abria, lia e resumia milhares de cartas dirigidas a Carlos [...] e preparava respostas para a aprovação e assinatura de seu senhor". Como o confessor de Carlos uma vez lhe disse, Cobos "sabia compensar a negligência do imperador". Entretanto, à medida que o império de Carlos se expandia, mais assistentes se tornaram necessários, dividindo o trabalho entre si. Nicolas de Granvelle, guardião dos selos, tornou-se responsável pelo norte da Europa; Cobos cuidava do Mediterrâneo e das Américas, enquanto seu sobrinho, Juan Vázquez, tomava conta dos assuntos espanhóis. Carlos estava ciente do risco de confiar em seus assistentes, aconselhando seu filho Filipe sobre suas igualmente perigosas "animosidades e alianças", e observando que cada ministro "tentará vir até você, sob a cobertura da escuridão, para convencê-lo a confiar somente nele".[34] No entanto, dado o crescente volume de negócios, o imperador não tinha escolha.

O filho de Carlos, Filipe II da Espanha, que se tornou rei em 1558 e foi um dos monarcas mais conscientes de seu tempo, escolheu a solução oposta à de seu pai, aconselhando a seu próprio filho que "viajar por seus reinos não é útil nem decente". Filipe preferia ler e escrever comentários à margem dos milhares de papéis que lhe eram enviados (cerca de 10 mil documentos enviados por Filipe ou para ele foram preservados). Ele geralmente passava oito horas por dia em sua mesa, além de ler documentos na cama e levar uma pequena mesa consigo quando viajava com sua família em um barco no Rio Tejo.[35] Filipe foi uma vítima precoce da "sobrecarga de informação", sempre labutando em cima do que chamou de "aqueles demônios, meus documentos".[36]

Filipe era ou se tornou um astuto analista de situações políticas, mas seu ponto fraco – como o de tantos outros governantes modernos – eram as finanças. Seu governo não poderia ter funcionado sem empréstimos, em particular dos banqueiros de Gênova. Entretanto, o rei confessou seu analfabetismo financeiro, escrevendo que "nunca consegui colocar essa coisa de empréstimos e juros na minha cabeça" e que "sou absolutamente ignorante nesses assuntos. Não consigo distinguir um bom livro contábil ou um relatório financeiro sobre o assunto de um trabalho malfeito. E não quero quebrar minha cabeça tentando compreender algo que não compreendo agora nem nunca compreendi em todos os meus dias".[37] Ou seja, ele *não queria saber* sobre finanças.

A esse respeito, Filipe não era um excêntrico, mas típico entre os primeiros monarcas modernos, que compartilhavam com seus nobres a noção de que ganhar ou economizar dinheiro ou mesmo pensar nessas atividades estava abaixo de sua dignidade. O dinheiro era para gastar, para demonstrar sua magnificência. Embora o jovem Luís XIV tenha sido persuadido por seu ministro Jean-Baptiste Colbert a carregar um livro de contas no bolso, e até escreveu a sua mãe sobre "os prazeres de trabalhar pessoalmente nas finanças", o rei desistiu dessa prática após a morte de Colbert. Aparentemente, ele "preferiu a ignorância".[38]

As muitas horas que Filipe passou em sua mesa podem ser consideradas tanto como uma fraqueza quanto como uma força. O rei ficou praticamente ilhado em seu palácio de El Escorial, a mais de 50 quilômetros de Madri, um lugar no qual passou mais e mais tempo desde 1566 até sua morte, em 1598, praticamente isolado da sociedade que ele governava, tal como os gerentes das organizações burocráticas descritas por Michel Crozier no capítulo três.

Uma anedota popular corrente em muitas partes do mundo revela a consciência geral do problema do isolamento dos monarcas. Certo governante – seja Harun al-Rashid, em Bagdá, Henrique VIII, em Londres, ou Ivan, o Terrível, em Moscou – decide se disfarçar e andar pelas ruas de sua capital à noite para descobrir o que as pessoas comuns pensam dele. Afinal de contas, de que outra forma ele poderia fazer essa descoberta? Não fazia sentido perguntar a seus ministros, já que era provável que eles fossem dizer apenas o que achassem que o monarca iria querer saber.

Esse posicionamento ganha suporte ou pelo menos é bem simbolizado pela famosa história das "aldeias Potemkin". Grigory Potemkin era tanto amante quanto ministro da imperatriz Catarina, a Grande, da Rússia. Quando a imperatriz decidiu visitar o sul da Rússia, em 1787, descendo o Rio Dniepr em uma barcaça, diz-se que Potemkin se certificou de que ela veria apenas as aldeias mais prósperas, movendo os edifícios, ou suas fachadas, de lugar a fim de enganar sua patroa.

Essa história já estava em circulação antes dessa inspeção imperial, e foi repetida pouco depois por um diplomata saxão, Georg von Helbig. O príncipe belga da linhagem dos de Ligne, que esteve presente durante a visita imperial, desconsiderou aquela "história ridícula" sobre "vilarejos de papelão". No entanto, de Ligne estava bem ciente de que "só se mostrou à imperatriz o lado mais bonito de suas províncias do sul". Parece razoável concluir que haja um traço de verdade na história, embora ela possa ter sido exagerada ao se recontar, ao passo que Potemkin não foi a única pessoa responsável por enganar Catarina, já que o governador de Kharkhov e Tula "escondeu coisas dela e pode ter construído casas falsas".[39]

De maneira semelhante, segundo o serviço de inteligência alemão, Mussolini foi enganado por sua força aérea: "em suas visitas de inspeção de verão aos esquadrões de aviação, foram mostrados a ele os mesmos contingentes militares diversas vezes sem que ele suspeitasse de nada".[40]

O governante poderia, claro, empregar informantes para ouvir conversas em tabernas e outros lugares públicos e relatar ao palácio o que eles alegavam ter ouvido. No entanto, as informações advindas dessas fontes não eram confiáveis, já que as pessoas eram pagas para entregá-las regularmente, quer realmente tivessem ouvido conversas insurgentes, quer não.[41] Em qualquer caso, só olhar e escutar as ruas não seria suficiente para o monarca ficar sabendo de tudo o que ele queria ou precisava saber.

Para resumir a coisa nas palavras do clássico estudo de James Scott, *Seeing Like a State* (já mencionado como "Vendo as coisas do ponto de vista de um Estado"), pode-se dizer que "o Estado pré-moderno era, em muitos aspectos cruciais, parcialmente cego; sabia muito pouco sobre seus súditos, suas riquezas, suas propriedades e seus rendimentos, sua localização [...] Faltava-lhe algo como um 'mapa' detalhado de seu terreno e de seu povo".[42] Os governos modernos mais recentes geralmente possuem esse tipo de informação, mas ela tem um preço, como veremos.

GOVERNANTES MODERNOS MAIS RECENTES

A ignorância dos presidentes e primeiros-ministros modernos se tornou um assunto mais corrente do que eu poderia imaginar ou temer quando comecei a pesquisar para este livro. Donald Trump e Jair Bolsonaro oferecem exemplos um tanto óbvios de ignorância, que se mostram mais evidentes e mais perigosos em sua resposta pública, ou na falta dela, à propagação do coronavírus SARS-CoV-2. No entanto, eles não estão sozinhos em sua ignorância. Pense, por exemplo, na aparente ignorância a respeito dos conflitos entre muçulmanos sunitas e xiitas por parte do presidente norte-americano George W. Bush quando foi tomada a decisão de invadir o Iraque, em 2003. Diz-se também que o presidente nem mesmo sabia onde ficava o país no mapa. Hoje, é impossível não enxergar as consequências desse tipo de ignorância.[43]

Presidentes e primeiros-ministros foram, de modo geral, treinados de uma maneira muito diferente dos primeiros monarcas modernos. Antes de entrar na política, eles estudaram e praticaram a lei (como Tony Blair e Barack Obama) ou a administração (como Emmanuel Macron). Também tiveram tempo para adquirir experiência política em parlamentos ou prefeituras antes de chegar ao topo, uma experiência ainda mais necessária para líderes que devem compartilhar o poder com seus ministros. Os primeiros-ministros muitas vezes tiveram experiência pessoal em relações exteriores como diplomatas. Otto von Bismarck, por exemplo, que foi chanceler do novo Império Alemão de 1871 a 1890, já havia servido como embaixador no exterior. Lorde Salisbury, três vezes primeiro-ministro britânico no final do século XIX, já havia servido anteriormente como secretário de Estado para a Índia e como secretário do Exterior.

Outros líderes tinham experiência em outros departamentos de Estado. O famoso primeiro-ministro liberal William Gladstone serviu quatro vezes como chanceler do Tesouro. Ludwig Erhard foi ministro de Assuntos Econômicos sob o chanceler alemão Konrad Adenauer antes de se tornar ele mesmo chanceler. Amintore Fanfani, que foi cinco vezes primeiro-ministro da Itália, serviu como ministro da Agricultura e ministro do Planejamento Econômico. Alguns presidentes e primeiros-ministros estudaram economia ou mesmo ciência política. Fanfani era professor de História Econômica antes de entrar para a política. O presidente norte-americano Woodrow Wilson foi um professor de Ciência Política que se tornou presidente (reitor) da Universidade de Princeton antes de vir a ser presidente dos Estados Unidos.

Entretanto, a formação profissional envolve especialização, enquanto o cargo de presidente ou primeiro-ministro requer um amplo conhecimento. Lacunas são inevitáveis. Um estudo do uso de estatísticas pelo Estado alemão observa que, em 1920, na crise de transição do Império Alemão para a República de Weimar, "o vácuo de conhecimento" sobre o estado da economia alemã "era quase total".[44] De modo mais geral, o economista Frank Cowell apontou o problema da "falta de onisciência" dos governos e a influência disso na concepção dos sistemas tributários.[45] A ignorância dos funcionários leva a que os impostos diretos sejam sonegados. A tributação indireta contorna a questão da desonestidade individual e corporativa, mas tem a desvantagem de pesar mais sobre os mais pobres do que sobre os ricos.

A ignorância a respeito de outros países não é incomum entre os líderes políticos. Nikita Khrushchev, por exemplo, foi descrito como "ignorante em relação a assuntos estrangeiros de uma maneira alarmante".[46] Também alguns primeiros-ministros e secretários de Relações Exteriores britânicos não se saem muito bem nesse domínio. Quando esteve em Londres, em 1862, Bismarck observou que "os ministros britânicos sabem menos sobre a Prússia do que sobre o Japão e a Mongólia"; "Palmerston e, em menor grau, também Lorde Russell estavam em um estado de completa ignorância".[47] Em uma época (1914) na qual os assuntos internacionais eram bastante importantes, Edward Grey, ministro de Relações Exteriores, "conhecia pouco do mundo fora da Inglaterra, nunca tinha demonstrado muito interesse em viajar, não falava línguas estrangeiras e se sentia mal na companhia de estrangeiros".[48]

David Lloyd George, primeiro-ministro britânico de 1916 a 1922, também se mostra mal nesse aspecto. O primeiro-ministro francês Georges Clemenceau o considerou "chocantemente ignorante, acerca tanto da Europa quanto dos Estados Unidos". Em 1916, ele perguntou: "Quem são os eslovacos? Acho que não sei situá-los em algum lugar". Em 1919, ele confundiu Ancara com Meca.⁴⁹ Um estudo recente sobre a negociação da fronteira entre Polônia e Alemanha afirma que "a ignorância do primeiro-ministro britânico David Lloyd George [...] a respeito de assuntos internacionais passou a ser lendária". A título de exemplo, pode-se mencionar sua confusão da província espanhola da Galiza (ou Galícia) com a região do Leste Europeu chamada Galícia, entre a Polônia e a Ucrânia.⁵⁰ No caso do problema de Shandong, um item importante da agenda da Conferência de Paz de 1919, foi observado que Lloyd George "não possuía um profundo conhecimento, ou mesmo qualquer interesse mais profundo pelo leste da Ásia".⁵¹

Alguns dos assessores do primeiro-ministro estavam no mesmo barco. Um funcionário público presente na Conferência de Paz reclamou de que não havia ninguém do lado britânico "com conhecimento real da questão da Galícia".⁵² É claro que Lloyd George não estava sozinho em sua falta de interesse pelo mundo além da Inglaterra e seu império. Entre os primeiros-ministros posteriores, Stanley Baldwin ficava "entediado com assuntos estrangeiros", enquanto seu sucessor, Neville Chamberlain, notoriamente se referiu às exigências de Hitler sobre a Tchecoslováquia, em 1938, como "uma briga em um país distante entre pessoas das quais nada sabemos".⁵³

O presidente Woodrow Wilson não era lá muito bem-informado também. Um de seus pontos fracos era sua ignorância da Europa continental, descrita pelo embaixador austro-húngaro nos Estados Unidos como "total ignorância dos fatos e da geografia".⁵⁴ Apesar dessa deficiência, após a intervenção norte-americana na Primeira Guerra Mundial, Wilson se tornou um dos árbitros da nova Europa que estava em construção na Conferência de Paz de 1919 e que incluía o redesenho das fronteiras nacionais. Seu papel era sem precedentes em termos de um presidente norte-americano, e era algo para o qual ele não estava preparado. De fato, quando tomou posse, Wilson admitiu que "toda a minha preparação se deu em assuntos domésticos", de modo que "seria uma ironia do destino se minha administração tivesse de lidar principalmente com problemas estrangeiros".⁵⁵ O primeiro-ministro francês Georges Clemenceau ficou chocado com a "ignorância de Wilson sobre a Europa".⁵⁶ Para ser justo, "nenhum presidente norte-americano jamais esteve tão interessado no Leste Europeu quanto Woodrow Wilson", e, embora seu conhecimento ainda fosse "muito limitado" em 1914, ele preencheu algumas das lacunas mais tarde, acumulando cada vez mais mapas e relatórios de especialistas.⁵⁷

Embora Wilson tenha pedido informações a especialistas, "ele raramente estava disposto a ouvi-los quando eles se aventuravam a dar conselhos". Ele praticamente ignorou a questão das reparações, confessando que "não estava muito interessado em assuntos econômicos". Certamente foram cometidos erros, em parte em resposta à pressão de outras nações, mas também por uma simples falta de conhecimento. Por exemplo, Wilson permitiu que a Itália assumisse o Tirol do Sul, de língua alemã, explicando mais tarde que "eu ignorava essa situação quando a decisão foi tomada".⁵⁸

Os colegas de Wilson na conferência estavam pouca coisa mais bem informados, quando não ainda mais ignorantes. O historiador R.W. Seton-Watson, especialista em Europa Central que participou da Conferência de Paris como conselheiro, descreveu os participantes em uma carta particular como "uma multidão de incompetentes, desgastados e ignorantes demais para resolver a vasta série de problemas que aguardam decisão". Muito mais tarde em sua carreira, Seton-Watson deu um seminário em Oxford sobre a conferência, argumentando que muitas decisões foram "tomadas por políticos ignorantes que não tinham ideia de geografia".⁵⁹ Em outro lugar, ele observou a "ignorância abismal" acerca dos eslavos do sul por parte dos políticos russos.⁶⁰

As recentes demonstrações de ignorância presidencial, especialmente de assuntos internacionais, vão muito além da de Wilson, mas, nessa competição, Donald Trump provavelmente ultrapassaria tanto Ronald Reagan (cuja ignorância em atualidades às vezes levou a constrangimentos em conferências de imprensa) quanto George W. Bush. Como seu seguidor, o presidente Jair Bolsonaro, do Brasil, Trump sofre de ignorância em sua forma aguda, a de nem mesmo saber que ele nada sabe. A resposta dos dois presidentes à crise do novo coronavírus de 2020 foi a de se recusar a levá-la a sério, ignorar fatos inconvenientes, criticar os epidemiologistas e defender remédios de eficácia duvidosa, como a hidroxicloroquina. Em Belarus, o presidente Alexander Lukashenko foi ainda mais longe, ou poderíamos dizer ainda mais para trás, ao tachar o medo do vírus como uma "psicose" e afirmar que a infecção poderia ser curada com vodca.[61] Os especialistas nem sempre estão certos, mas é obviamente perigoso ignorar seus conselhos durante uma crise, como ficou muitíssimo claro pelo número de mortes pelo coronavírus nos Estados Unidos e no Brasil em 2020.[62]

Quanto à mudança climática, Trump e Bolsonaro estão ambos do lado da negação. Trump chamou a ideia de aquecimento global de "boato", enquanto a aliança de Bolsonaro com o agronegócio na Amazônia significa que ele também não quer saber sobre as consequências do desmatamento para o clima do mundo. Negar significa "não querer saber", ou, em sua forma mais agressiva, "querer não saber". Há demasiados exemplos para citar aqui desse tipo de ignorância intencional por parte dos governantes, ou mais geralmente de governos inteiros: negação de genocídio, por exemplo, negação de fome ou negação da ameaça ao meio ambiente representada por rios poluídos ou por chuvas ácidas.[63] A negação será discutida mais adiante, no capítulo treze.

IGNORÂNCIA ORGANIZACIONAL

Como foi observado no capítulo três, a ignorância pode ser encontrada não apenas em indivíduos, mas também em organizações.[64] A ignorância organizacional é geralmente estudada nos negócios, mas as organizações políticas, como o aparelho do Estado, também contêm vários níveis, e assim deve ser reforçado que o que é bem conhecido em um nível pode ser bastante desconhecido em outro. Mesmo com os governos conhecendo cada vez mais as pessoas que eles governam, os indivíduos na administração, mesmo no ponto mais alto, só estão conscientes de uma proporção cada vez menor desse conhecimento, assim como enfrentam o problema de "ter de processar mais informações do que seria possível gerenciar ou entender".[65]

No que se segue, vou explorar esse problema em dois períodos da história, concentrando-me no que os acadêmicos chamam de primeira e segunda revoluções dos governos. Essas revoluções já foram por diversas vezes celebradas como melhorias na eficiência, mas serão examinadas aqui com particular atenção ao seu lado negativo, o aumento da ignorância.

A PRIMEIRA REVOLUÇÃO DOS GOVERNOS

A expressão "revolução do governo" foi cunhada pelo historiador Geoffrey Elton em um estudo sobre o reinado de Henrique VIII que se concentrou nas conquistas do secretário de Estado do rei, Thomas Cromwell, nos anos anteriores à sua execução, por ordem do próprio Henrique, em 1540. Cromwell, um homem de origem humilde, era odiado pela nobreza, porque ignorava o papel tradicional que ela detinha no governo. Há certo exagero em atribuir essa revolução a Cromwell, já que as mudanças que Elton descreve ocorreram mais gradualmente – ao passo também que o processo não ficou restrito à Inglaterra e pôde ser discernido em vários Estados europeus.[66] Essas mudanças podem ser resumidas em uma única palavra, "burocratização", no sentido que o sociólogo histórico Max Weber deu ao termo: o governo impessoal conduzido de acordo com regras fixas por escrito, nas quais o papel de cada participante é cuidadosamente definido.[67] Algo central para essa nova forma de governo era uma nova instituição, o conselho. Os governantes já há muito tempo se cercavam de assessores, mas foi no século XVI que esses assessores se transformaram em conselheiros reais.

Como os negócios do governo estavam aumentando, os governantes precisavam de cada vez mais ajuda em sua tarefa, não apenas desses novos conselhos, mas também de secretários que conseguissem lidar com a proliferação de documentos. Como vimos, Carlos V dependia dos secretários para resumir os documentos recebidos e redigir aqueles a enviar. Na Suécia, os nobres que se ressentiam de ter perdido sua participação no governo faziam referência a um "governo dos secretários" (*sekreterareregementet*). Quando diziam isso, tinham em mente em particular Jöran Persson, o poderoso secretário do rei Erik XIV. Persson foi uma espécie de Cromwell sueco. Também viera de família humilde. Também era odiado pela nobreza. E também foi executado, no seu caso, em 1568, depois que Erik foi deposto e substituído por seu irmão John III.[68]

Cromwell, que empregava seus próprios secretários para administrar os negócios do governo, era efetivamente o ministro-chefe do rei, como o cardeal Richelieu, no caso de Luís XIII. A ascensão e a consequente institucionalização desse papel é um sinal de que os reis estavam se permitindo se tornar cada vez mais ignorantes sobre as ações de seu governo. Graças ao crescimento da papelada envolvida, os secretários poderiam até ser autorizados a forjar a assinatura real.[69] A concordância do governante era necessária, mas as informações poderiam ser filtradas.

Dada a extensão das terras que governou, Filipe II nos mostra um caso extremo desse processo de burocratização. Ele foi o que poderíamos chamar de CEO de um imenso império, na Europa (incluindo Espanha, Holanda, partes da Itália e o que viria a ser Portugal) e nas Américas (México e Peru), bem como as recém-adquiridas "Filipinas", administradas a partir do México. Para governar todas essas regiões, a máquina do governo tinha de ser gigantesca, considerando a época. No início de seu reinado, Filipe já era assessorado por quatorze conselhos, que incluíam nobres e clérigos, mas eram em grande parte formados pelos chamados *letrados*, ou seja, indivíduos que haviam sido treinados como advogados, mas que se tornaram funcionários em tempo integral. Os conselhos se reuniam regularmente e a cada vez enviavam um documento com suas recomendações ao rei. No decorrer do reinado, eles se reuniram com cada vez mais frequência, em sessões cada vez mais longas, e enviavam cada vez mais documentos a Filipe, enquanto comissões, conhecidas como *juntas*, iam sendo adicionadas ao sistema.

Além disso, o rei empregava secretários particulares, dos quais pelo menos quatro, Francisco de Eraso, Mateo Vázquez, Gonzalo Pérez e Antonio, filho de Gonzalo, exerciam um poder considerável.[70] Vázquez, por exemplo, era uma espécie de assistente pessoal do rei e se sentava ao seu lado (em um banquinho, por razões hierárquicas), resumindo documentos e escrevendo algumas das respostas. Também fazia a mediação entre o rei e as *juntas*. Isso lhe dava, assim como a Antonio Pérez, algum espaço para decisões de iniciativa própria. A Espanha, como a Inglaterra e a Suécia, estava experimentando o governo dos secretários, ainda que Filipe, consciente das instruções de seu pai Carlos – "não dependa de ninguém além de si mesmo" –, insistisse em tomar as decisões finais.[71]

O governo de Filipe fez um enorme esforço coletivo no sentido de adquirir informações, mas muito menos para comunicá-las às pessoas certas quando e onde elas eram necessárias. Uma grande desvantagem do sistema era a fragmentação: dividia-se por região, pela hierarquia sempre presente e por domínios como a guerra, as finanças e a religião. Os problemas do governo eram exacerbados por dificuldades de comunicação que vieram se tornando cada vez mais difíceis de imaginar desde a invenção do telégrafo e do telefone.

O sistema sofria daquilo que foi chamado de "a tirania da distância", que o historiador francês Fernand Braudel ficou famoso por analisar, chamando a distância de "inimigo público número um".[72] Na era de Carlos V, a notícia da vitória otomana na Batalha de Mohács, na Hungria, havia levado 51 dias para chegar ao imperador na Espanha.[73] Na era de Filipe, "levava um mínimo de duas semanas para que uma carta de Madri chegasse a Bruxelas ou Milão; levava um mínimo de dois meses para que uma carta de Madri chegasse ao México; e levava um mínimo de um ano para que uma carta de Madri chegasse a Manila". Haveria ainda mais atrasos à medida que as informações passassem do rei para o Conselho das Índias, ou o contrário. Como Gonzalo Pérez certa vez reclamou, "as decisões são tomadas tão lentamente que até mesmo um aleijado poderia acompanhá-las".[74]

Como decisões rápidas são sempre necessárias na política, as consequências do que poderia ser chamado de "ignorância temporária" eram de grande alcance em ambos os lados do oceano. O governante de um império terrestre poderia sofrer de problemas semelhantes, como no caso de Catarina, a Grande, na Rússia. Em sua época, poderia levar dezoito meses para que uma ordem imperial enviada de São Petersburgo chegasse a Kamchatka, na Sibéria, e outros dezoito meses para que a resposta fosse recebida na capital.[75]

Outro monarca do começo da era moderna, Luís XIV, gabava-se em suas memórias – escritas por um *ghost-writer* –, endereçadas à instrução de seu filho, de que ele estava sempre "informado de tudo". Não estava. Aliás, ele sabia menos sobre seu reino do que alguns ministros, notadamente Jean Baptiste Colbert, mais recentemente descrito como "o mestre da informação". E até Colbert sabia bem menos do que "tudo". O marechal Vauban, famoso por seus projetos de fortalezas, também estava interessado em estatísticas e sugeriu que Luís encomendasse um censo anual da França para saber "o número de seus súditos, no total e por região, com todos os recursos, riqueza e pobreza de cada lugar". Nenhuma ação foi tomada, portanto o governo continuou ignorando todos esses assuntos.[76]

A SEGUNDA REVOLUÇÃO DOS GOVERNOS

A segunda "revolução do governo" ocorreu no século XIX.[77] Como no primeiro caso, foi a culminação de tendências que já vinham de mais tempo, incluindo os cursos universitários de administração (*Staatswissenschaft*) oferecidos no final do século XVIII aos futuros funcionários públicos de língua alemã. O conhecimento sobre o Estado era descrito em alemão como *Statistik*, termo do qual a palavra inglesa "*statistics*" [ou "estatística" em português] se derivou. Essa mudança de significado simboliza o crescente interesse dos governos em pesquisas acerca de fábricas e escolas, pobreza e higiene, produzindo uma gama de informações que poderiam ser apresentadas em colunas de números ou em gráficos e tabelas originalmente concebidos no início do século XIX.

Essas pesquisas podem ser descritas como um triunfo do conhecimento sobre a ignorância, mas, como tantas vezes acontece em triunfos, elas envolveram tanto perdas quanto ganhos. Havia simplesmente informação *demais* para digerir. A ascensão da democracia resolveu alguns problemas, mas também criou novos, já que regimes que mudavam após cada eleição a cada poucos anos eram necessariamente regimes nos quais os líderes não tinham tempo de se informar adequadamente sobre as questões com as quais deveriam lidar. Em qualquer caso, a formação desses líderes, fosse no estudo do direito, fosse no dos clássicos, não os preparava adequadamente para suas novas responsabilidades.

Os ministros recém-nomeados para cuidar da agricultura ou dos transportes, da educação ou da saúde provavelmente não sabiam muito sobre esses domínios. Poderiam fazer um esforço para aprender, mas, ainda com pouco tempo de cargo, poderiam ser transferidos para outro departamento em uma remodelação do ministério ou desconsiderados completamente após a queda daquele governo. Era possível observar mais continuidade no serviço público, mas esperava-se que os funcionários públicos aconselhassem os ministros, não que tomassem decisões por conta própria. Em qualquer caso, as relações entre ministros e ministérios foram difíceis em muitas ocasiões. Como no caso de épocas anteriores, temos o direito de suspeitar de que o fluxo de informações para cima foi muitas vezes filtrado em diferentes pontos de sua jornada.

Mesmo o levantamento de dados e o mapeamento dos estados, uma adição óbvia ao conhecimento, também pode encorajar a ignorância, especialmente naquilo que James Scott chamou de "simplificações reducionistas", o que significa considerar esses mapas e tabelas estatísticas como a própria realidade, às vezes com consequências desastrosas. O caso é que esses mapas e estatísticas encorajam uma visão geral "imperial", como que "vista de um Olimpo", que negligencia a realidade mais variada e confusa que é visível no nível do solo.[78] Tal negligência, que poderia ser descrita como "ignorância olímpica" (o inverso do conhecimento local), levou a falhas no planejamento central, como aquele "Esquema do Amendoim", do governo britânico, já discutido no capítulo dez, e às vezes a desastres ainda maiores, como no caso do Grande Salto à Frente de Mao (a ser discutido no capítulo doze).

Os casos extremos tornam os problemas gerais mais visíveis. A história do colonialismo destaca a ignorância organizacional, já que os colonizadores e os colonizados vinham de culturas diferentes, falavam línguas diferentes e juravam lealdades diferentes a valores diferentes. Na África Ocidental sob domínio francês, por exemplo, um funcionário francês, desconfortavelmente consciente de ter sido mal-informado pelo intérprete local e pelo chefe local, mas incapaz de descobrir o verdadeiro estado de coisas, queixou-se a seus superiores de que não era capaz de escapar do que ele chamava de "círculo de ferro". De modo mais geral, a "ignorância mútua dos funcionários franceses e das populações locais" foi um grande obstáculo ao bom funcionamento do sistema.[79] Outros pontos cegos dessa "visão imperial" se tornam mais claros no caso do Império Britânico na Índia.

O DOMÍNIO BRITÂNICO NA ÍNDIA

O Império Britânico enfrentou problemas semelhantes. *Sir* John Bowring, governador de Hong Kong de 1854 a 1859, tinha uma opinião bastante ruim a respeito tanto dos governantes quanto dos governados na colônia, escrevendo que "nós os governamos na ignorância e eles se curvam na cegueira".[80] A Índia foi efetivamente governada de 1757 a 1858 por uma corporação, a Companhia das Índias Orientais, que já vinha negociando por lá desde sua fundação, no ano 1600.[81] Sua administração, impulsionada pelo desejo de lucro, culminou no desastre que veio a ser conhecido como "o motim indiano" de 1857, uma rebelião que os indianos chamam de Primeira Guerra da Independência. Naquela guerra, a ignorância desempenhou um papel importante, como veremos.

A ignorância já havia tido um grande papel na história dos britânicos na Índia. Embora Warren Hastings, nomeado primeiro governador-geral em 1772, conhecesse bengali, urdu e persa (que era a língua tradicional da administração), ele reclamou de que seus funcionários ignoravam os idiomas e os costumes locais. Os funcionários da companhia em Londres sabiam ainda menos. Declarações feitas no julgamento de Hastings por corrupção em Londres, em 1785, revelaram "a pura ignorância dos britânicos sobre o subcontinente".[82]

Seguiu-se uma "revolução da informação" no início do século XIX, na qual a empresa se baseou no sistema de informação do Império Mugal (ou Mogol). No entanto, como Christopher Bayly observou, uma "zona de ignorância" permaneceu, na qual novas instituições do governo "não conseguiram se conectar" aos conhecimentos locais.[83] A ignorância era ampliada pelo fato de que, durante os cinco meses mais quentes de cada ano, o governador-geral nomeado pela companhia deixava Calcutá com seu pessoal e ia para a aldeia himalaia de Simla, que era "ligada ao mundo exterior por uma estradinha pouco melhor que uma trilha de cabras".[84] Ali, o governo ficava isolado, tal como Filipe II em El Escorial. Os problemas de comunicação da empresa também eram semelhantes aos de Filipe. Os navios que levavam pessoas e cartas da Inglaterra para a Índia (pela chamada Rota do Cabo, passando pelo Cabo da Boa Esperança, na África) levavam cerca de três meses para chegar. Quanto à comunicação dentro da Índia, a construção de um sistema ferroviário mal havia começado em 1857, enquanto a primeira linha telegráfica, para uso da companhia, havia sido aberta recentemente, em 1851.

Ainda mais importante do que esses problemas institucionais e técnicos era a ignorância britânica a respeito das culturas indianas e a falta de simpatia para com elas. Havia muita coisa que seus novos governantes não sabiam sobre a Índia. "Ao contrário dos conquistadores estrangeiros anteriores, os britânicos negavam a si mesmos o acesso ao conhecimento, à informação e às fofocas que circulavam nos aposentos das mulheres. Assim, metade da população indiana permanecia praticamente desconhecida para eles."[85] Essa ignorância produziu sérios mal-entendidos, mais notadamente em três casos: o dos *zamindars*, o das castas e o dos eventos que levaram ao notório "motim" de 1857.

Na Índia sob o Império Mugal, os *zamindars* eram vassalos, não proprietários das terras das quais eles tiravam sua renda. No entanto, eles foram percebidos pelos britânicos como proprietários independentes de terras, seguindo o modelo dos aristocratas e da pequena nobreza na Inglaterra. Só que o poder da companhia permitia que ela transformasse seus mal-entendidos em realidade. Sob o Acordo Permanente de 1793, os *zamindars* se tornaram proprietários de terras, e alguns deles receberam o título de rajá – pode-se dizer que foram elevados à aristocracia. Aliás, pode-se dizer que os britânicos mudaram toda a estrutura com a qual a sociedade indiana estava acostumada por causa de um simples rompante de falta de raciocínio.[86]

A incompreensão também desempenhou um papel na história da estratificação social na Índia, um sistema hoje conhecido como "de castas" (termo usado pela primeira vez pelos portugueses, que tinham chegado à Índia antes dos britânicos). Como diz o historiador Nicholas Dirks, "a casta, como a conhecemos hoje, não é na verdade algo que sobreviveu inalterado desde a Índia antiga", mas sim "o produto do encontro histórico entre a Índia e o domínio colonial ocidental".[87] O conceito foi redefinido pelos britânicos em suas tentativas de entender aquele sistema. E, mais uma vez, os novos governantes tinham o poder de converter seus mal-entendidos em uma nova realidade.

A rebelião de 1857 ilustra as consequências trágicas tanto da ignorância como do que é mal-entendido. Foi em parte o resultado de um fracasso na questão da *inteligência*, uma incapacidade de ler os sinais de revolta e assim se preparar para o que estava por vir. Uma razão para esse fracasso é que 1857 foi um período de transição entre o sistema tradicional de coleta de informações de informantes nativos e sua recente substituição por um novo sistema no modelo europeu, incluindo pesquisas sociais com resultados expressos em forma estatística.[88]

A rebelião também pode ser vista como o resultado de uma falha na compreensão da cultura, ou, mais exatamente, das diferentes culturas dos indianos. "Oficiais militares jovens e ignorantes" achavam cada vez mais difícil se comunicar com seus oficiais de comando indianos.[89] Mais uma vez, a falta de informação encorajava os rumores. A rebelião começou com um motim dos *sepoys* (soldados indianos a serviço da companhia), desencadeado por rumores de que um novo tipo de munição conteria gordura derivada tanto de carne bovina quanto de porco, ofendendo assim tanto os hindus quanto os muçulmanos. De maneira semelhante, na época da covid-19, algumas vacinas foram falsamente descritas aos muçulmanos como tendo por base uma gelatina retirada de porcos.

As autoridades acabaram por responder a esses rumores, mas àquela altura já era tarde demais.[90] Uma vez ocorrido um motim local, ele foi seguido por outros, enquanto a rebelião foi acompanhada tanto por soldados quanto por civis que tinham outras queixas contra o regime.

Nenhum regime pode ser responsabilizado pelos rumores que circulam a respeito dele mesmo, mas, antes do início dos protestos, um oficial britânico já havia advertido as autoridades sobre a necessidade de provar que "a gordura empregada naqueles cartuchos não era de nenhuma natureza que ofenderia ou interferiria com os preconceitos de casta", enquanto o inspetor-geral de artilharia admitiu que "nenhuma precaução extraordinária parece ter sido tomada no sentido de assegurar a ausência de qualquer gordura que fosse suscitar objeção".[91] Descuido oficial não é o mesmo que simples ignorância, mas sugere uma falta de interesse, como se os oficiais britânicos não respeitassem a cultura dos soldados indianos. Sua atitude em relação aos "preconceitos de casta" revelou seus próprios preconceitos, se não uma forma do que hoje é conhecido como "racismo institucional".

Quanto aos britânicos que ficaram em casa, John Stuart Mill, que trabalhara para a Companhia das Índias Orientais em Londres, ao refletir sobre a rebelião de 1857, notou a ignorância que era comum acerca da Índia e recomendou um "estudo muito mais profundo da experiência indiana, e das condições do governo indiano, do que os políticos ingleses, ou aqueles que fornecem opiniões ao público inglês, mostraram até agora qualquer vontade de empreender".[92]

A rebelião levou ao fim do governo local por meio da empresa, e ela foi substituída na administração pelo próprio governo britânico, por meio de um secretário de Estado para a Índia em um departamento especificamente voltado à Índia em Londres e um vice-rei britânico localizado na própria Índia. As comunicações se tornaram mais rápidas graças ao telégrafo, aos barcos a vapor e ao sistema ferroviário.[93] No entanto, esse não foi o fim da ignorância oficial sobre a Índia sob domínio britânico. A cadeia de comando ainda era longa e complexa. Na Índia, essa cadeia começava com o vice-rei e descia em meio aos governadores provinciais e seus secretários, comissários, comissários adjuntos, comissários assistentes e magistrados distritais, todos eles britânicos, conhecidos como *civilians* [civis] porque pertenciam ao Serviço Civil Indiano. "Cada *civilian* tinha em média 300 mil súditos", de modo que até mesmo o magistrado distrital mais conscencioso e em serviço há muito tempo não tinha como saber muito sobre o distrito que deveria governar.[94]

Como nos tempos da companhia, a administração era composta por duas camadas, uma superior, formada por britânicos, e uma inferior, por indianos (embora alguns destes últimos pudessem subir na carreira, de modo que, em 1905, 5% da camada superior era composta de bengalis). A informação das bases era sem dúvida perdida, ou pelo menos muito filtrada, em sua longa jornada até o topo da árvore.

Esse sistema durou até 1947, chegando a um fim sangrento quando o país foi dividido entre uma Índia oficialmente hindu e um Paquistão oficialmente muçulmano, o que havia sido exigido pelo líder muçulmano Muhammad Ali Jinnah. Dois estados indianos foram divididos: o Punjab e Bengala. Jinnah, que vinha de Karachi e "não conhecia nada do Punjab, assim como Neville Chamberlain nada sabia da Tchecoslováquia", resistiu a um possível "acordo sikh-muçulmano em relação à divisão do poder" ali. Como comentou o superintendente sênior da polícia em Delhi antes da divisão, "uma vez traçada uma linha de divisão no Punjab, todos os sikhs a oeste dela e todos os muçulmanos a leste terão seus [omitido] cortados".[95] De 10 a 12 milhões daqueles que se encontravam do lado errado da fronteira escolheram se mudar, e muitos (pelo menos várias centenas de milhares e possivelmente 1 a 2 milhões) foram mortos no caminho. É difícil resistir à conclusão de que muitas das baixas da chamada Partição poderiam ter sido evitadas se os riscos tivessem sido avaliados com antecedência, os preparativos tivessem sido menos apressados e o movimento de pessoas tivesse sido supervisionado mais cuidadosamente pelas tropas britânicas posicionadas na Índia.

A pressa foi culpa do último vice-rei, lorde Louis Mountbatten, "um comandante inexperiente e confiante demais, com uma conhecida propensão a assumir riscos". Ele não tinha experiência das condições locais e optou por não seguir os conselhos locais. Por exemplo, o governador de Bengala informou ao primeiro-ministro Clement Attlee que anunciar uma data precisa para a retirada dos britânicos provocaria "massacres em uma escala chocante". Attlee escolheu uma data vaga, em 1948, mas foi persuadido por Mountbatten a aceitar 15 de agosto de 1947, dez meses antes do plano original. O novo vice-rei chegou em março de 1947 e já em maio estava escrevendo que "toda essa história de Partição é pura loucura". Mesmo assim, ele continuou a seguir o plano apressado, apesar dos conselhos de Jawaharlal Nehru (que logo se tornaria o primeiro primeiro-ministro da Índia) de que estava indo rápido demais. E os temidos massacres então aconteceram como era esperado.[96]

Quanto às novas fronteiras entre a Índia e o Paquistão, elas foram traçadas pelo advogado Cyril Radcliffe, que nunca havia estado no subcontinente. "Talvez tenha sido uma bênção que ele desfrutasse de uma completa ignorância da política indiana e nunca tivesse estado a leste de Gibraltar."[97] A Partição foi uma trágica demonstração final da ignorância britânica acerca das condições na Índia, ou, pior ainda, de conscientemente ignorar como elas eram. Generalizando a partir de alguns dos exemplos discutidos anteriormente neste capítulo, pode-se sugerir que a ignorância "imperial" ou "colonial" seja uma importante variedade de nesciência. Quando os governantes vêm de uma cultura, e os governados, de outra, os erros devidos à ignorância estão simplesmente à espera de acontecer.

Depois que o colonialismo foi substituído pelo neocolonialismo, esse tipo de erro continuou acontecendo, como no caso mais recente da invasão norte-americana do Iraque, em 2003. Quando a invasão começou, os norte-americanos não sabiam se Saddam tinha armas de destruição em massa ou não, mas foram em frente assim mesmo. Ganharam rapidamente a guerra contra Saddam Hussein, mas se pode dizer que perderam a "paz" que deveria ter se seguido, deixando para trás apenas caos e violência, em vez da liberdade que haviam prometido ao povo iraquiano. Em todo caso, aquelas tais notórias armas não puderam ser encontradas pelos inspetores. Como até mesmo um apoiador da guerra admite, "parece que talvez Bagdá pudesse estar dizendo a verdade sempre que afirmou que as armas de destruição em massa de Saddam haviam sido destruídas após a Primeira Guerra do Golfo, em 1991".[98]

Tony Blair continuou a insistir em que tinha razão ao apoiar a invasão, mas se ouviu algum arrependimento do lado norte-americano. Colin Powell, por exemplo, que era secretário de Estado na época, declarou mais tarde que "não sabia se teria apoiado a guerra se soubesse que não havia estoques de armas". David Kay, chefe do Grupo de Pesquisa sobre o Iraque, disse mais francamente: "Estávamos todos errados". O historiador militar israelense Martin van Creveld descreveu a invasão do Iraque como "a guerra mais tola desde que o imperador Augusto enviou suas legiões para a Alemanha, em 9 a.C., e as perdeu".[99]

Um clássico norte-americano, *A educação de Henry Adams*, que fala das memórias de um ex-diplomata, atirava um monte de flechas nos políticos ignorantes. O autor observou, por exemplo, que "os secessionistas do sul dos Estados Unidos" eram "estupendamente ignorantes do mundo"; que, por volta de 1870, o governo norte-americano "se orgulhava de sua ignorância"; e que, no ano de 1903, pouco antes de os russos serem inesperadamente derrotados pelos japoneses, o próprio Adams "se sentia tão ignorante quanto o estadista mais bem informado".[100] Ele morreu em 1918. Se ele pudesse voltar aos Estados Unidos um século depois, o que Adams teria dito sobre o presidente Trump?

12
Surpresas e catástrofes

Os melhores planos dos ratos e dos homens frequentemente fracassam.
Robert Burns

Todos nós sabemos que algumas surpresas são boas e outras são ruins. A surpresa tem seu papel nas descobertas científicas, como vimos, mas muitos desastres também surpreenderam suas vítimas. O que pode ser feito para reduzir a possibilidade de surpresas ruins? Os capítulos anteriores discutiram como os tomadores de decisões na guerra, na política e nos negócios responderam ao longo dos séculos às condições de incerteza, especialmente às "incógnitas conhecidas". Este capítulo, por outro lado, ocupa-se principalmente das "incógnitas desconhecidas", a ignorância do futuro que perturba o que Burns chamou de "os melhores planos de ratos e homens" – sem mencionar aqueles muitos outros planos que não foram bem traçados.

Na prática, essa oposição binária entre as incógnitas conhecidas e as desconhecidas parece forçada demais. É mais produtivo pensar em termos daquilo que é mais ou menos desconhecido. Sabemos, por exemplo, que incêndios, enchentes, terremotos, fomes e epidemias estão destinados a acontecer no futuro, mas nenhum de nós sabe quando acontecerão. Os californianos estão esperando pelo "Big One", o próximo grande terremoto, desde que São Francisco foi atingida pelo gigantesco tremor de 1906.

Hoje, há menos ignorância sobre a geografia do desastre do que naquela época. Há muito se sabe que certos lugares são mais vulneráveis que outros, sejam eles passíveis de inundações, como partes de Bangladesh, ou situados perto das linhas de falhas geológicas que provocam terremotos, como a Califórnia ou o Japão. Por essa razão, é possível se preparar para responder a alguns desastres, por exemplo, com a construção de diques e celeiros, a organização de brigadas de incêndio etc. É possível, inclusive, fazer alguns preparativos para os riscos mais incertos e mortais de todos, os "riscos existenciais", aqueles que ameaçam a extinção da própria humanidade ou pelo menos uma redução drástica de seu potencial. No entanto, a preparação tem sido muitas vezes muito pequena e muito tardia – um problema que se repete com tanta frequência que merece seu próprio acrônimo em inglês: TLTL, de "*too little, too late*".

Uma razão para isso é a constante pressão para se prestar atenção ou se gastar dinheiro em outras coisas, mas outra razão é a ignorância – ou pelo menos uma conscientização muito baixa, nos níveis mais básicos, do que estava para acontecer. Como adverte um estudo recente sobre risco existencial aos seus leitores, "nosso mundo é um mundo de tomadores de decisões muito falhos, que trabalham com informações impressionantemente incompletas e que comandam tecnologias que ameaçam todo o futuro da espécie".[1]

O que está adiante neste capítulo não é a história de nossa inevitável ignorância do futuro (a ser discutida no capítulo quatorze), mas a da ignorância culposa e da falta de preparação. Quando Hitler deu a ordem de invadir a URSS, em 1941, por exemplo, o exército alemão não teve tempo de se preparar para a invasão, de modo que as tropas tiveram de enfrentar os rigores de um inverno russo sem roupas adequadas. E os russos também foram então apanhados de surpresa. Quando Valery Legasov, chefe da comissão de investigação da explosão nuclear em Chernobyl, em 1986, notou a "falta de preparação na usina", ele a comparou com aquela falta de preparação para a invasão alemã: "Era 1941, mas em uma versão ainda pior".[2]

INCÊNDIOS, INUNDAÇÕES, FURACÕES E TERREMOTOS

Há demasiados casos na história de desastres naturais que acontecem depois que os alarmes iniciais foram ignorados. No início da Europa moderna, época na qual muitas casas eram construídas com madeira, as providências tomadas para combater os incêndios eram geralmente insuficientes, e o incêndio de cidades inteiras ou de grande parte delas era algo que ocorria regularmente. Na Escandinávia, por exemplo, Estocolmo foi queimada em 1625 e 1759, Copenhague, em 1728 e 1795, Christiania (hoje Oslo), em 1624 e Bergen e Uppsala, em 1702.

Uma conflagração ainda maior foi o Grande Incêndio de Londres, em 1666, começando por acidente em uma padaria por volta da meia-noite e se espalhando rapidamente entre as casas, em grande parte feitas de madeira, como resultado de ventos fortes. Alguns londrinos afirmaram que os católicos, naquela época uma minoria perseguida da população, tinham ateado o fogo deliberadamente. Isso exemplifica não apenas a força do boato quando a informação é escassa, mas também o que poderia ser descrito como "síndrome do bode-expiatório", uma espécie de paranoia coletiva que se manifesta na necessidade de tornar indivíduos ou grupos concretos responsáveis por um desastre que ninguém planejou nem mesmo esperava.

Aprendendo com a experiência, os londrinos reconstruíram sua cidade com tijolos, ao passo que um escritório de seguros abriu na cidade em 1681, logo seguido por outros.[3] Não se pode dizer que os primeiros habitantes dessas cidades ignorassem o perigo de incêndios, mas a consciência do perigo se tornou mais acentuada naqueles momentos, juntamente a medidas para limitar os danos e reduzir o impacto desse tipo de catástrofe.

No caso das inundações, alguns desastres notórios revelam uma falta de preparação culpável, mais uma vez como resultado de se ignorar o perigo. Não dá para dizer que esses casos possam ter advindo de simples ignorância, uma vez que os métodos do que hoje é chamado de "controle de enchentes" são conhecidos há muito tempo: identificação de áreas vulneráveis, drenagem, diques, barragens e assim por diante. Tomemos o caso da grande inundação do Mississippi, de 1927, que afetou dez estados norte-americanos, e na qual cerca de 600 mil pessoas perderam suas casas. A chuva recorde não poderia ter sido prevista, mas preparativos mais eficientes de longo prazo poderiam e deveriam ter sido feitos, como admitiu implicitamente a aprovação da Lei de Controle de Inundações do Mississippi, em 1928.[4]

O impacto dessa enchente do Mississippi foi maior entre os mais pobres, principalmente os afro-americanos. O mesmo aconteceu com outro grande desastre da história norte-americana, a inundação de Nova Orleans, em 2005, após a passagem do furacão Katrina. Como tinha sido o caso em 1927, o desastre revelou falhas na engenharia do sistema de proteção contra enchentes, bem como o que já foi descrito como "a organização involuntária da ignorância". A expressão "efeito Katrina" entrou na língua inglesa.[5]

Estudos sobre esse desastre enfatizam o "fracasso total dos esforços de ajuda do governo", especialmente o trabalho da Agência Federal de Gestão de Emergências (Fema).[6] Para aqueles que perderam suas casas, a agência forneceu abrigo temporário em veículos adaptados e barracas, mas relutou em colocar os evacuados em hotéis. O sistema de saúde não estava preparado para o desastre. Como furacões atingem Nova Orleans todos os anos, essa falta de preparação foi culpável. Os pobres, principalmente os afro-americanos, sofreram mais, porque possuíam menos recursos e viviam nas áreas baixas mais sujeitas a enchentes. A polícia impediu que algumas pessoas saíssem, enquanto muitos dos que ficaram não receberam ajuda. Para aqueles que foram desalojados, às vezes enviados para cidades distantes, o retorno se tornou tão difícil quanto a partida. As autoridades foram acusadas não só de indiferença ao sofrimento, mas também de racismo institucional. Quanto ao presidente George W. Bush, ele estava de férias quando o desastre aconteceu, não fez logo de pronto uma visita ao local e ainda elogiou o ineficiente diretor da Fema (que se demitiu logo em seguida) por fazer "um ótimo trabalho", quando, na verdade, tudo o que ele fez foi dar mais um exemplo de "muito pouco e tarde demais".

O furacão Katrina revelou o que poderia ser chamado de "distribuição social da ignorância". Os pobres, que viviam em zonas vulneráveis da cidade, estavam muito cientes dos perigos das enchentes. Aqueles em cargos mais altos, que viviam em bairros mais seguros e mais caros, não estavam. Eles ignoraram o conhecimento local não às suas próprias custas, mas às custas dos outros.[7] Esse tema é recorrente na história dos desastres, quando não na história em geral: aqueles que conhecem a situação local não têm o poder de agir, enquanto aqueles que têm o poder não têm o conhecimento necessário.

Os terremotos são os desastres naturais mais dramáticos, dadas tanto a velocidade com que acontecem como sua imprevisibilidade. Na Europa, o terremoto de Lisboa de 1755, que destruiu a cidade e matou de 10 mil a 30 mil pessoas, continua sendo o mais notório, embora seus efeitos pareçam pequenos em comparação aos terremotos que devastaram Sichuan em 2008 (com cerca de 90 mil mortos), destruíram Tóquio em 1923 (com 140 mil mortos) e o que destruiu Alepo em 1138 (com mais de 200 mil mortos, se os cálculos modernos estiverem corretos).

Foi o terremoto de Lisboa que, graças à circulação de informações em revistas que eram, então, recém-fundadas, provocou um debate sobre as causas de tais "catástrofes" – uma palavra nova em meados do século XVIII, ou, mais exatamente, um novo significado para uma palavra antiga, que deixava de ser um termo técnico na discussão do drama teatral para se tornar um sinônimo de "desastre". Uma resposta ao desastre de Lisboa, o ensaio de Immanuel Kant sobre as causas dos terremotos (1756), enfatizava a ignorância humana a respeito das profundezas da Terra.

Alguns estudiosos se referem ao que eles chamam "a invenção da catástrofe" no século XVIII.[8] Essa expressão vívida não faz justiça às noções tradicionais dos quatro cavaleiros do Apocalipse e ao iminente fim do mundo.[9] Entretanto, uma mudança importante ocorreu: da noção de desastre como algo inevitável para a crença em algo que pode, sim, ser evitado, se e quando houver a combinação do conhecimento com a vontade de agir.

FOMES

As fomes podem ser desastres naturais no sentido de que o tamanho da colheita depende do clima, mas são desastres causados pelo homem no sentido de que geralmente resultam de falhas das autoridades: tanto falhas no gerenciamento de riscos concernentes ao fornecimento de alimentos, que poderiam ser sanadas pela construção de armazéns públicos, quanto falhas para responder com rapidez suficiente às crises, sanáveis por meio da importação de alimentos de outros lugares. Mais de 2 milhões de pessoas morreram em consequência da fome de

Bengala de 1770, e mais cerca de 3 milhões na fome de Bengala de 1943-1944. A fome irlandesa de 1845-1846 levou à morte de 1 milhão de pessoas e à emigração de mais 1 milhão. Na fome da Etiópia, em 1983, mais de 1 milhão de pessoas morreram. Mais de 3 milhões de pessoas morreram na fome da Ucrânia em 1932-1933, embora isso não tenha sido resultado da ignorância oficial, mas sim das ordens de Stálin para confiscar a colheita.

Bengala e Irlanda oferecem mais exemplos da ignorância colonial discutida anteriormente, no capítulo onze. Em 1770, Bengala foi administrada pela Companhia Britânica das Índias Orientais. Quando a fome surgiu, alguns funcionários da companhia tentaram impedir a acumulação e mesmo a exportação de arroz e distribuíram alimentos para os famintos. No entanto, as medidas para aliviar a fome foram inadequadas, como reconheceu o novo governador-geral, Warren Hastings, quando ordenou a construção de celeiros públicos.[10]

Uma segunda fome ocorreu em Bengala, em 1943, quando aquela parte do mundo fazia parte do Império Britânico. Dessa vez, a resposta oficial foi ainda pior do que apenas "inadequada", já que o governo da província simplesmente *negou* que estivesse ocorrendo uma fome. A distribuição de alimentos, principalmente em Calcutá, era muito pouca e, mais uma vez, chegava tarde demais. Em Bengala, havia um caos administrativo. Quanto à Inglaterra, lorde Wavell, que chegou como vice-rei durante a fome, escreveu a Winston Churchill reclamando de que "os problemas vitais da Índia estão sendo tratados pelo governo de Sua Majestade com negligência, às vezes até com hostilidade e desprezo".[11] Jawaharlal Nehru concordou, descrevendo a resposta britânica (ou a falta dela) como um exemplo de "indiferença, incompetência e complacência".[12]

O jornalista Kali Charan Ghosh, que experienciou a fome em primeira mão e escreveu sobre ela na época, observou que "as medidas capazes de evitar grandes calamidades [...] foram descartadas ou completamente ignoradas" e que funcionários de alto escalão tentaram "se livrar da responsabilidade sob um manto de falsa ignorância".[13] O veredito do economista Amartya Sen, que testemunhou a fome quando criança, é o de que aquele desastre revelou "o óbvio fracasso do governo em antever a fome e em reconhecer que ela estava acontecendo".

Em resumo, os britânicos haviam ignorado a possibilidade da fome e, quando ela chegou, eles não queriam saber a respeito.[14]

A Grande Fome Irlandesa de 1845, outro exemplo de ignorância imperial, foi o resultado do fracasso do cultivo da batata, da qual a maioria da população dependia, agravado pela falta de resposta do governo britânico. Mais uma vez, as medidas tomadas foram poucas demais e muito tardias. Charles Trevelyan, funcionário público que havia trabalhado em Bengala, foi encarregado da assistência contra a fome na Irlanda. Porém, ele acreditava na inação oficial (*laissez-faire*), e inclusive descreveu a fome em um artigo sobre "A crise irlandesa" na revista *Edinburgh Review* (1848) como "um golpe direto da Providência, que é onisciente e misericordiosa", ou, em outras palavras, disse que ela era uma forma de livrar a Irlanda de um campesinato ocioso por meio da morte ou da migração.[15] O primeiro-ministro conservador Robert Peel organizou carregamentos de milho para a Irlanda, mas eles demoraram muito tempo para chegar, enquanto outros atrasos se seguiram, pelo fato de os moinhos irlandeses não estarem equipados para moer o milho. Peel também tentou revogar as tarifas que mantinham alto o preço do grão (as "Leis do Milho"), mas não foi capaz de fazê-lo, por causa da oposição dentro de seu próprio partido, que representava os donos de terras.[16]

Outros exemplos coloniais vêm da África sob domínio britânico, onde era "impressionante a frequência com que os funcionários coloniais ignoravam ou eram insensíveis às condições do povo que governavam [...] Às vezes, a negligência colonial simplesmente refletia a natureza mal-informada da administração". No caso da fome no norte da Nigéria, em 1908, a administração em Lagos "aparentemente não sabia nada sobre a fome até ler a respeito dela em um relatório anual".[17]

A Grande Fome na China, entre 1959 e 1962, faz com que todos os outros exemplos pareçam pequenos. Faltam números confiáveis, e as estimativas variam muito, mas é provável que cerca de 30 milhões de pessoas tenham morrido. Assim como na URSS de Stálin, a fome foi o resultado direto das políticas do líder – uma mistura, nesse caso, de ignorância e arrogância de um indivíduo "certo demais de sua própria genialidade e infalibilidade".[18] Em seu relato completo da fome, o historiador holandês Frank Dikötter raramente, ou talvez nunca, usa a palavra "ignorância", mas ele descreve uma série de situações durante o governo de Mao Zedong para as quais esse termo parece particularmente apropriado.

Em 1956, Mao pediu "aumentos irrealistas na produção de grãos, algodão, carvão e aço". Em 1957, um ambicioso programa de irrigação incluiu uma represa no Rio Amarelo, que foi construída às pressas com o uso de trabalhos forçados, ignorando conselhos de especialistas, e que, como resultado, nunca foi adequada para uso.[19]

Mao também iniciou o que ficou oficialmente conhecido como o Grande Salto à Frente, uma tentativa de alcançar o Ocidente por meio da rápida industrialização, realizada – como previa a teoria maoísta da revolução – não pelo proletariado, mas pelos camponeses, que fabricavam aço em pequenos fornos em seus quintais. Só que eles não haviam sido treinados para fazer isso e ignoravam todo o procedimento. O resultado foi que a maioria dos lingotes de ferro que eles produziram eram inúteis.[20]

Pior ainda foi o efeito, na agricultura, da retirada de um grande número de trabalhadores da semeadura e da colheita para participar do Grande Salto. Mais de 16 milhões de camponeses foram transferidos para o setor industrial e deslocados para as cidades. Ao mesmo tempo, o governo ordenou a substituição de pequenas fazendas particulares por grandes fazendas coletivas. Essa política levou a uma grave escassez de alimentos e, mais tarde, à fome. Mao ordenou um aumento na produção de grãos e visitou a área rural para monitorar o progresso, mas suas visitas foram cuidadosamente gerenciadas, repletas de encenação. Em um caso notório do "efeito Potemkin", foi plantado arroz ao longo de toda a rota das visitas apenas para causar boa impressão. "Toda a China era um palco, e todas as pessoas eram atores em uma superprodução para Mao."[21] Sinais de alerta apontando um desastre já eram visíveis em 1958, mas o regime os ignorou. Mais uma vez, os que estavam no poder não tinham conhecimento (ou não queriam saber), enquanto os que tinham o conhecimento não tinham poder para agir. Erros e roubos eram encobertos. Como acontece com tanta frequência em regimes autoritários, as estatísticas de produção eram falsificadas para mostrar que as metas haviam sido atingidas ou até mesmo excedidas.[22] Em resumo, a fome chinesa foi o resultado não intencional, mas direto, de um planejamento central a serviço de um objetivo irrealista, com um rápido aumento da produção industrial em uma sociedade que ainda era fundamentalmente agrária.

EPIDEMIAS

Muitos exemplos vívidos das consequências da ignorância vêm da história das doenças. Nos últimos cinquenta anos, a humanidade sofreu os ataques de quatro novas doenças importantes: o ebola, em 1976, a aids, em 1981, a SARS, em 2002 e a covid-19, a partir de 2020. À medida que o presente muda, o passado é visto sob novos ângulos. Não é de se admirar, portanto, que os historiadores estejam voltando ao estudo de grandes surtos de doenças do passado. Tais grandes surtos ou pandemias incluem a peste bubônica, na Ásia e na Europa, em 1348-1349; a varíola, na América Central e América do Sul, nos anos 1520; um retorno da peste bubônica no século XVII (no norte da Itália, em 1630, em Londres, em 1665); a cólera, na Europa, do século XIX (de Londres, em 1854, a Hamburgo, em 1892); e a gripe espanhola, que se espalhou ao redor do globo em 1918. Todas essas pandemias apanharam de surpresa tanto os doentes quanto os médicos. Todos ignoravam igualmente a origem daquelas doenças, o meio pelo qual elas se espalhavam e as maneiras como essa propagação poderia ser limitada, ou ainda como os que delas sofriam poderiam ser curados.

A PESTE NEGRA

Em 1348-1349, a rápida disseminação da peste bubônica, desde sua origem, no planalto Qinghai tibetano, juntamente ao enorme número de mortes (cerca de 50 milhões só na Europa), foi um evento traumático.[23] As pessoas estavam desesperadas por uma explicação para seu advento, bem como por uma cura ou pelo menos uma forma de prevenção daquela praga assassina, que era ainda mais temível pelo fato de que sua transmissão era feita de forma invisível. Uma pretensa "teoria" dominante na época era a de que a peste era obra de Deus, que estava punindo as comunidades por seus pecados. Outra crença comum era a de que os judeus eram responsáveis pela peste ao envenenar os poços, mais um exemplo dramático daquela "síndrome do bode-expiatório". Muitos médicos acreditavam que a peste fosse transmitida pelo miasma, ou seja, por "ar corrompido" – uma explicação há muito rejeitada pelos historiadores como exemplo de pura ignorância, mas invocada mais uma vez pelos epidemiologistas atuais no caso do novo coronavírus.

Também se acreditava que a peste entrasse no corpo por meio do olfato, o que encorajava os médicos a usar máscaras, e outros, que podiam se dar a esse luxo, a se defender com o chamado "pomandro" (uma laranja cheia de especiarias presa ao nariz). Só mais tarde foi descoberto que as pulgas e seus hospedeiros, os ratos pretos, eram responsáveis pela propagação da doença.

As crenças das pessoas da época moldaram suas respostas à epidemia. Para aplacar a ira de Deus, as pessoas saíam em procissão, às vezes se chicoteando para demonstrar seu arrependimento – e as procissões, assim como igrejas lotadas, na verdade aumentavam a probabilidade de propagação da doença por meio do contato físico. Uma segunda resposta foi atacar os judeus. Houve *pogroms* em Toulon, em 1348, por exemplo, e em Barcelona, Erfurt e Basileia, em 1349.[24]

Os europeus levaram muito tempo para esquecer a praga de 1348, que ficou conhecida como "peste negra". As lembranças dela eram regularmente reavivadas, já que a peste se repetia com frequência, embora em menor escala do que antes. Em Milão, em 1630, cerca de 60 mil pessoas morreram, metade da população da cidade. Os londrinos lembraram o "grande ano da peste" entre 1665 e 1666, quando o número de mortes foi superior a 70 mil. O último grande surto ocorreu em Marselha, no ano 1720, quando morreram 50 mil pessoas.[25]

No século XVII, cidades europeias já haviam se organizado para combater a peste, especialmente na Itália. A prática da quarentena – a primeira forma de *lockdown* – remonta pelo menos até o século XIV, quando os passageiros dos navios que chegavam a Veneza vindos de portos em regiões infectadas não podiam desembarcar por quarenta dias. No século XVII, um conjunto de medidas já estava em vigor. Após a notícia de que a peste estava se espalhando, as fronteiras eram fechadas, os conselhos de saúde pública eram formados, os passes de saúde eram emitidos e as roupas e os móveis infectados eram queimados. Alguns médicos alertaram o público sobre o perigo para os participantes de procissões e reuniões públicas. Um professor da Universidade de Pisa, Stefano di Castro, alegou que os pobres eram voluntariamente ignorantes, recusando-se a se distanciar de qualquer pessoa infectada.[26]

Os rumores continuaram a florescer, como de fato ainda florescem em situações semelhantes. Em Milão, em 1630, alegou-se que a peste fora deliberadamente espalhada por pessoas conhecidas como *untori*, que haviam pintado as paredes da cidade com uma substância venenosa. Alguns indivíduos foram presos e levados a julgamento por esse delito. Em Florença, uma pessoa escreveu em seu diário: "a peste em Milão foi causada por homens maus com venenos [...] que envenenam a água benta nas pias batismais das igrejas".[27] Os pregadores em Florença e em outros lugares continuaram a apresentar a peste como um castigo divino pelos pecados da comunidade, e as procissões continuaram a acontecer.[28]

Os florentinos não foram as últimas pessoas a pensar e se comportar dessa maneira. Durante a epidemia de febre amarela no Rio de Janeiro, em 1849, ela foi descrita nos jornais como um exemplo de "justiça de Deus", enquanto procissões de confrarias religiosas foram organizadas a fim de pedir ajuda aos protetores tradicionais contra a peste, São Roque e São Sebastião.[29]

VARÍOLA

A varíola, que era endêmica na Europa, transformou-se em uma epidemia no Novo Mundo. A partir dos anos 1520, logo após a chegada dos conquistadores espanhóis, a varíola, juntamente ao tifo e ao sarampo, matou a maioria da população do México e do Peru. A população do México em 1518 é hoje estimada entre 9 e 25 milhões de pessoas, e foi reduzida a 1 milhão em 1603. A população do Peru estava entre 5 e 9 milhões quando Francisco Pizarro e seus homens chegaram, em 1528, chegando a 600 mil um século depois. Os espanhóis, que devem ter carregado a doença consigo do Velho Mundo, foram poupados. A chegada da doença, juntamente a sua rápida e fatal propagação, foi um choque tanto para os conquistadores quanto para os conquistados, um evento totalmente inesperado.[30]

Os historiadores atualmente explicam a variação na vulnerabilidade entre a minoria espanhola e a maioria indígena pelo fato de que os nativos não tinham desenvolvido imunidade como os espanhóis. No século XVI, no entanto, não havia ainda o conceito de "imunidade", e assim a razão para a disseminação desigual da doença era desconhecida.[31]

Mais adiante na história do Novo Mundo, já se sabia mais sobre a varíola, pelo menos por parte dos conquistadores. Era até possível imaginar usar a doença como uma arma de destruição em massa. Em 1763, lorde Jeffery Amherst, oficial do exército britânico, tentou reprimir a rebelião de Pontiac (que ganhou o nome de seu líder, um chefe da nação dos ottawas) mandando cobertores infectados com varíola para os rebeldes. "Não seria forçado demais enviar a varíola para as tribos desses índios descontentes?", escreveu Amherst a um de seus subordinados. Mais tarde, ele aprovaria o estratagema dos cobertores "para extirpar essa raça execrável". Atualmente, "lorde Jeff" tem a péssima reputação de ter sido um pioneiro na guerra biológica.[32]

Quanto às medidas preventivas, a inoculação contra a varíola, uma prática há muito conhecida na China e no Oriente Médio, tornou-se tema de um debate vigoroso antes de ser adotada na Europa do século XVIII. Uma de suas principais defensoras era a nobre inglesa Lady Mary Wortley Montagu, esposa do embaixador britânico junto ao sultão otomano. Lady Mary já havia se recuperado da varíola, mas aprendeu sobre aquela prática local enquanto vivia em Istambul, e então fez campanha para sua adoção na Inglaterra quando retornou. Sua campanha enfrentou forte oposição daqueles que não queriam saber sobre a inoculação.[33]

Uma técnica mais segura de vacinação, usando um vírus retirado de vacas, espalhou-se rapidamente pelo mundo no século XIX, apesar de enfrentar um movimento de resistência em alguns lugares. Um caso dramático dessa resistência ocorreu no Rio de Janeiro, em 1904.[34] A varíola estava disseminada, e o prefeito então ordenou a demolição das favelas e dos cortiços como parte de uma campanha de higiene que também tinha como objetivo eliminar a peste bubônica e a febre amarela. Muitas pessoas pobres se ressentiram de serem desalojadas de suas casas e da invasão de sua privacidade por parte dos inspetores de saúde. Outras pessoas ainda, de diferentes grupos sociais, opuseram-se à nova lei que tornava a vacinação obrigatória. O Rio se tornou cenário de batalhas entre multidões jogando pedras e garrafas e a polícia montada investindo contra elas e disparando seus revólveres.

Ver isso que ficou conhecido como a "Revolta da Vacina" como algo simplesmente impulsionado pela ignorância da medicina seria por si só simplista. Foi também uma resposta furiosa ao que era visto como uma interferência na vida das pessoas pelas autoridades, em uma cidade com um histórico de tumultos, de "quebra-quebra", como se diz em português, que continua a ocorrer até os dias de hoje. Para usar uma frase que certamente lembrará os leitores atuais da campanha Black Lives Matter, de 2020, um cidadão negro, perguntado por um repórter sobre o motivo da revolta, respondeu: "Para mostrar ao governo que ele não pode colocar o pé no pescoço do povo".[35]

Contudo, a vacina foi mais do que um pretexto para a revolta. Para complicar a situação, o Rio era cenário de um choque entre duas culturas: a cultura da medicina científica moderna e a cultura tradicional africana dos ex-escravos, cada uma com seus próprios diagnósticos e curas.[36] A ignorância a respeito da vacina desempenhou um papel importante, tal como fez no caso do vírus da covid-19, em 2020. Muitos dos pobres eram analfabetos e só obtinham informações por meio de boatos, alguns dos quais afirmavam que a vacina era uma doença ou um veneno. Um observador, o Dr. Romualdo Teixeira, enfatizou a ignorância dos resistentes, enquanto outro, o poeta e jornalista Olavo Bilac, descreveu a revolta como a exploração dos ignorantes pelos astuciosos.[37]

CÓLERA

O século XIX testemunhou outro grande debate entre os médicos europeus, dessa vez a respeito do contágio. Um surto de febre amarela em Barcelona, em 1822, foi usado como caso de teste pelo médico francês Nicholas Chervin para mostrar que a doença não havia se propagado por contato humano, como geralmente se supunha.[38] Foi a vez de a cólera trazer à tona a ignorância quando se espalhou da Índia, onde era endêmica, para o Oriente Médio, a China, o Japão e a Europa. Em alguns lugares, como na Prússia, em 1830, e na Rússia, em 1848, ela atingiu as proporções de uma epidemia. A crise provocou um debate sobre como se dava a transmissão da cólera e qual a melhor maneira de combater a doença.

Na Inglaterra, por exemplo, um grande surto de cólera ocorreu em 1832. A visão de que Deus enviara a epidemia como punição pelos pecados da comunidade ainda era atual na época e encorajava o ressurgimento dos metodistas. Os debates continuaram a acontecer entre os partidários do contágio e do miasma, e as opiniões por muito tempo permaneceram divididas sobre os melhores meios de combater a epidemia, fosse por meio de quarentena (à qual os comerciantes resistiam, tal como em 2020), fosse pela queima de roupas e móveis. O governo, "diante de duas políticas impopulares, e sem nenhuma justificativa científica premente para nenhuma delas, escolheu, como muitos governos na mesma posição, fazer um pouco de cada e acabou não fazendo bem nenhuma das duas".[39]

Grupos diferentes responderam à epidemia de diferentes maneiras. A classe média culpou a classe trabalhadora, estereotipada como imunda, pobre e embriagada. A classe trabalhadora, ou parte dela, negou que houvesse uma epidemia em curso, chamando a reivindicação de "farsa".[40] Houve tumultos em Manchester contra as regulamentações impostas pelos conselhos de saúde. A ignorância mais uma vez teve um papel importante: houve "falhas de autoridade, falhas de informação e falhas de conhecimento". "Toda investigação efetiva sobre a natureza e as causas da cólera era prejudicada pela ausência de qualquer comunidade de pesquisa em medicina", bem como pela falta de microscópios de alta potência.[41]

Florence Nightingale, que construiu sua reputação como enfermeira tratando de vítimas da cólera no exército britânico durante a Guerra da Crimeia (1853-1856), acreditava firmemente em lavar as mãos. Nesse aspecto, ela foi uma pioneira, tal como Edwin Chadwick, reformista cujo relatório sobre condições insalubres levou à aprovação da Lei de Saúde Pública no Reino Unido, em 1848. Esses exemplos nos lembram da ignorância generalizada acerca da higiene naquela época. À medida que a consciência de sua importância se espalhou entre as classes médias, o desconhecimento a respeito de higiene passou a ser associado às classes trabalhadoras. Nos Estados Unidos, a classe média associou essa forma de ignorância com imigrantes do sul e do leste da Europa, e o ensino da higiene se tornou parte das campanhas de "americanização".[42]

Em outro aspecto, Nightingale seguia a tradição: acreditava firmemente na tradicional teoria do miasma para a transmissão de doenças.[43] Foi somente no curso de um surto de cólera em Londres, em 1854, que o cirurgião John Snow, agindo como um detetive, seguiu pistas e rastreou a difusão local da doença até uma bomba d'água perto da estação da Rua Liverpool, e assim ofereceu provas circunstanciais para sua teoria de que a doença se espalhava por meio da água contaminada por resíduos humanos – conclusão a que ele chegara quando notou que a doença começava no estômago. Ele sugeriu, então, a limpeza da água com cloro.[44]

Na França, Louis Pasteur, usando uma nova geração de microscópios, argumentou que algumas doenças eram transmitidas por microorganismos, também conhecidos como "bactérias", "micróbios" ou "germes". Na Alemanha, o Dr. Robert Koch, que havia sido enviado ao Egito, em 1883, para investigar uma epidemia de cólera naquele país, apoiou a teoria dos germes de Pasteur. Quando um grande surto de cólera ocorreu em Hamburgo, em 1892, Koch foi para lá para tentar detê-la. O fato de que Hamburgo – onde o suprimento de água vinha diretamente do rio – passava por aquele sofrimento, enquanto sua cidade vizinha, Altona – onde a água era filtrada –, estava sendo poupada, demonstrou em grande escala o que Snow havia notado no nível micro da bomba paroquial e levou à aceitação da teoria dos germes, salvando assim muitas vidas.[45]

OS SÉCULOS XX E XXI

O conhecimento médico marcha *pari passu* com a ciência, mas, como o novo coronavírus de 2019 tornou bastante público, quando uma nova doença ataca, todos são ignorantes. Embora a gripe não seja um fenômeno novo, novas cepas do vírus estiveram ativas na epidemia de 1918-1919. Aquela epidemia representou algo sem precedentes na escala em que se espalhou, na esteira da Primeira Guerra Mundial e como resultado da própria guerra. Novas variantes foram criadas quando forças norte-americanas e norte-africanas se encontraram com as europeias no norte da França, enquanto a desnutrição nos anos de guerra tinha tornado muitas pessoas mais vulneráveis à doença do que teriam sido em tempos normais.[46]

Em nossa época, um século depois, as chances de uma epidemia se espalhar rapidamente pelo mundo aumentaram muito, graças à globalização e ao aumento das viagens intercontinentais. Certamente não foi por acaso que as quatro novas doenças mencionadas anteriormente apareceram no último meio século, desafiando médicos e epidemiologistas a transformar sua ignorância inicial em conhecimento, e seus novos conhecimentos em práticas que salvam vidas.

A primeira dessas doenças foi o ebola, identificado em 1976 após surtos em duas partes da África, o Sudão do Sul e o Zaire (atual República Democrática do Congo). A busca por uma vacina só chegou a uma conclusão bem-sucedida em 2019. A segunda epidemia, a da aids, também teve origem na África, saltando dos chimpanzés para os humanos e se espalhando de Kinshasa para o Haiti e depois para os Estados Unidos. O HIV, vírus responsável pela doença, foi identificado por diferentes grupos de pesquisadores no início dos anos 1980. As respostas a ela ainda incluem, até hoje, casos de "síndrome do bode-expiatório". Na URSS, foi alegado que o governo dos Estados Unidos tinha criado o vírus como uma arma biológica. Fontes chinesas fizeram afirmações semelhantes no caso do vírus da covid-19.

A terceira epidemia foi a da SARS, que se espalhou do sul da China para Hong Kong, Toronto e outros lugares. A ignorância ajudou na propagação: em Hong Kong, alguns cidadãos criticaram o governo por não ter fornecido informações sobre a doença com rapidez suficiente. O novo coronavírus de 2019 (chamado SARS-CoV-2) é – pelo menos do ponto de vista do agente – uma cepa mais bem-sucedida do coronavírus da SARS (chamado SARS-CoV). Mais uma vez, a doença começou na China e, mais uma vez, o governo foi culpado por não informar o público com rapidez suficiente sobre o perigo. Teorias conspiratórias floresceram novamente. O senador republicano norte-americano Rick Scott alegou que o governo chinês "intencionalmente" permitiu a propagação do vírus e tentou "sabotar" a busca por uma vacina. Outro senador republicano, Tom Cotton, chamou o vírus de "arma biológica" chinesa. Na China, por outro lado, a mídia colocou a culpa do vírus nas forças armadas dos Estados Unidos.[47] Como no Rio de Janeiro, em 1904, surgiu um movimento antivacina nos Estados Unidos e em outros lugares.

A ignorância é muitas vezes embasada em preconceitos. Levou muito tempo para os médicos reconhecerem o papel dos insetos, pássaros e animais – sem mencionar os micro-organismos – na transmissão de epidemias. Eles ignoraram a importância das pulgas e dos ratos no caso da peste bubônica, das moscas e dos piolhos no caso do tifo, das aves na gripe de 1918, dos macacos no caso do HIV e dos morcegos na SARS. Em uma sociedade hierárquica, era particularmente difícil imaginar que meros insetos, como pulgas e piolhos, vistos como inferiores aos outros animais, assim como aos humanos, pudessem matar milhões de pessoas. Nesse caso, a arrogância humana certamente produziu sua nêmesis.

13

Segredos e mentiras

O segredo, por ser um instrumento de conspiração, nunca deve ser o sistema de um governo comum.
Jeremy Bentham

A principal tarefa da história social da ignorância foi descrita no começo deste livro, em uma fórmula adaptada do cientista político norte-americano Harold Lasswell. Consiste em descobrir "*quem* ignora *o quê*, *quando*, *onde* e com que *consequências*". Este capítulo vai além da fórmula, porque, como outros estudos recentes sobre a ignorância, ele se preocupa com as maneiras como indivíduos e grupos que são detentores de certos tipos de conhecimento tentam manter esse conhecimento longe de outros grupos, sejam eles inimigos, concorrentes ou o público em geral.[1] Essas pessoas permitem, mantêm, encorajam, exploram ou até mesmo exigem ignorância por parte de seus alvos. Daí a necessidade de perguntar: *quem* quer que *quem* não saiba *o quê* e por *quais motivos*? Quem tem o poder (as oportunidades e os recursos) para fazer isso, e quais são as consequências de suas ações?

Quanto aos métodos empregados, eles podem ser resumidos como "segredos e mentiras", tomando emprestado o título do filme de Mike Leigh. Esses termos podem ser expandidos para incluir negação, desinformação, *fake news* (notícias falsas) e "acobertamentos" (ou, para usar uma expressão corrente, "manter na surdina"). As práticas a que essas palavras se referem são muito mais antigas do que os próprios termos – na verdade, muito mais antigas do que geralmente se pensa, como este capítulo tentará demonstrar. O que chamamos hoje de *fake news* era conhecido em inglês no século XIX como "relatos falsos" [*false reports*], algo que muitas vezes tomava a forma de boatos. Aquilo que, seguindo a *glasnost* de Mikhail Gorbachev, ficou conhecido para nós como "transparência" já era descrito no século XIX como "publicidade" (como em "tornar algo público", "dar publicidade a algo"). O termo ocorre nos escritos de Jeremy Bentham sobre a teoria política e jurídica, nos quais ele clamava para que "as portas de todos os estabelecimentos públicos [...] fossem abertas para todo o conjunto de curiosos em geral". Quanto ao termo russo "*dezinformatsya*", que em português se torna "desinformação", ele é na verdade um eufemismo para o termo mais tradicional "mentiras".

A história contada neste capítulo é essencialmente um relato do conflito recorrente entre transparência e opacidade, fechamento e divulgação, os "vazamentos" e os "encanadores" que os "consertam", incluindo áreas cinzentas substanciais entre esses extremos. Nem a transparência absoluta nem a opacidade absoluta são possíveis ou, com certeza, até mesmo desejáveis. Governos, igrejas, corporações e outras instituições, naturalmente, tentam manter seus segredos a salvo. Eles empregam uma série de meios para esse fim, incluindo censura, códigos e negação oficial.

Em contrapartida, governos e corporações também desejam descobrir os segredos de outros, e para isso empregam espiões, decifradores de códigos e, mais recentemente, *hackers*. Jornalistas investigativos, ajudados por denunciantes, são especializados em trazer segredos à luz, descobrindo o que foi encoberto. Às vezes quem ganha esse jogo de esconde-e-mostra são os que atacam, e às vezes são os que defendem, mas, enquanto alguns segredos forem mantidos, será sempre impossível dizer qual dos lados ganha com mais frequência.

O que se segue tentará distinguir entre o que poderia ser chamado de segredo "comum", especialmente por parte de governos e empresas, e as tentativas "extraordinárias" de encobrir notícias sobre eventos particulares que envergonham as pessoas em altos cargos.

SEGREDOS DE ESTADO

Já há muito tempo, os governos estão bem cientes da importância dos chamados segredos de Estado (para usar a expressão do historiador romano Tácito, *arcana imperii*). No início da Europa moderna, a impostura era frequentemente discutida em comentários a respeito de Tácito (especialmente em suas observações sobre o imperador Tibério) e em tratados acerca das "razões de Estado". Maquiavel escreveu um famoso relato sobre a enganação no capítulo quinze de *O príncipe*, observando que um governante não precisa *ser*, mas sim *parecer* "misericordioso, confiável, humano, íntegro e devoto". Por sua vez, os cortesãos eram bem aconselhados a esconder seus pensamentos e sentimentos na presença do príncipe. Falar a verdade ao poder era perigoso, ao passo que ocultar as opiniões era algo associado à prudência.

A arte de enganar foi recomendada a particulares em três discussões que se tornaram clássicos: o ensaio de Francis Bacon chamado "Da simulação e dissimulação" (1597); o ensaio "Da dissimulação honesta" (*Della dissimulazione onesta*, 1641), do secretário napolitano Torquato Accetto, que afirmava ser o título uma parte essencial de um comportamento bem-educado; e o manual do jesuíta espanhol Baltasar Gracián sobre a arte da prudência (*Oráculo manual y arte de prudencia*, 1647).

Bacon distinguia três graus de ocultação da verdade: o segredo; "a dissimulação em sentido negativo, que é quando um homem dá sinais e argumentos de que ele é aquilo que não é"; e "a simulação, no sentido afirmativo, que é quando um homem, industriosa e expressamente, simula e finge ser o que ele não é". O escritor oferece o que poderia ser descrito hoje como uma análise de custo-benefício das vantagens e desvantagens dos três graus, concluindo que a melhor escolha é "ser aberto quanto à reputação e à opinião; manter sigilo quanto aos hábitos; apelar à dissimulação em momento oportuno; e ter o poder de fingir, se não houver outro remédio".[2]

Quanto a Gracián, seu livro descreve a vida como uma luta perpétua entre a dissimulação e sua detecção. O indivíduo prudente dissimula, uma vez que "o jogador que mostra suas cartas corre o risco de perder o jogo". Por outro lado, um observador atento é capaz de "decifrar" os sinais e descobrir o que realmente está acontecendo. Para um historiador social, há algo a ser aprendido no fato de que, embora o autor tenha apresentado seu manual como um guia para a vida em geral, ele circulou em tradução como um guia para a vida na corte.³

Durante o Iluminismo, a dissimulação se tornou uma questão de debate. O jovem Frederico, o Grande (que seria rei da Prússia entre 1740 e 1772), por exemplo, publicou uma crítica a Maquiavel (*L'Anti-Machiavel*, 1740) na qual ele rejeitava a ideia de que um governante pudesse recorrer à enganação. Mais tarde em sua vida ele mudou de ideia, descrevendo o povo como "essa massa estúpida, feita para ser conduzida por aqueles que se dão ao trabalho de enganá-la" (*Le peuple... cette masse imbécile, et faite pour être menée par ceux qui se donnent la peine de la tromper*).⁴

Quatro décadas depois de *L'Anti-Machiavel*, o filósofo Jean d'Alembert sugeriu a Frederico que, para sua premiação de ensaios, a Academia de Berlim deveria escolher a pergunta "Será que pode ser útil enganar o povo?" (*S'il peut être utile de tromper le peuple*). Isso foi feito em 1780, e ainda incluiu uma expressão que estendeu o tópico para além de "levar o povo a erros", a fim de incluir também "mantê-lo no erro", o que hoje é conhecido como "produção de ignorância". Quarenta e dois ensaios foram apresentados nesse concurso.⁵ Se fosse hoje, os ensaios escritos para uma competição nesses moldes provavelmente se concentrariam nas ações dos governos e das grandes corporações. Em lugar disso, em 1780, os concorrentes enfatizaram os "impostores na religião".

CENSURA

Quando segredos eram colocados em forma escrita, a mensagem podia ser codificada. Códigos e cifras têm uma longa história, mas estavam se tornando cada vez mais sofisticados no século XVI, com a ajuda de matemáticos como François Viète, que trabalhou para os reis Henrique III e Henrique IV da França.⁶

Outra forma importante de os governos protegerem seus segredos era a censura, negando permissão para se publicarem textos que se acreditava serem sediciosos ou para revelar informações úteis aos inimigos, e removendo passagens com conteúdo mais delicado de livros e jornais. No início da Europa moderna, as publicações eram geralmente sujeitas a uma dupla censura, tanto religiosa quanto política.

A censura católica tomou a forma do *Index Librorum Prohibitorum*, o Índice de Livros Proibidos (um catálogo impresso de livros que os fiéis deveriam ignorar). Esse é, logo de pronto, o caso mais conhecido de censura religiosa, o mais difundido e o mais duradouro (do início do século XVI ao meio do século XX). A censura protestante foi igualmente severa, mas menos eficaz, porque foi descentralizada e dividida por denominação.

A censura secular se desenvolveu mais tarde do que sua variante religiosa, e cada nação tinha suas próprias regras, que eram mais ou menos rigorosas. De acordo com a Lei de Licenciamento inglesa de 1662, por exemplo, os livros de direito tinham de ser inspecionados pelo lorde chanceler (um alto cargo no Estado inglês), e os livros de história, que eram considerados particularmente perigosos, por um secretário de Estado.[7] O sistema francês de censura – assim como sua evasão – é mais conhecido, especialmente durante o Iluminismo, quando pelo menos mil livros foram banidos na primeira metade do século; mas esses livros proibidos eram contrabandeados para dentro da França a partir da vizinha Suíça ou da República Holandesa, onde a censura era menos rigorosa do que em qualquer outro lugar.[8]

A censura eclesiástica continuou no século XIX e até mesmo no século XX. A última edição do Índice de Livros Proibidos foi publicada já em 1948 e continuou a condenar Voltaire, como nos disse um professor de minha escola jesuíta certa vez, deixando claro que ele achava essa proibição bastante anacrônica. Entretanto, a censura secular foi dominante no século XIX, e a atenção dos censores passou dos livros para os jornais, as caricaturas políticas e o teatro. Na França, na época de Napoleão III, o famoso caricaturista Honoré Daumier tinha problemas com os censores o tempo todo.[9] Na Rússia, nos últimos anos dos czares, Anton Tchekhov experimentou problemas semelhantes no caso tanto de seus contos quanto de suas peças.

Um dos sistemas mais rigorosos foi a Lei de Imprensa, de 1819, que fazia parte dos "Decretos Carlsbad" e se aplicava à Áustria e a dez estados alemães, incluindo a Prússia. As obras do poeta e jornalista Heinrich Heine foram proibidas na década de 1830, enquanto Karl Marx foi forçado a fugir para Paris em 1843, após a supressão da revista para a qual ele escrevia.[10]

O regime austríaco na Lombardia proibiu as obras de Maquiavel, bem como as de Voltaire e Rousseau. A censura no Império Habsburgo se tornou mais branda depois de 1848, mas os escritores aprenderam a se policiar para evitar problemas. Foi talvez sua experiência desse regime, pelo menos como leitor de jornais, que levou Freud a apresentar sua ideia de um censor interno, inconsciente. Outro sistema rígido foi o russo, especialmente sob o comando do czar Nicolau I, entre 1825 e 1855. O jornalista Alexander Herzen deixou a Rússia em 1847 para fugir da vigilância da polícia. Em Londres, ele fundou a Free Russian Press (Imprensa Russa Livre) e um jornal chamado "O Sino" (*Kolokol*), no qual opiniões poderiam ser expressas sem preocupação com os censores.

Escritores que permaneceram em regimes autocráticos, mas desejavam criticar o sistema político, recorreram ao que era conhecido como "o método de Esopo", ou seja, alegorias do tipo empregado nas famosas *Fábulas*, de Esopo, nas quais animais representam os humanos. Um lugar remoto ou uma era distante muitas vezes serviram para disfarçar algo mais próximo de casa. Em meados do século XIX, o jornalista tcheco Karel Havliček escreveu sobre a negação britânica a respeito da independência da Irlanda como uma forma de criticar a negação austríaca a respeito da independência dos tchecos.[11] Na China, durante a Revolução Cultural, uma grande agitação foi causada pela ópera histórica do político e historiador Wu Han, chamada "Hai Rui demitido do cargo", sobre um virtuoso oficial da dinastia Ming que foi demitido por um imperador tirânico.[12] Nos anos 1970 e 1980, os livros de Ryszard Kapuściński sobre a queda do imperador da Etiópia e do xá do Irã foram lidos por seus concidadãos como críticas ao regime autoritário da Polônia comunista.

CONHECIMENTO PÚBLICO E IGNORÂNCIA PÚBLICA

Embora seja obviamente impossível para os cidadãos comuns medir a ignorância das ações de seus governos naquilo que poderia ser descrito como "regimes de sigilo", ainda há algo que se possa dizer a respeito. Na URSS de Stálin a Gorbachev (ou seja, de 1922 a 1991), por exemplo, a tentativa de manter o público ignorante do que estava acontecendo nos bastidores era apoiada pelos jornais oficiais, o *Pravda* ("Verdade") e o *Izvestia* ("Notícias"). Como o humor político, transmitido de boca a boca entre amigos, é uma forma de criticar os regimes autoritários, uma piada russa do tempo de Stálin dizia que "não há notícias no *Pravda* e nenhuma verdade no *Izvestia*".

Na maioria dos países, os rumores e outras formas de comunicação oral são considerados, com razão, menos confiáveis que os jornais, mas na URSS, por muito tempo, aconteceu o contrário.[13] Os mapas da União Soviética também não eram confiáveis, pois omitiam o que o governo preferia que não existisse (incluindo igrejas) ou aquilo que desejava esconder do público (incluindo *gulags*). Também fora do mapa estavam as *naukograds*, as novas "cidades da ciência", nas quais as pesquisas se concentravam, algumas delas localizadas na Sibéria e construídas por prisioneiros em campos de trabalho.[14] Como o físico nuclear e dissidente Andrei Sakharov escreveu (de dentro da URSS) em 1968, aquela era "uma sociedade fechada que não informa seus cidadãos de nada substancial, fechada ao mundo exterior, sem liberdade de viagem nem troca de informações".[15] A resposta que dissidentes como Sakharov davam a isso era publicar no exterior, ou fazer circular informações pelos *samizdat*, as publicações do tipo "faça você mesmo", que eram feitas e distribuídas secretamente à mão.

Guardar segredos do público não é um monopólio do Estado. No início da Europa moderna, assim como na Idade Média, cada forma de fazer as coisas tinha seus segredos, o "mistério" do ofício. Na verdade, a palavra "mistério" está relacionada à palavra francesa "*métier*", que significa exatamente "ofício" ou "profissão".[16] Aprendizes de uma determinada guilda de artesanato foram iniciados em segredos comerciais como se estivessem em uma sociedade secreta. De fato, os maçons foram (e são) uma sociedade secreta que surgiu das corporações de ofício de pedreiros (*masons*). No século XVII, quando a Royal Society de Londres planejou fazer uma investigação a respeito dos conhecimentos práticos dos artesãos, eles se mostraram relutantes em divulgar seus segredos comerciais a estranhos.[17] No século XVIII, Denis Diderot, ele próprio filho de um artesão que fazia talheres, encontrou oposição das guildas, novamente por razões econômicas óbvias, quando publicou informações sobre os artesãos em sua famosa *Encyclopédie*. Como sugerido no capítulo dez, o sigilo nos negócios tem uma longa história.

Segredos e mentiras podem ser encontrados no mundo da ciência e da erudição, assim como na política e na indústria. Muitos dos primeiros acadêmicos modernos estavam interessados no que ainda hoje chamamos de "ocultismo" (ou, em outras palavras, "aquilo que está escondido"), especialmente a alquimia, a magia e a secreta tradição judaica da cabala. O que eles descobriram eles guardaram para si mesmos ou transmitiram apenas a alguns poucos selecionados. Filósofos naturais investigaram o que era conhecido como os segredos da natureza, e alguns deles publicaram o que sabiam em "livros de segredos", primeiro em manuscritos, para poucos, e depois em impressos, para um público mais amplo.[18]

O plágio entre colegas acadêmicos pode não ser prática comum, mas não é também um pecado assim tão raro. Nas controvérsias sobre a prioridade nas descobertas científicas a partir do século XVII, os descobridores algumas vezes registravam sua reivindicação de ter feito a descoberta em forma codificada, a fim de evitar que o segredo fosse roubado por seus rivais. Por exemplo, em 1655, quando o filósofo natural holandês Christiaan Huygens descobriu os anéis de Saturno, ele anunciou a descoberta na forma de um anagrama.[19] Como vimos anteriormente, o não reconhecimento da ajuda, especialmente por estudiosos homens assistidos por estudiosas mulheres, é um tema recorrente na história da ciência, como nos lembra o hoje notório exemplo de Rosalind Franklin.

ACOBERTAMENTOS

Já há muito é importante para os governos não apenas evitar a revelação do conhecimento secreto, mas também encorajar a descrença naquilo que foi exposto. Os acobertamentos são uma prática antiga. Em 1541, por exemplo, dois diplomatas franceses foram assassinados sob as ordens do governador da Lombardia, o marquês Del Vasto. Se a responsabilidade de Del Vasto no caso tivesse se tornado pública, teria havido um risco de guerra entre a França e o Sacro Império Romano-Germânico, que incluía a Lombardia naquela época. O imperador

Carlos V foi avisado de que, para evitar uma guerra, "não poderia aprovar o que foi feito". Del Vasto "deve ser louvado [pelo crime], embora, para evitar quaisquer riscos, isso deva ser feito com o maior sigilo". Carlos concordou em manter tudo na surdina.[20]

A consciência de que acobertamentos existem tem também uma longa história. Como vimos, o escândalo do Mar do Sul foi acobertado por Robert Walpole, e sua ação foi descrita como uma "cortina [na frente do caso]" pelo jornalista Richard Steele.[21] Outro exemplo notório de acobertamento e descoberta diz respeito ao segundo casamento de Luís XIV, em 1683, com a madame de Maintenon, anteriormente preceptora dos filhos da amante do rei. O conhecimento do casamento do rei com alguém socialmente inferior teria prejudicado sua reputação tanto no país como no exterior, de modo que foi feita uma tentativa de manter não só o povo francês, mas também os tribunais estrangeiros na ignorância a respeito do que havia acontecido.

No entanto, mesmo antes da morte do rei, detalhes de sua vida privada já haviam se tornado de conhecimento público. Estava claro que seu casamento secreto era conhecido por seus inimigos, como os britânicos, bem como dentro de seus domínios, desde a publicação de *The French King's Wedding* ("O casamento do rei francês", em tradução livre), um texto do início do século XVIII que afirmava descrever "o cômico namoro, o uivo do animal à caça e a surpreendente cerimônia de casamento de Lewis, o XIV, com madame Maintenon, a mais recente montaria estatal". Seria fascinante descobrir quem foi o responsável por esse vazamento.[22]

Alguns dos exemplos mais dramáticos de governos que mantiveram o público na ignorância vêm dos encobrimentos de grandes desastres. Durante a fome de Bengala de 1943, por exemplo, o governo proibiu o uso do termo "fome", enquanto o livro *Hungry Bengal* ("Bengala faminta", em tradução livre, de 1943), do artista Chittaprosad Bhattacharya, foi proibido, e as cópias, destruídas.[23] Outro caso notório é o do Holodomor, como é chamada a Grande Fome da Ucrânia, em 1932-1933. A posição tomada pelo governo soviético, tanto na época como posteriormente, foi a de negar que havia ocorrido uma fome.[24]

A negação foi também a reação do governo soviético ao desastre de Chernobyl, ironicamente, em plena época da política de "transparência" oficial (*glasnost*) de Mikhail Gorbachev. O diretor da usina, Anatoly Dyatlov, inicialmente negou que o núcleo do reator tivesse explodido. As primeiras notícias sobre o acidente vieram da Suécia, onde cientistas de uma usina nuclear notaram que os níveis de radiação estavam aumentando a um ritmo alarmante. O governo soviético começou negando que qualquer coisa imprópria tivesse acontecido, e depois alegou que o acidente era pequeno, sem importância.

Mais tarde, foi nomeada uma comissão de investigação, mas seu chefe, Valery Legasov, cometeu suicídio na véspera de anunciar os resultados da investigação, deixando fitas gravadas que criticavam o acobertamento de acidentes anteriores. Até hoje é difícil saber o quanto Gorbachev sabia sobre o desastre ou quando ele ficou sabendo. Tempos depois, o ex-líder alegou que Chernobyl "pode ter sido a verdadeira causa do colapso da União Soviética". Foi somente depois daquele colapso que vieram à tona relatos secretos da KGB sobre negligência durante a construção da usina e sobre emergências anteriores.[25]

O MASSACRE DA FLORESTA DE KATYN

Ter de contar uma mentira muitas vezes requer ter de contar outras mentiras para sustentá-la, um fato que pode ser ilustrado por um notório acobertamento acontecido na Polônia sob o regime comunista. No início da Segunda Guerra Mundial, em abril e maio de 1940, mais de 20 mil oficiais poloneses foram baleados pela polícia secreta russa e enterrados na floresta de Katyn, na União Soviética.

A discussão desse tópico era tabu na Polônia comunista, onde o massacre foi oficialmente atribuído aos alemães. Para tornar essa atribuição plausível, a data dos massacres teve de ser alterada para 1941, após a invasão alemã da Rússia, em junho daquele ano. Em 1946, um memorial foi erguido em Katyn, alegando que os alemães eram responsáveis. Mas os poloneses, especialmente as famílias que perderam parentes no massacre, não foram enganados. Estavam bem cientes de qual era a data quando as cartas escritas pelas vítimas deixaram de chegar em casa.

No entanto, a farsa continuou. Em 1981, por exemplo, um monumento não oficial foi erguido em um cemitério de Varsóvia com uma inscrição que incluía tanto a palavra "Katyn" quanto a data de 1940. O monumento foi imediatamente removido pela polícia secreta.[26] Em 1985, um monumento oficial foi erguido em Varsóvia, ainda datando o massacre de 1941 e tornando os alemães responsáveis.

Foi somente depois de 1989 que a história finalmente mudou. Poloneses e russos concordaram em fazer uma nova inscrição para o monumento que já havia em Katyn, sem fazer referência aos alemães. Em 1993, Boris Yeltsin se ajoelhou diante desse monumento e disse: "Perdoem-nos, se vocês puderem". A história tanto do massacre quanto das tentativas de acobertamento foi contada em um filme comovente pelo diretor polonês Andrzej Wajda, *Katyń*, lançado em 2007. Os principais fatos do caso estão hoje bem-estabelecidos tendo por base depoimentos de sobreviventes e testemunhas locais, bem como as datas das cartas encontradas nos bolsos dos cadáveres exumados das valas comuns.[27]

A GRANDE MURALHA DO SILÊNCIO

Desde a instalação do regime comunista na China, em 1949, vários episódios embaraçosos foram encobertos no que poderia ser chamado de "a construção de uma Grande Muralha do Silêncio". Como na URSS, os desastres foram mantidos fora dos noticiários nacionais. Um exemplo bem recente disso foi o surto do vírus da covid-19 em Wuhan. Um epidemiologista chinês, o professor Kwok-Yung Yuen, entrevistado no programa Panorama, da BBC, declarou sua suspeita de que "eles têm acobertado alguma coisa localmente em Wuhan": "as autoridades locais que deveriam estar transmitindo imediatamente as informações não permitiram que isso fosse feito de maneira tão rápida quanto deveria".[28]

Exemplos anteriores de acobertamentos chineses incluem a Grande Fome, de 1958-1962, discutida no capítulo doze; a Revolução Cultural, de 1966-1976; e os protestos estudantis na Praça da Paz Celestial (Tiananmen), em 4 de junho de 1989, e sua repressão violenta, no decorrer da qual cerca de 2.600 pessoas foram mortas. Todos os três eventos se tornaram menção proibida no país, e de fato são omitidos dos livros de história usados nas escolas. Quaisquer referências ao que é oficialmente conhecido pelo eufemismo de "o incidente de 4 de junho de 1989" são desencorajadas pelo regime. No aniversário daquela data, palavras consideradas mais delicadas são banidas da internet, incluindo "hoje" ou "aquele ano". Quando a mãe de um menino morto nos protestos deu uma entrevista sobre o assunto a um jornal de Hong Kong, em 1991, foi avisada de que, se persistisse, seu marido músico poderia ser proibido de viajar para o exterior. Em Hong Kong, um museu memorial em homenagem à data abriu em 2012, mas foi fechado quatro anos depois.[29]

O comentário mais memorável a respeito da atitude do governo com relação ao acontecido não é verbal, mas pictórico. O cartunista chinês Badiucao, que agora vive na Austrália, ilustrou o acobertamento com um desenho intitulado "Um pedaço de pano vermelho", em 2014. Sob o pano vermelho vemos o formato de um tanque, o equivalente ao elefante dentro da sala.[30] É claro que é impossível para as gerações que vivenciaram esses três eventos esquecê-los, mas gerações posteriores foram educadas na ignorância do que aconteceu. Ou seja, o elefante está se tornando menor. Por exemplo, a fotografia de um jovem que enfrenta um tanque na praça é bem conhecida no Ocidente, mas não na própria China. Em 2016, um jornalista mostrou a imagem do "homem do tanque" aos estudantes de quatro universidades chinesas cujos estudantes, na época, haviam participado de forma proeminente do protesto, e descobriu que apenas quinze de cada cem estudantes conseguiram identificar a foto corretamente.[31]

Quanto aos mais velhos, que eram adultos e com frequência testemunharam os eventos de 1989, eles geralmente conspiram com o regime em seu fingimento de ignorância, independentemente de sua opinião pessoal sobre os eventos de 4 de junho. Eles sabem o que não devem saber, ou pelo menos tentam ocultar seus conhecimentos.[32] Para usar termos freudianos, a supressão oficial é auxiliada pela repressão não oficial da verdade. Em 2013, o romancista Yan Lianke comentou no jornal *New York Times* sobre a situação dos intelectuais chineses: "Você receberá poder, fama e dinheiro enquanto estiver disposto a ver só o que é permitido ver, e desviar o olhar daquilo que não é permitido ver [...] Nossa amnésia é um esporte patrocinado pelo Estado".[33] Quando a jornalista Louisa Lim perguntou a cidadãos comuns chineses sobre o "incidente", recebeu respostas como "esse problema é bastante sensível. Não vamos falar sobre isso agora. Vamos viver no mundo de hoje e não nos debruçarmos sobre o passado", ou "não tenho nenhum pensamento a respeito [...] Só quero viver uma boa vida e ganhar algum dinheiro. Qual é o objetivo de você ficar sempre olhando para trás?".[34]

ESPIONAGEM

As tentativas de descobrir ou desvendar segredos devem ser tão antigas quanto os próprios segredos, mas essas tentativas passaram por várias fases diferentes entre o século XVI e o início do século XXI. Ao mesmo tempo que guardam seus próprios segredos, os governos têm feito seus melhores esforços para descobrir os segredos de seus inimigos, seus rivais, seus aliados e até mesmo de seus cidadãos, apenas para enterrar essa informação mais uma vez em relatórios secretos. Os primeiros governos europeus modernos já empregavam informantes e espiões, embora espionagem não fosse exatamente uma profissão naquele período, e sim algo que um comerciante ou um diplomata poderia ser solicitado a fazer em seu tempo livre. Sua ocupação cotidiana constituía um bom disfarce.[35]

A partir do início do século XIX, vemos tanto a profissionalização e a especialização da espionagem quanto o surgimento da polícia secreta e dos serviços secretos (tanto militares como civis, e preocupados com assuntos tanto internos como externos). Na Rússia, por exemplo, a famigerada "Terceira Seção da Chancelaria de Sua Majestade Imperial" foi fundada em 1826 em resposta à malsucedida revolta dos oficiais do exército, conhecidos como os "dezembristas". Dez anos depois, ela mantinha mais de 1.600 pessoas sob vigilância, além de censurar peças de teatro. A Terceira Seção foi seguida pelo Departamento de Polícia do Estado, ou Okhrana (1881), uma resposta ao assassinato do czar Alexandre II. Depois da Revolução Bolchevique veio a Comissão Extraordinária Russa, mais conhecida como Cheka, fundada em 1917 para investigar contrarrevolução e sabotagem; depois a GPU/OGPU (1922), a NKVD (1934), a KGB (1954) e a FSB (1995).

Pode parecer estranho chamar essas forças policiais de "secretas", pois elas usavam uniformes especiais e todos sabiam de sua existência.

Entretanto, muitas de suas operações foram e continuam sendo secretas – prisões com base em relatórios secretos de informantes anônimos, julgamentos e execuções secretos, às vezes em escala massiva, como no próprio caso do massacre de Katyn. Quando achavam que ninguém estava ouvindo, os russos comuns às vezes se referiam ao NKVD de Stálin como "Oprichnina", que era o nome do exército privado a serviço do czar Ivan, o Terrível, do século XVI (Ivan Grozny), que matava pessoas sem julgamento ou mesmo sem dar nenhuma razão. O filme *Ivan, o Terrível, Parte 1* (1944), de Sergei Eisenstein, também implicava uma comparação com Stálin, e assim a segunda parte do filme só foi lançada em 1958, como parte da campanha de "desestalinização".[36]

A profissionalização e a especialização dessa atividade se aceleraram durante e imediatamente após a Primeira Guerra Mundial. O Cheka, de Lenin, e o MI5 britânico datam dessa época, enquanto, nos Estados Unidos, a Lei de Espionagem foi aprovada em 1917.[37] As duas tendências continuaram durante a Segunda Guerra Mundial e a Guerra Fria, com o crescimento da CIA (fundada em 1947) e da KGB (1954) – e elas foram mais longe ainda, pelo menos nos Estados Unidos, após os ataques de 11 de setembro de 2001.[38] O que torna a história recente dos segredos e mentiras de cunho político diferente dos períodos anteriores é, sobretudo, a mudança na escala das operações, incluindo a crescente quantidade de informações que são mantidas longe do público.[39] Alguém que trabalhava na Agência de Pesquisa na Internet em São Petersburgo em 2014-2015 descreveu o lugar, tempos depois, como "uma espécie de fábrica", "que transformava o ato de mentir [...] em uma linha de montagem industrial".[40]

Os serviços secretos – e seus orçamentos – crescem cada vez mais. Em seu auge, a KGB tinha quase meio milhão de funcionários. A comunidade de inteligência nos Estados Unidos (a CIA e outras quinze agências) emprega, em 2021, cerca de 100 mil pessoas, com um orçamento anual de cerca de 50 bilhões de dólares (a parte da CIA é de cerca de 15 bilhões de dólares).[41]

Os métodos que essas agências usam para penetrar nos segredos alheios, ao mesmo tempo que disfarçam suas operações, têm se tornado cada vez mais sofisticados. Métodos tradicionais de obtenção de informações secretas – infiltrar-se em instituições, decifrar mensagens e plantar escutas em cômodos – são hoje complementados, quando não substituídos, por *drones* voadores e *hackers* de computadores. A tecnologia está em constante mudança, pois cada novo meio de ataque é combatido por um novo meio de defesa.

Um meio tradicional de defesa era a manutenção do sigilo a respeito da própria confidencialidade, por exemplo, o anonimato de longa data do diretor-geral do MI5. Essa política foi ridicularizada pelo escritor escocês Compton Mackenzie (antigo oficial do MI6 cujas memórias foram tornadas impublicáveis por causa da Lei dos Segredos Oficiais) em uma farsa na qual o diretor defende esse anonimato com o argumento de que "se o chefe do serviço secreto é conhecido, que chance temos contra o inimigo?".[42]

DESCOBRINDO SEGREDOS

Tentativas de desvendar segredos de Estado já há muito tempo são uma preocupação de indivíduos privados e de grupos dissidentes, bem como de governos rivais. Mas, se as publicações sobre o assunto são um indicador confiável, essa preocupação com o que acontece nos bastidores era crescente no final do século XVI. O período entre 1550 e 1650 é conhecido como uma era de guerras religiosas entre católicos, luteranos e calvinistas, primeiro na França e na Holanda (incluindo o que é hoje a Bélgica) e depois na Europa Central, palco da Guerra dos Trinta Anos (de 1618 a 1648). Essas guerras eram geralmente apresentadas ao público como sendo travadas por razões religiosas, mas era suficientemente claro para alguns observadores que a religião era apenas um pretexto, ou, para usar a linguagem da época, uma "máscara" ou "manto" para esconder objetivos políticos, como a tentativa do rei da Espanha, Filipe II, de dominar a França.

No século XVII, poetas, dramaturgos, historiadores e filósofos mostraram uma preocupação incomum com o fosso entre aparência e realidade (*être/paraître*, *being/looking like*, *Sein/Schein*, e assim por diante) e com a "desilusão" (*desengaño*) daqueles que percebiam esse descompasso. Livros e panfletos alegavam "desmascarar" ou "desvendar" segredos, "descobri-los" (no sentido de remover qualquer cobertura que tivessem) ou abrir a caixa ou "o armário" no qual estivessem escondidos. Entre os segredos revelados dessa forma estavam os dos jesuítas, dos maçons e das cortes reais (espanhola no século XVII e francesa no século XVIII).⁴³

Uma das obras-primas da escrita histórica no início do período moderno foi *História do Concílio de Trento*, publicado em 1619 pelo frade veneziano Paolo Sarpi. O concílio, composto de bispos e teólogos, foi chamado para discutir a reforma da Igreja Católica, incluindo a redução do poder dos papas. Entretanto, sucessivos papas foram capazes de manipular os debates por meio da nomeação de um presidente do concílio que obedeceria a instruções enviadas regularmente de Roma. Sarpi expôs o que estava acontecendo nos bastidores, fazendo dele um pioneiro do que os italianos chamam hoje de *dietrologia*, o estudo daquilo que está por detrás das aparências. Foi por essa razão que o poeta John Milton o chamou de "o grande desmascarador do Concílio Trentino", enquanto um retrato de Sarpi atualmente na biblioteca Bodleian de Oxford o descreve como "o eviscerador do Concílio de Trento" (*Concilii Tridentini Eviscerator*).⁴⁴ Sarpi acreditava na existência de uma conspiração entre o papa, o rei da Espanha e os jesuítas, o que ameaçava a independência de Veneza. Hoje, sabemos que ele havia exagerado a coesão entre aquelas três forças, mas sua visão da brecha que existia entre o mundo público das aparências e dos pretextos e o mundo secreto das tramas é poderosa e penetrante. Assim como denunciantes que vieram depois, Sarpi tentou cobrir seus rastros, contrabandeando seu manuscrito para publicação na Londres protestante de 1619 sob um pseudônimo, "Pietro Soave Polano". Sua história secreta tinha sua própria história secreta.⁴⁵

Outra obra-prima da escrita histórica foi produzida por Edward Hyde, o lorde Clarendon, um antigo conselheiro de Carlos I. A mensagem desse relato da Guerra Civil Britânica, ou, como Clarendon a chamou, a "rebelião", pode ser resumida em uma sentença de sua autobiografia: "a religião foi tornada em um manto para cobrir os objetivos mais ímpios" por parte do Parlamento.⁴⁶ De maneira semelhante, as famosas memórias sobre a corte de Luís XIV escritas pelo Duc de Saint-Simon usa às vezes a linguagem do teatro, notadamente "*scène*" (palco) e "*les derrières*" (bastidores).⁴⁷

Quando a *História da rebelião*, de Clarendon, foi publicada (postumamente, em 1702-1704), a expressão "história secreta" já havia se tornado comum em várias línguas europeias. Fora cunhada para descrever um novo gênero de escrita histórica que afirmava descrever o que realmente estava acontecendo por trás da fachada pública. Montes de textos desse tipo foram publicados, anonimamente ou sob pseudônimos, entre o final do século XVII e o início do século XVIII. Os autores, que se divertiam com os escândalos, afirmavam ser *insiders*, pessoas de dentro da situação, testemunhas oculares de intrigas nas cortes, por exemplo, ou participantes nos conclaves nos quais os papas eram eleitos. Houve uma *Secret History of the Freemasons* ("História secreta dos maçons") e uma *Secret History of the South Sea Scheme* ("História secreta do esquema do Mar do Sul", ou seja, daquela bolha já discutida). Algumas vezes os protagonistas recebiam pseudônimos, deixando os leitores a adivinhar sua verdadeira identidade. No caso de *Secret History of Queen Zarah* ("História secreta da rainha Zarah", de 1705), de Mary Manley, era bastante fácil adivinhar a identidade da favorita da rainha Ana, que se chamava Sarah, duquesa de Marlborough, cuja análise astuta da bolha do Mar do Sul foi citada no capítulo dez.

Os "historiadores secretos" trabalharam no sentido de destruir a versão oficial dos eventos em uma época na qual muitos governos empregavam historiadores oficiais. Esses autores de histórias secretas eram geralmente maliciosos, contavam algumas mentiras e passavam adiante uma grande quantidade de informações não confiáveis. Entretanto, também tornaram públicas várias verdades não oficiais e incômodas. Pode-se argumentar, então, que essas "visões particulares" contribuíram seriamente para a ascensão da "esfera pública".[48]

DE *MUCKRAKERS* A DENUNCIANTES

O manto dos historiadores secretos é hoje usado pelos jornalistas investigativos, que estão na ativa desde o final do século XIX. Na Inglaterra, por exemplo, W. T. Stead expôs a prática da prostituição infantil em 1885 em uma série de artigos na *Pall Mall Gazette* sob o título geral de "The Maiden Tribute of Modern Babylon" (algo como

"O sacrifício das virgens na Babilônia moderna", em tradução livre).[49] Ele foi, previsivelmente, denunciado como um "*muckraker*" [termo pejorativo que não tem equivalente em português, pois significa "aquele que remexe a imundície atrás de informações escandalosas"]. O equivalente de Stead nos Estados Unidos foi Lincoln Steffens, que foi acusado nos mesmos termos quando investigou a corrupção municipal em artigos de uma revista que ele editava, a *McClure's*, em artigos como "A vergonha de Minneapolis", "Os sem-vergonhas de St. Louis" e "Filadélfia: corrupto e contente", trazendo a imundície aos olhos do público, ou melhor, ao nariz do público.[50] Um terceiro *muckraker* foi uma mulher, Ida Tarbell, que também escrevia para a *McClure's*. Seus artigos expondo os métodos impiedosos do magnata do petróleo John D. Rockefeller foram coletados em seu livro *History of the Standard Oil Company* ("A história da Standard Oil", de 1904).[51]

Os jornais permaneceram importantes na tarefa de trazer material secreto a público, quer os jornalistas o descubram eles mesmos, quer o recebam de outros, de pessoas em altos cargos a *hackers*. Os jornalistas são até hoje os mais proeminentes denunciantes, junto ao público, de que algo suspeito está acontecendo.

Em 1969, como vimos no capítulo nove, Seymour Hersh escreveu um relato sobre o massacre de civis vietnamitas por soldados norte-americanos perto da aldeia de My Lai. Em 1971, o jornal *New York Times* publicou os *Pentagon Papers*, uma coleção de documentos secretos sobre o papel do governo norte-americano na Indochina entre 1945 e 1968, divulgados por Daniel Ellsberg, que trabalhava para o *think tank* chamado Corporação RAND. Em 1972, Bob Woodward e Carl Bernstein, ambos repórteres do *Washington Post*, ajudaram a desvendar o escândalo Watergate, que foi a tentativa de encobrir o envolvimento direto do governo norte-americano na invasão da sede do Comitê Nacional do Partido Democrata, bem como o uso de "falsos vazamentos de informações e cartas falsas". A exposição de que tudo isso vinha sendo acobertado forçou a renúncia do presidente Richard Nixon.[52]

No século XXI, a ascensão da internet significa que tanto o volume dos vazamentos quanto a velocidade de sua disseminação aumentaram a um grau que seria difícil de imaginar antes. Ellsberg, por exemplo, precisou fotocopiar cada uma das 7 mil páginas de documentos que ele revelou, enquanto, no escândalo que ficou conhecido como "cablegate", o ativista australiano e *hacker* Julian Assange simplesmente fez o download de 250 mil documentos.⁵³

Em 2010, revelações sobre as guerras dos norte-americanos no Afeganistão e no Iraque (bem como alguns telegramas diplomáticos norte-americanos confidenciais bem selecionados) foram publicadas em cinco jornais: *New York Times*, *Guardian*, *Der Spiegel*, *El País* e *Le Monde*. Os telegramas [chamados em inglês de "*cablegrams*" ou "*cables*" porque seguem de um país ao outro por via de cabos submarinos] ofereciam provas especialmente valiosas de ligações entre o governo norte-americano e o crime organizado na Rússia de Putin. Esse tesouro de informações confidenciais foi fornecido pelo WikiLeaks, um website fundado por Assange, em 2006, e sediado na Islândia. As revelações tornaram Assange famoso e ao mesmo tempo o colocaram em risco, forçando-o a se mudar de um lugar para outro o tempo inteiro e ocasionalmente a se disfarçar de mulher.⁵⁴

Assange, que fez sua carreira em uma espécie de mediação entre o mundo dos segredos e o do jornalismo, não parou em 2010. Um ano depois, ele publicou 779 documentos secretos sobre os prisioneiros detidos na prisão norte-americana na baía de Guantánamo. Em 2012, ele recebeu asilo político na embaixada do Equador em Londres para protegê-lo de uma possível extradição para os Estados Unidos sob a acusação de espionagem. Mas, afinal... espionagem para quem? A resposta é tão óbvia quanto incomum: espionagem *para o público*, apoiando a transparência e minando a confiança nos governos, na medida em que essa confiança pública se baseava em ignorância. Assange permaneceu em asilo, continuando a publicar documentos secretos (alguns deles dos arquivos da CIA) até 2019, quando a embaixada equatoriana permitiu que a polícia britânica o prendesse. Entretanto, o WikiLeaks continua a funcionar.

O historiador britânico Timothy Garton Ash, que descreveu os telegramas publicados em 2010 como "um banquete de segredos", "o sonho dos historiadores" e "o pesadelo dos diplomatas", ofereceu um comentário equilibrado sobre as questões gerais levantadas por aqueles vazamentos. De um lado, ele diz, "há um interesse público em entender como o mundo funciona e o que é feito em nosso nome". De outro, "há um interesse público na condução confidencial da política externa", uma vez que é impossível negociar e fazer concessões com a mídia o tempo todo olhando por cima dos ombros dos agentes. "Esses dois interesses públicos são conflitantes". Garton Ash também ressaltou que "o *Guardian*, assim como o *New York Times* e outros meios de comunicação responsáveis, tentou garantir que nenhuma publicação pudesse colocar alguém em risco. Deveríamos todos exigir do WikiLeaks que ele faça o mesmo".[55]

Em 2013, o governo dos Estados Unidos ficou ainda mais envergonhado com novas revelações. Artigos escritos pelo jornalista norte-americano Glenn Greenwald e publicados tanto no *Washington Post* quanto no *Guardian* discutiram os programas secretos de vigilância global da Agência Nacional de Segurança. Em 2020, Greenwald, que vive no Rio de Janeiro, foi acusado de "crimes cibernéticos" após publicar artigos questionando a imparcialidade de Sérgio Moro, o juiz-chefe de uma investigação de corrupção no Brasil que foi apelidada de Operação Lava Jato. Em 2022, o Supremo Tribunal Federal do Brasil confirmou a suspeita de que Moro tinha sido tendencioso.

A longa luta entre o acobertamento e o descobrimento tomou novas formas no século XXI. As *fake news* foram colocadas on-line e o jornalismo investigativo seguiu a mesma linha, como se vê pela carreira de Eliot Higgins, que fundou o site Bellingcat, em 2014. Higgins e sua equipe fazem suas pesquisas on-line e comunicam os resultados da mesma forma. Eles se tornaram famosos após suas descobertas do que estava por trás do acidente aéreo da Malaysia Airlines, em 2014, e do envenenamento de Sergei Skripal, em 2018, e de Alexei Navalny, em 2020.[56] Seus métodos oferecem uma alternativa às duas principais formas como os segredos vêm à tona nos dias de hoje: o vazamento e o hackeamento.

VAZAMENTOS E DEDOS-DUROS

De um ponto de vista retrospectivo, os vazamentos revelam a ignorância anterior do público, levantando o véu que encobria o sigilo, incluindo a magnitude desse acobertamento.[57] Uma história social dos vazamentos precisaria perguntar: *quem* vazou *o quê* para *quem*, por meio de que *mídia*, para que *propósitos* e com que *consequências*?

Embora os vazamentos hoje recebam mais publicidade do que costumavam receber, a prática de divulgar informações secretas não é nova. Na Veneza do século XVII, por exemplo, onde a política deveria ser um monopólio dos patrícios, cópias de documentos sensíveis como os relatórios dos embaixadores podiam acabar sendo oferecidas para compra, encontrando acolhida em bibliotecas em diferentes partes da Europa, de Oxford a Viena. Ironicamente, às vezes o próprio governo praticava o vazamento. "O que inicialmente havia sido mantido em segredo para não perturbar o público era tornado público para influenciar a conduta dos negociadores que deveriam trabalhar em segredo".[58]

Vazadores de informações agem por uma variedade de razões, sejam econômicas, morais ou políticas. Como ele próprio admitiu, foi o desejo por dinheiro que levou Charles Marvin, funcionário do Ministério das Relações Exteriores britânico que também trabalhava à parte como jornalista, a vender o rascunho de um tratado secreto com a Rússia para um jornal, o *Globe*, em 1878.[59] Por outro lado, no último meio século, indivíduos a serviço do governo, especialmente na Inglaterra e nos Estados Unidos, correram o risco de ser demitidos e presos ao divulgar segredos oficiais, e isso porque ficaram chocados com o que seus empregadores estavam fazendo – por exemplo, atacando civis inocentes no Afeganistão e no Iraque, torturando prisioneiros, escutando os telefones de aliados e assim por diante. Eles acreditavam que o público não deveria ser mantido na ignorância do que havia acontecido.

Um desses denunciantes não entrou em contato com a imprensa. Clive Ponting, funcionário público britânico do Ministério da Defesa, foi solicitado a escrever um relatório secreto sobre o afundamento do cruzador argentino *General Belgrano* durante a Guerra das Malvinas (ou "Guerra das Falklands", para os ingleses). Ele descobriu que o cruzador havia sido atacado enquanto estava fora da chamada "zona de exclusão" estabelecida pelos britânicos, uma vez que estava se afastando das ilhas na época. Descobriu-se que tanto o ministro da Defesa quanto a primeira-ministra Margaret Thatcher haviam mentido ao

Parlamento a respeito disso, já que haviam afirmado que o *Belgrano* estava se aproximando da zona quando foi atacado. Ponting ficou tão chocado com essa descoberta que, em 1984, enviou as provas de sua descoberta a um membro do Parlamento, Tam Dalyell, cujas investigações sobre o que havia acontecido tinham sido proibidas pelo governo. Após sua demissão das funções públicas, em 1985, e sua absolvição em um julgamento no qual foi acusado de um delito penal sob a Lei de Segredos Oficiais, Ponting publicou um livro sobre o caso.[60]

Outra funcionária pública britânica, Sarah Tisdall, não teve tanta sorte. Foi levada à prisão, em 1983, por vazar para o *Guardian* documentos sobre a chegada dos mísseis de cruzeiro norte-americanos. Outros denunciantes que foram à imprensa entre 1971 e 2013 incluem Daniel Ellsberg, que vazou os já mencionados *Pentagon Papers* para o *New York Times*; Mark Felt, alto funcionário do FBI que usou o pseudônimo Garganta Profunda para passar informações sobre o escândalo de Watergate para o jornalista Bob Woodward; Katharine Gun, tradutora do GCHQ (Quartel-General de Comunicações do Governo), em Cheltenham, responsável por um vazamento para o *Observer*, em 2003; Bradley Manning (hoje conhecida como Chelsea Manning), uma soldado do exército norte-americano que trabalhava como analista de inteligência no Iraque e forneceu material para que Julian Assange vazasse pelo WikiLeaks, em 2010; e o famoso Edward Snowden.

Snowden é ex-funcionário da CIA e da Agência de Segurança Nacional dos Estados Unidos, onde seu trabalho era monitorar mensagens na internet. Ele se tornou cada vez mais desconfortável com o "regime secreto de vigilância de massa", incluindo o que lhe havia sido pedido para fazer – algo contrário à Constituição norte-americana, um documento cuja cópia ele guardava ao lado de seu computador, para surpresa de seus colegas. Snowden vazou material sobre os programas de vigilância da agência para o jornalista Glenn Greenwald. Acusado de violar a Lei de Espionagem dos Estados Unidos, Snowden procurou asilo político, mas seu passaporte foi cancelado pelo governo dos Estados Unidos enquanto ele estava no ar. Sua carreira é tema do documentário *Citizenfour*, lançado em 2014, ao passo que ele depois publicaria sua autobiografia, em 2019, explicando como aprendeu a hackear, por que escolheu denunciar e como acabou "exilado em um país que não foi minha escolha" (a Rússia de Putin).[61]

HACKERS

A ascensão da internet inaugurou uma nova fase na história dos espiões, dedos-duros e denunciantes, já que não era mais necessário invadir um escritório para roubar ou fotografar documentos escritos, datilografados ou impressos em papel. Tudo o que era necessário agora era invadir os arquivos secretos a partir de sua própria casa e enviá-los on-line.

Os governos fizeram pleno uso dessa nova facilidade. A CIA, por exemplo, desenvolveu uma série de ferramentas de hackeamento, como o Weeping Angel ("anjo que chora"), instalado nas TVs, e o Pandemic ("pandemia"), instalado nos computadores. E os denunciantes fizeram o mesmo. Chelsea Manning, por exemplo, que se descreveu como uma "hacktivista" [ativista *hacker*], aproveitou a segurança ruim de sua unidade no Iraque para copiar material secreto, colocando-o em um CD da cantora Lady Gaga que ela ouvia no escritório.

NEGAÇÃO

A negação é um mecanismo de defesa tanto para indivíduos quanto para instituições, quando confrontados com "informações que são perturbadoras, ameaçadoras ou anômalas demais para serem totalmente absorvidas ou abertamente reconhecidas".[62] A negação pública é uma forma de desinformação, enquanto a negação em âmbito privado, ou a recusa silenciosa de reconhecer a verdade, é uma forma de ignorância intencional, de "saber o que não saber".

Em âmbito governamental, a negação pública tem uma longa história. Voltando ao século XVI, por exemplo, o imperador Carlos V mentiu quando negou ter aprovado um ataque a Roma, em 1527, que levou à prisão do papa e ao saque da cidade, e então mentiu novamente quando negou ter mentido da primeira vez.[63]

A negação se tornou mais frequente, ou pelo menos mais conhecida, no século XX. Atrocidades na guerra, como aquelas cometidas pelos alemães durante a Primeira Guerra Mundial, foram frequentemente negadas pelos perpetradores e só reveladas ao público muito tempo depois.[64] A matança de mais de 1 milhão de armênios pelo governo otomano, em 1915, hoje conhecido como "o genocídio armênio", ainda é oficialmente negada na Turquia. O governo tenta impedir que a palavra "genocídio" seja usada em público nesse contexto.[65]

Nos Estados Unidos, informações inconvenientes foram negadas oficialmente com frequência, desde pelo presidente até pelos escalões mais baixos.[66] Novamente, como vimos no capítulo sete, um pequeno grupo de importantes cientistas norte-americanos se juntou para lançar dúvidas sobre uma série de fatos que eram inconvenientes para a indústria e o governo entre os anos 1950 e 1980. Tais fatos incluíam a existência de chuva ácida, o buraco na camada de ozônio e, acima de tudo, o aquecimento global.[67]

A negação formal desse tipo é parte de um fenômeno maior de *não querer saber*, ou de querer não saber, algo que ameaçaria ou envergonharia aquele que reconhece o fato. Envolve uma conspiração de silêncio, uma ignorância coletiva acerca do "elefante na sala".[68]

Na Alemanha durante a Segunda Guerra Mundial, os civis que viviam perto dos campos de extermínio, como Mauthausen, não queriam saber que os campos estavam lá, pois falar deles poderia levar a uma visita da Gestapo. Na verdade, a SS advertiu *explicitamente* os civis a desviar seu olhar dos prisioneiros e dos trens que chegavam com eles. A maioria das pessoas ali "aprendeu a andar em uma estreita linha entre a ciência inevitável do que se passava e um prudente desprezo", embora o comandante do campo tenha reclamado de "espectadores curiosos", enquanto uma senhora reclamou para a polícia sobre tiros disparados contra prisioneiros que estavam trabalhando nas pedreiras.[69]

A pesquisa do historiador Walter Laqueur tornou "impossível acreditar que nenhum residente das cidades de Gleiwitz, Beuthen ou Katowitz tivesse ideia do que acontecia a uma distância de poucos quilômetros de suas casas", uma vez que as chamas dos fornos eram visíveis a quilômetros de distância, sem mencionar o fedor dos cadáveres queimados. Como disse um residente de uma aldeia próxima de um campo de extermínio, entrevistado nos anos 1970, "todos nós sabíamos a respeito". Falando de maneira mais geral, pessoas demais – guardas dos campos, trabalhadores ferroviários, funcionários públicos etc. – estavam envolvidas na "solução final" para que as informações fossem mantidas em segredo.[70]

Laqueur conclui dizendo que "a experiência alemã mostra que os segredos não podem, de fato, ser guardados, mesmo em um regime totalitário, uma vez que tenham se distribuído para além de um certo grupo reduzido". "Ao final de 1942, milhões na Alemanha já sabiam que [...] a maioria dos que haviam sido deportados, ou todos, não estavam mais vivos." A tarefa de manter a ignorância era simplesmente grande demais, mesmo entre uma população que não tinha qualquer desejo de saber. Em outras palavras, os campos de extermínio haviam se tornado um segredo aberto a todos, ou, como dizem alguns estudiosos de hoje, um "segredo público", uma expressão paradoxal útil para descrever uma situação ambígua.[71] Apesar de tantas tentativas para combatê-la, a negação do Holocausto ainda pode ser encontrada entre nós.

O NEGÓCIO DA NEGAÇÃO

A negação, tal como a evasão, é bastante comum no mundo dos negócios. É bastante óbvio, por exemplo, que os líderes da indústria petrolífera não queiram saber nada a respeito de mudança climática. A Exxon (posteriormente Exxon Mobil) apoiou pesquisas sobre o assunto até 1978, quando um de seus cientistas, James Black, relatou a conclusão inconveniente de que o uso de combustíveis fósseis era um fator importante no aquecimento global. A empresa lançou dúvidas sobre sua pesquisa, mas essa resposta vem sendo cada vez menos plausível ao longo dos anos. Pode-se dizer que o clima da opinião pública também mudou nas últimas décadas, apesar do magnata das comunicações Rupert Murdoch afirmar que o recente aumento dos incêndios florestais na Austrália tenha sido "obra de incendiários". Seu jornal *The Australian* ainda apoia a negação do aquecimento global, assim como seus canais de televisão Sky News e Fox News.[72]

A poluição industrial e suas consequências mortais foram frequentemente negadas e acobertadas pelas corporações que as causaram.[73]

Um exemplo tornado famoso pelo filme *Erin Brockovich* (2000) diz respeito à assistente jurídica norte-americana com aquele nome, que apresentou um processo contra a Pacific Gas & Electric por poluir a água potável no sul da Califórnia e assim causar câncer.

Um caso particularmente bem documentado de grandes empresas que se recusam a aceitar as conclusões dos cientistas é, naturalmente, o da indústria do tabaco, que já em 1950 era confrontada com provas da ligação entre o fumo e o câncer de pulmão.[74] Uma das reações das empresas de tabaco foi a negação direta, quando elas empregaram uma empresa de relações públicas que encomendou um artigo na revista *True*, em 1968, intitulado "Cigaret [*sic*] Cancer Link is Bunk" (ou "Ligação entre *cigaros* [*sic*] e câncer é bobagem").[75] Outras respostas foram mais sutis. Uma delas foi semear a dúvida, alegando, por exemplo, que a pesquisa não era "conclusiva". Um notório discurso de um vice-presidente de *marketing* de uma empresa de cigarros em 1969 admitiu que "a dúvida é nosso produto".[76]

Outro método empregado pelas empresas foi o de distrair a atenção pública a respeito da ligação entre o fumo e o câncer. Por exemplo, foi fundado um Conselho de Pesquisa da Indústria do Tabaco, com o objetivo de conduzir pesquisas sobre as causas das doenças em geral. Essa "pesquisa de enganação" serviria para distrair a atenção das pessoas, a fim de que elas não atentassem para o vínculo entre o fumo e o câncer. A indústria também continuou a empregar o método tradicional de censura, que é a supressão da pesquisa, especialmente "quando o investigador parecia estar chegando muito perto de verdades inconvenientes".[77]

Esses métodos já foram antes descritos como a "fabricação" da ignorância. Um estudo das cartas que os consumidores enviavam às empresas tabagistas mostra que "muitas pessoas eram profundamente ignorantes em relação aos cigarros". Um indivíduo escreveu que "essa ideia de que fumar é ruim para a saúde, para mim, é uma bobagem muito grande".[78] Entretanto, o objetivo da indústria não era criar "uma ausência de conhecimento, mas sim a insinuação de um corpo específico de conhecimentos, ou uma crença e um sentimento", que apoiariam a venda de cigarros.[79] Portanto, poderia ser mais preciso, nesse caso, falar de uma *manutenção* da ignorância. De outra maneira, poderíamos nos referir à produção de "má informação", ou, já que o processo era deliberado, daquilo que os russos foram os primeiros a chamar de "desinformação".[80]

DESINFORMAÇÃO

Ladislav Bittman, que desertou do serviço secreto tcheco após a invasão russa de 1968, uma vez definiu a desinformação como "uma elegante expressão para descrever atividades que chamaríamos em linguagem mais simples de 'truques sujos'".[81] Em outro lugar, ele descreveu o termo como "o jogo da enganação" e o definiu mais formalmente como "a divulgação de informações meio verdadeiras, enganosas ou totalmente falsas com o intuito de enganar o inimigo".[82] Essas práticas são também conhecidas como "guerra política", "guerra psicológica" ou até "medidas ativas", um eufemismo inventado na URSS e ele mesmo uma forma de desinformação, junto a outros eufemismos, como "projetos especiais" (que incluem o assassinato de críticos do regime). A descrição de Putin da invasão da Ucrânia como uma "operação especial" segue a tradição da KGB. A desinformação tanto mantém a ignorância como depende da ignorância para seu sucesso.

Nesse ponto, um historiador social precisa perguntar: *quem* exatamente está sendo enganado ou desinformado? Os espiões estrangeiros? Os governos estrangeiros? Ou o público em geral, tanto no exterior como dentro de casa? Durante a Guerra Fria, por exemplo, a desinformação, combinada com o sigilo, ajudou a manter os cidadãos comuns no escuro sobre o que estava acontecendo em ambos os lados da Cortina de Ferro. Os objetivos da desinformação incluíam prejudicar a reputação do inimigo, como no caso de incidentes antissemitas na Alemanha Ocidental, que mais tarde foram rastreados até o serviço de inteligência da Alemanha Oriental, a Stasi. O próprio Bittman confessou ter participado da "Operação Netuno", uma tentativa espetacular de plantar documentos secretos nazistas (que haviam sido enviados à Tchecoslováquia a partir de um arquivo soviético) em um lago na Boêmia e depois "descobri-los", em 1965. O objetivo da operação era desacreditar a Alemanha Ocidental, lembrando ao mundo os crimes de guerra nazistas vinte anos após o fim da Segunda Guerra.[83] Outro grande objetivo dos serviços de inteligência comunistas durante a Guerra Fria era dividir o inimigo, incluindo as diferentes nações participantes da OTAN e os dois partidos conservadores na Alemanha Ocidental, o CDU e o CSU.

O objetivo geral dos desinformadores é semear a dúvida e a confusão no inimigo. Em certas ocasiões, a desinformação também foi utilizada como um substituto para o sequestro, como no caso do agente secreto Sidney Reilly (originalmente Rosenblum), que nasceu em Odessa e trabalhou para os russos antes de se aliar aos britânicos. Reilly, que teria ajudado a inspirar o James Bond, de Ian Fleming, foi convidado a voltar à Rússia depois de 1917. Acreditando que seu contato fosse antibolchevique, ele aceitou o convite. Após sua chegada, foi preso e então executado.[84]

Os bolcheviques não foram os primeiros a usar esse truque, que remonta pelo menos até o século XVII. Ferrante Pallavicino era um escritor que se tornou notório por suas sátiras sobre o papado. Ele foi atraído de seu porto seguro, em Veneza, por um falso convite para trabalhar para o cardeal Richelieu, em Paris. Partiu para a França em 1642, mas, ao passar por Avignon (um enclave do Estado Papal naquela época), foi preso e executado.[85]

Os métodos dos desinformadores, assim como seus objetivos, podem ser diversos. Um método tradicional é a difusão de falsos rumores. Em 1979, por exemplo, quando a Grande Mesquita, em Meca, foi invadida por muçulmanos radicais, a KGB espalhou a notícia de que o governo dos Estados Unidos estava secretamente envolvido na invasão, bem como uma segunda história de que o governo do Paquistão estava por trás dos ataques à embaixada dos Estados Unidos em Islamabad.[86] Outro método é produzir propaganda impressa, operando por trás de organizações de fachada, como o Conselho Mundial de Paz (1950), fundado pela Comintern. Seu oposto, o Congresso para a Liberdade Cultural, foi fundado no mesmo ano e financiado pela CIA, apoiando a publicação mensal britânica *Encounter* e muitos outros periódicos.[87]

Um terceiro método era interferir nas eleições em um país hostil, um assunto cada vez mais presente desde 2016. Já em 1952, a CIA interferiu nas eleições na República Democrática Alemã.[88] Em 1980, o serviço secreto da Alemanha Oriental, a Stasi, interferiu nas eleições da Alemanha Ocidental, incentivando a divisão entre os democratas-cristãos e a União Social Cristã. A única coisa nova na interferência russa na campanha de Hillary Clinton, em 2016, era a tecnologia, incluindo a invasão do e-mail do presidente da campanha.[89]

FALSIFICAÇÃO

Um dos métodos mais importantes de desinformação foi e ainda é a falsificação. Um exemplo notório do seu uso no serviço de desinformação é o que ficou conhecido como "Carta de Zinoviev" – que também é um exemplo precoce de interferência nas eleições. Grigory Zinoviev foi chefe da Internacional Comunista, a Comintern. Uma carta em seu nome endereçada ao Partido Comunista britânico foi publicada por um jornal conservador britânico, o *Daily Mail*, quatro dias antes das eleições gerais de 1924. O primeiro-ministro trabalhista Ramsay MacDonald suspeitou de que a carta não fosse genuína, enquanto Trotsky a chamou de "um documento que grita em voz alta que é uma falsificação". Mesmo assim, a carta provavelmente contribuiu para a derrota do governo trabalhista nas eleições. A identidade daqueles desinformadores é até hoje desconhecida, mas é pouco provável que eles tenham sido bolcheviques. O principal suspeito, Ivan Pokrovsky, era um antibolchevique, ao passo que a divulgação da carta foi aparentemente obra de indivíduos dos serviços secretos britânicos.[90]

As falsificações foram utilizadas por ambos os lados durante a Guerra Fria. A CIA, por exemplo, criou uma organização de fachada na Alemanha Oriental que produziu edições forjadas de várias publicações daquele país, incluindo uma revista astrológica. Também a CIA encomendou os *Penkovsky Papers*, documentos publicados em 1966 e aparentemente escritos por Oleg Penkovsky, coronel da inteligência soviética que passou material secreto para o Ocidente. De fato, esse texto era uma semifalsificação, reescrita anonimamente em inglês, embora realmente tenha feito uso de conversas gravadas com o "autor original".[91]

Por outro lado, em 1957, o *Neues Deutschland* (o jornal oficial da Alemanha Oriental) publicou uma carta que afirmava ser do empresário e político Nelson Rockefeller ao presidente norte-americano Eisenhower, apresentando um plano para que os Estados Unidos dominassem o mundo. Essa notícia foi espalhada pelo mundo todo pela Rádio Moscou. Depois de 1963, quando o agente duplo Kim Philby foi exposto e desertou para a URSS, ele foi usado para garantir que as falsificações de documentos britânicos fossem escritas em inglês nativo. Por volta de 1970, a KGB publicou um suplemento forjado ao *Manual de campo do Exército* dos Estados Unidos, a fim de constranger os norte-americanos. Esse material revelava o nome dos agentes da CIA no exterior e recomendava a organização de "ações especiais", tais como ataques terroristas, para convencer os aliados dos Estados Unidos de que eles estavam em perigo. Em 1985, a KGB lançou uma campanha para divulgar a teoria de que os Estados Unidos haviam fabricado a aids como parte de uma experiência do Pentágono com armas biológicas.[92]

Documentos forjados exigem uma grande quantidade de conhecimento especializado, não apenas das técnicas, mas também das pessoas e dos eventos mencionados neles. Mesmo pequenos erros minam a autenticidade do documento. Sempre disposto a contar uma história contra si mesmo e contra sua antiga organização, o mesmo Ladislav Bittman descreveu uma falsificação feita pelo serviço de inteligência da Tchecoslováquia de uma carta do embaixador dos Estados Unidos em Leopoldville (atual Kinshasa, na República Democrática do Congo) endereçada ao governante Moïse Tshombe, com o objetivo de demonstrar a existência de uma trama norte-americana para devolver Tshombe ao Congo em julho de 1964. Já era tarde demais quando Bittman notou "dois grandes erros" no documento: um no título de Tshombe (chamando-o de "presidente" em vez de "primeiro-ministro") e o outro na data da carta, que foi vários dias antes de Tshombe tomar posse.[93] A ignorância em relação a detalhes que aparentam ser menores pode ter grandes consequências.

A PÓS-VERDADE

Nos últimos anos, espalhou-se a noção de que estamos vivendo em uma "era da pós-verdade", na qual o público é mantido na ignorância não pelo silêncio de informações, mas por um excesso de mentiras e pela desinformação que circula nos jornais, em programas de TV e, cada vez mais, on-line. O jornalista Peter Oborne, citando exemplos de Tony Blair e Peter Mandelson, entre outros, afirmou que "a verdade se tornou indistinguível da falsidade" na política britânica. Um livro com o título *Pós-verdade: A nova guerra contra os fatos em tempos de fake news* foi publicado por outro jornalista britânico, Matthew d'Ancona.[94] Outra expressão que se tornou popular recentemente é "*fake news*" [notícia falsa], popularizada pelos tuítes do presidente norte-americano Donald Trump. Trump afirmou que inventou a expressão e que a acusação de ter ganhado as eleições com o apoio russo seria um exemplo desse fenômeno.[95]

Uma alegação semelhante, ainda que não tão radical, é a de que vivemos em uma época na qual os políticos e seus conselheiros manipulam os fatos, em vez de inventá-los. Uma série de TV francesa, *Les Hommes de l'ombre* ("Os homens das sombras", em tradução livre), exibida em 2012, centrava-se em duas figuras rivais desse tipo manipulador. Quando a série foi mostrada na televisão britânica, em 2016, o título foi traduzido como *Spin* (que constitui outro eufemismo, já que "girar" a notícia – o verbo [*spin*] – soa melhor do que um termo mais antigo, "*twist*", ou "torcer").[96]

A alegação de que vivemos em uma nova era é um tanto atraente, e os exemplos oferecidos são certamente preocupantes. O problema com essa alegação é que os jornalistas que a aceitam presumem que os políticos costumavam dizer a verdade antes, sem se preocupar em examinar a Inglaterra de Robert Walpole, assim como a de Tony Blair, ou a Rússia de Stálin, assim como a de Putin. Afinal, faz mais de quinhentos anos que Maquiavel escreveu seu tratado sobre o príncipe, aconselhando os governantes a enganar tanto seus inimigos quanto seus súditos. Maquiavel adquiriu uma má reputação com a posteridade por seus conselhos, mas ele estava apenas colocando em palavras o que os príncipes de sua época – Carlos V, por exemplo – colocaram em prática.

As ideias, e até mesmo as palavras que as expressam, são muitas vezes bem mais antigas do que as pessoas pensam. Um livro sobre "a era da pós-verdade" já havia sido publicado em 2004 (*A era da pós-verdade: Desonestidade e enganação na vida contemporânea*, de Ralph Keyes), enquanto a expressão parece ter sido cunhada doze anos antes, em 1992. Já a expressão "*spin doctors*" [algo como "mestres na arte de manipular"] foi empregada no *New York Times* nos anos 1940.[97] Em francês, a expressão "*fausses nouvelles*", não muito longe de "notícias falsas", é de uso tradicional, tal como os "relatos falsos", do inglês "*false reports*". Outro termo francês tradicional é "*canard*", discutido na descrição vívida que Balzac faz do mundo do jornalismo na Paris de sua época. Um jornalista experiente explica a um neófito: "Chamamos de *canard* um fato que tem o ar da verdade, mas que é inventado para vender o *Faits-Paris* [nome de um jornal] quando os fatos reais são insípidos demais" (*Nous appelons un canard un fait qui a l'air d'être vrai, mais qu'on invente pour relever les Faits-Paris quand ils sont pâles*).[98]

Um conceito ainda mais antigo é o de "mentira". O jornalista britânico Jeremy Paxman, que entrevistou muitos políticos, disse que em cada uma dessas ocasiões costumava se perguntar: "Por que esse bastardo mentiroso está mentindo para mim?". Essa pergunta também foi atribuída a um jornalista anterior, o norte-americano Louis Heren.[99]

Uma afirmação mais moderada que a de uma "era da pós-verdade" vem de um estudo de dois filósofos da ciência que foi publicado em 2019. Os autores observam que "mentir não é novidade, mas a propagação deliberada de informações falsas ou enganosas explodiu nos últimos cem anos, impulsionada tanto pelas novas tecnologias de difusão de informações – rádio, televisão, internet – quanto pelo aumento da sofisticação daqueles que nos enganam".[100] A mídia espalhou não apenas desinformação, mas também má informação como resultado de ignorância ou de falta do cuidado apropriado, em vez de uma intenção de enganação deliberada.

AS MENTIRAS DO PRESIDENTE

Em um estudo publicado em 2004, foi alegado que, "na política norte-americana de hoje, a capacidade de mentir de maneira convincente passou a ser considerada uma qualificação quase *prima facie* para ocupar altos cargos". Se essa afirmação parece exagerada, vale lembrar que, em 1962, o secretário de Defesa assistente chegou ao ponto de afirmar que o governo tinha o "direito" de "mentir para se salvar", enquanto, na época de George W. Bush, o Departamento de Justiça defendia o direito de "dar informações falsas".[101]

Desde 1945, a maioria dos presidentes norte-americanos vem mentindo para o povo sobre assuntos de grande importância. Franklin D. Roosevelt mentiu sobre as concessões feitas a Stálin em Yalta em relação à Polônia e ao Extremo Oriente, enquanto Harry Truman depois manteve o segredo de Roosevelt. John F. Kennedy mentiu sobre as concessões feitas a Nikita Khrushchev na época da Crise dos Mísseis de Cuba – a remoção dos mísseis norte-americanos da Turquia como sendo o preço para a remoção dos mísseis soviéticos de Cuba. Lyndon Johnson mentiu sobre o início da guerra no Vietnã, com relatos "destinados a retratar os vietnamitas como mais agressivos do que até então haviam provado ser", e "os Estados Unidos como mais pacíficos". George W. Bush mentiu sobre a posse de armas de destruição em massa por Saddam Hussein.[102] Já as mentiras contadas por Trump enquanto estava no cargo são demasiadas para enumerar aqui.

Essas mentiras têm muitas vezes consequências negativas inesperadas. Por exemplo, "o macartismo usou um poder considerável retirado da desonestidade dos democratas a respeito de Yalta", o que fez parecer que Stálin havia quebrado o acordo quando não o tinha feito. E, mais uma vez, a negação por John e Robert Kennedy das concessões feitas a Khrushchev foi uma mentira que levou a mais mentiras, a uma diminuição da transparência oficial e a um consequente aumento da desconfiança em relação às ações do governo norte-americano. Essa desconfiança e a relutância de Johnson em permitir um debate aberto sobre a Guerra do Vietnã foram ruins para a reputação dos Estados Unidos tanto no país quanto no exterior.[103]

A atual proliferação de notícias falsas é alarmante, mas as perspectivas com relação à verdade não são completamente sombrias. Assim como os acobertamentos são seguidos pela revelação, também as mentiras atuais retratadas na mídia são regularmente expostas por agências de verificação de fatos em seus sites.

Algumas dessas agências estão ativas nos Estados Unidos e no Reino Unido: Snopes.com, fundada em 1994; FactCheck.org, fundada em 2003 e de propriedade de uma instituição acadêmica norte-americana, a Escola de Comunicação Annenberg, na Filadélfia;

PolitiFact, fundada em 2007, de propriedade do Instituto Poynter para Estudos em Mídia, na Flórida, e famosa por sua exposição anual da "Mentira do Ano"; Full Fact, fundada no Reino Unido, em 2009, pelo empresário Michael Samuel; Bellingcat, fundada por Eliot Higgins, em 2014; e Media Bias/Fact Check, fundada em 2015 pelo jornalista Dave Van Zandt.

Além do mundo anglófono, essas agências incluem a alemã Faktenfinder (2017), a italiana Pagella Politica (2013) e as brasileiras Aos Fatos (2015) e Bolsonômetro, uma espécie de termômetro que mede a proporção entre a frieza dos fatos e o "ar quente" das alegações falsas (sem mencionar mentiras) nos boletins informativos (*lives*) do ex-presidente do Brasil.[104]

14
Futuros incertos

Viver é navegar em um mar de incertezas.
Edgar Morin

A incerteza pode ser descrita como uma espécie de ignorância, a ignorância acerca do futuro. Como vimos nos casos de negócios, política e guerra, muitas decisões importantes dependeram do que se esperava que acontecesse no futuro. O problema é que o que realmente acontece é muitas vezes muito diferente do que se esperava. De fato, em algumas ocasiões, essas consequências podem ser perversas, exatamente o oposto do que se pretendia.[1]

Os efeitos colaterais dos medicamentos nos mostram exemplos dramáticos de consequências perversas. Na política, existem casos clássicos de reformas que levaram à destruição, e não à preservação, do regime que as aprovou, porque elas conscientizaram o povo de que uma mudança era possível e, portanto, aguçaram seu apetite por mais. Um exemplo famoso vem da França nos anos imediatamente anteriores a 1789, levando o teórico político Alexis de Tocqueville a concluir que "a experiência nos ensina que o momento mais perigoso para um mau governo é geralmente quando ele começa a se reformar".[2]

Outro exemplo famoso vem da Rússia depois de 1905. Sob um novo primeiro-ministro, Pyotr Stolypin, os camponeses receberam empréstimos para comprar terras, e os sindicatos foram legalizados. Essas reformas foram seguidas pela Revolução de 1917. Mais recentemente, as reformas de Gorbachev, destinadas a manter o sistema, levaram ao fim do comunismo e à dissolução da União Soviética, em 1991.

Ao longo dos milênios, houve muitas tentativas de ler o futuro – fosse por meio de ossos, pelas entranhas das aves ou pela posição dos planetas.³ Na Itália renascentista, por exemplo, a astrologia foi levada a sério por muitas pessoas, ainda que tenha sido rejeitada por alguns. O futuro era muitas vezes visto como o domínio da pura fortuna, fosse ela representada como uma roda na qual os indivíduos inevitavelmente se levantam e caem ou personificada na forma de uma deusa cujos cabelos fluindo representavam oportunidades que poderiam ser aproveitadas.

Alternativamente, a fortuna também já foi imaginada como um vento ao qual os marinheiros habilidosos eram capazes de se adaptar ao levantar ou baixar suas velas. Foi por essa razão que os Rucellai, uma família de comerciantes de Florença, adotaram a vela como seu emblema. Maquiavel concordava com essa harmonização entre a liberdade e o determinismo, escrevendo, no capítulo 25 de *O príncipe*, que, enquanto a sorte controla metade de nossas ações, a outra metade é livre.⁴

Essas imagens se tornaram obsoletas – "Fortuna, de fato, morreu", como disseram autores – no século XVII, graças à "domesticação do acaso" pelos matemáticos, cujos cálculos de probabilidades, como veremos daqui a pouco, transformaram a prática dos seguros.⁵ No entanto, a deusa parece ter retornado em nossa era de uma "sociedade de risco" e de "incerteza radical".⁶

Analistas de riscos estudam o desconhecido nos negócios, nas relações internacionais ou na tecnologia. O risco deve ser mensurável em graus de probabilidade, como na previsão do tempo que diz "80% de chance de chuva amanhã". O gerenciamento de risco se tornou uma profissão, inclusive com seus próprios periódicos, como o *Journal of Risk Research* ("Jornal da pesquisa de risco"). "A essência do gerenciamento de risco reside em maximizar as áreas nas quais temos algum controle".⁷ Os investidores, por exemplo, diversificam suas carteiras, enquanto muitos de nós fazem seguros de nossas casas e de nossas vidas.

A indústria de seguros tem uma longa história. Começou com o seguro contra naufrágio, seguido pelo seguro contra incêndio e depois pelo seguro contra uma morte prematura. O seguro marítimo remonta ao mundo mediterrâneo do final da Idade Média, quando a perda de cargas por naufrágio era um risco corriqueiro. No início da moderna

República Holandesa, da França e da Inglaterra, o seguro marítimo incluía a vida de escravos a bordo de navios, uma vez que eles eram tratados como propriedade pelas leis da época.[8] Na Inglaterra, os seguradores marítimos fundaram a Society of Lloyd's, em 1771, atualmente chamada Lloyd's of London – não uma seguradora, mas um local de encontro de membros signatários que agem no mercado de seguros.

A lembrança do Grande Incêndio de Londres, de 1666, ainda estava vívida quando o Fire Office [escritório para a venda de seguros contra incêndios] foi fundado, em 1680, por Nicholas Barbon, um médico que se tornou construtor especulativo, a fim de oferecer seguros que cobriam imóveis. Ele foi provavelmente inspirado pelo exemplo da Hamburger Feuerkasse, fundada em 1676, em Hamburgo, Alemanha, e considerada a primeira companhia de seguros do mundo. Em meados do século XIX, o seguro contra incêndio na Inglaterra era uma área dominada por três grandes companhias: Sun, Royal Exchange e Phoenix.[9]

O seguro de vida para indivíduos (que não escravos) dependia do desenvolvimento da matemática da probabilidade. Na República Holandesa, dois importantes membros da classe dominante, Jan de Witt e Johannes Hudde, aplicaram essa forma de matemática a esquemas de venda de anuidades de vida por meio da confecção de tabelas de mortalidade.[10] Tanto o governo holandês quanto o britânico arrecadaram dinheiro dessa forma, embora "nenhum governo britânico antes de 1789 pareça ter feito do custo de uma anuidade uma função da idade do comprador". As companhias de seguros do século XVIII "ignoravam os métodos estatísticos [...] A experiência era considerada; mas a contagem não era". O seguro, portanto, continuava sendo uma espécie de aposta, uma "aposta em vidas".[11] A falta de conhecimento de resultados prováveis era algo comum a muitos compradores de anuidades tanto na República Holandesa quanto na Inglaterra. Esse caso de "ignorância do investidor" se assemelha bastante ao da bolha do Mar do Sul, discutido anteriormente, embora em uma escala menor.

Se um determinado indivíduo ainda estará vivo daqui a trinta anos ou não é algo que ninguém sabe, mas se a mesma pergunta for feita a respeito de um grupo suficientemente grande de pessoas, é possível calcular a porcentagem de sobreviventes e assim estabelecer um preço que permita um lucro. Esse processo já foi descrito como a "domesticação do acaso".¹² Graças a matemáticos como Jacques Bernoulli, cujo livro *The Art of Conjecturing* ("A arte da conjectura") foi publicado postumamente, em 1713, o seguro de vida se tornou uma indústria de sucesso na Inglaterra, no século XVIII, e nos Estados Unidos, no século XIX. Enquanto os astrólogos elaboravam horóscopos para indivíduos, os atuários agora analisavam tendências gerais mais confiáveis.¹³

Cada vez mais dúvidas são expressas a respeito das tentativas de se medir o risco, tentativas que são "fundamentalmente limitadas pela ignorância".¹⁴ Uma era de grande confiança na medição de riscos está dando lugar, hoje, a uma era de incerteza. Analistas da incerteza, especialmente daquilo que ficou conhecido como "incerteza radical", estão preocupados com incógnitas incalculáveis. Um conhecido livro de Nassim Taleb, que se descreve como "professor das ciências da incerteza", argumenta que "nosso mundo é dominado pelo extremo, pelo desconhecido e pelo muito improvável". Uma argumentação semelhante foi defendida pelos economistas John Kay e Mervyn King, cujas ideias são discutidas neste capítulo.¹⁵

Outro livro conhecido, o do sociólogo alemão Ulrich Beck, tem o título de *Sociedade de risco: Rumo a uma outra modernidade* (1986) – e o conceito de "sociedade de risco" foi lançado por esse lúcido e provocativo ensaio. Beck afirmou ter descoberto um novo tipo de modernidade e um novo tipo de sociedade, visível a partir do final do século XX. Na era da primeira modernidade, ele argumentou, a industrialização resolveu os problemas, mas, na era da segunda modernidade, ela se tornou o problema.

As ameaças ao meio ambiente, por exemplo, são subprodutos ou efeitos colaterais da industrialização, "perigos e inseguranças induzidos e introduzidos pela própria modernização" (parece apropriado que o livro de Beck tenha sido lançado no mesmo ano do desastre de Chernobyl).¹⁶ O autor concluiu que "o cálculo do risco, tal como foi estabelecido até hoje pela ciência e pelas instituições legais, *entra em colapso*". Por essa razão, foi sugerido que um título mais exato para seu livro teria sido "Sociedade em perigo".¹⁷

Um estudo do risco do ponto de vista antropológico, publicado quatro anos antes de Beck, ofereceu uma perspectiva diferente, sugerindo que "a percepção do risco é um processo social" e que cada "tipo de sociedade [...] foca sua preocupação em perigos particulares", selecionados "para se adequar a um modo de vida específico".[18]

De maneira semelhante, do ponto de vista de um historiador, todas as sociedades parecem ser "sociedades de risco", embora cada período tenha seu próprio conjunto de riscos. Nos tempos pré-industriais, que Beck não discute em seu livro, esse conjunto incluía grandes pragas, fomes e guerras, bem como os riscos diários de ser esfaqueado na rua ou na taberna ou de se tornar vítima de bruxaria. Alguns desses riscos eram incertezas inevitáveis, mas outros eram o resultado de decisões individuais ou coletivas. Viajantes eram aconselhados a fazer seus testamentos antes de decidir realizar uma viagem por mar, enquanto os governos municipais precisavam decidir quanto cereal armazenar para evitar a possibilidade da fome.[19] Mesmo na Idade Média, alguns desses riscos já eram globais. Os mongóis devastaram a Europa e a Ásia no século XIII, assim como a peste negra, um século depois.

Apesar dessas qualificações, o argumento de Beck acerca da mudança de riscos mensuráveis para incertezas incalculáveis, assim como as argumentações levantadas por Taleb e outros, implica uma reflexão mais duradoura. Em *Weltrisikogesellschaft* ("Mundo em risco", de 1997) e especialmente em suas edições posteriores, Beck revisou e desenvolveu suas ideias. À luz do 11 de Setembro, ele passou a descrever o terrorismo e as finanças como grandes ameaças e colocou mais ênfase na globalização dos grandes riscos, que não respeitam as fronteiras nacionais.

Em um desafio à indústria de seguros, Beck enfatizou a incalculabilidade dessas novas ameaças à sociedade. "A ausência de uma adequada proteção por seguros feita de maneira *privada* é o grande indicador institucional da transição para a sociedade de risco incontrolável da segunda modernidade".[20] Beck admitiu que é possível tomar medidas preventivas contra catástrofes, mas alegou que "as próprias medidas preventivas contra riscos catastróficos desencadeiam riscos catastróficos, que podem no final ser ainda maiores do que as catástrofes a serem prevenidas" (ele escreveu isso antes da invasão norte-americana do Iraque em 2003, mas esse evento oferece uma ilustração vívida de seu ponto de vista). A conclusão de Beck foi que "o não conhecimento dá as cartas em uma sociedade de risco mundial".[21]

Neste momento, pode ser esclarecedor distinguir entre o risco, que está no reino da previsão, e a incerteza, que está no domínio da futurologia. Essas duas abordagens com relação ao futuro serão discutidas em sequência.

PREVISÃO

As previsões de colheitas, do clima e das tendências econômicas se tornaram atividades cotidianas nos Estados Unidos a partir da década de 1860, uma "cultura da previsão" incentivada pelo pânico financeiro de 1907. O meteorologista Henry H. Clayton também fazia previsões regulares dos ciclos econômicos, assim como do tempo. Na França, o astrônomo Urbain Le Verrier, mais conhecido por sua descoberta do planeta Netuno, também foi um pioneiro na organização de previsões meteorológicas.[22]

O planejamento do futuro por parte dos governos (especialmente os socialistas) se tornou cada vez mais comum nos séculos XIX e XX. Incluía o planejamento econômico, o planejamento urbano e o planejamento de defesa.[23] Na URSS, planos quinquenais para a economia foram lançados regularmente a partir do final da década de 1920 até o fim do regime. Em 1946, o governo francês, assessorado pelo multifacetado Jean Monnet, criou uma comissão de planejamento (Commissariat Général du Plan) para a reconstrução da França no pós-guerra. Ministérios do planejamento podem ser encontrados em países como Índia, Paquistão, Mianmar e Camboja.

Quanto à defesa, o governo norueguês criou um Departamento de Política de Defesa e Planejamento de Longo Prazo. Nos Estados Unidos, esse tipo de previsão tem sido financiado pela Corporação Rand (um *think tank* fundado em 1948 para pesquisas em nome das forças armadas) e pela Iarpa, uma organização dentro da comunidade de inteligência norte-americana. Como sugere o analista de inteligência Thomas Fingar, embora a incerteza não possa ser evitada, ela pode ser reduzida ao se gastar dinheiro em pesquisa "para antever problemas, identificar oportunidades e evitar erros".[24]

É claro que é possível *extrapolar*, partindo de tendências passadas para possíveis tendências futuras, sendo a extrapolação inclusive uma forma sistemática (ou apenas um nome extravagante) para aquilo que fazemos o tempo todo, quando, por exemplo, fazemos planos que presumem que o sol nascerá amanhã ou que o metrô de Londres estará lotado na hora do *rush*. Demógrafos, economistas e funcionários públicos vêm fazendo isso há séculos, analisando tendências em seus próprios países ou olhando na direção de uma nação como os Estados Unidos, onde, como argumentou um analista alemão em 1952, o futuro "já está aqui".[25]

No entanto, aprendemos com a história que as tendências nem sempre continuam adiante. De vez em quando, aparece o que Nassim Taleb batizou de "cisne negro", um evento altamente improvável com um impacto extremo – uma grande surpresa, como o grande *crash* da bolsa norte-americana de 1929 ou a queda do Muro de Berlim.[26] Como Stuart Firestein observou, "uma das coisas mais previsíveis a respeito das previsões é a frequência com que elas estão erradas".[27] De fato, tudo de que podemos ter certeza é que *não podemos* ter certeza, então temos de aprender a esperar o inesperado. Como disse o sociólogo francês Edgar Morin em uma entrevista em 2020, "viver é navegar em um mar de incertezas".[28]

Pode-se dizer que o estudo do futuro tanto é necessário, a fim de se planejar, como impossível, porque o que está por vir permanece incerto. Fazer um plano para o futuro e se ater a ele aconteça o que acontecer é uma atitude arrogante e perigosa, embora seja igualmente arrogante e perigoso não se preparar para possíveis catástrofes, incluindo o que o filósofo Nick Bostrom chama de "catástrofes existenciais", as "coisas grandes" que afetariam não apenas o presente, mas também o futuro, destruindo "o potencial da humanidade em longo prazo".[29] Felizmente, é possível distinguir diferentes graus de incerteza. Os tomadores de decisão que se preocupam com o futuro próximo são mais propensos a fazer previsões corretas do que os futurologistas preocupados com eventos que estão mais distantes. As previsões têm sido particularmente comuns – e controversas – em dois domínios: a política e a economia.

RISCOS POLÍTICOS

No estudo da política, um grande debate continua a acontecer. De um lado, há estudiosos que acreditam que a política seja uma ciência na qual as situações se repetem e as previsões são possíveis; do outro, estão aqueles que afirmam que cada evento é único e imprevisível.[30] Dois importantes estudos, ambos publicados nos anos 1960, mas que ainda hoje valem a pena ser lidos, ocupam o meio-termo. O primeiro, de Thomas Schelling, professor de relações internacionais, baseou-se na teoria dos jogos para descobrir as melhores estratégias a serem seguidas nos conflitos. Schelling argumentou que os conflitos são análogos a jogos nos quais as informações sobre os outros jogadores são "imperfeitas", ou seja, que se trata de uma situação de ignorância parcial.[31]

O segundo estudo, do historiador Saul Friedländer, apontou que "a previsão é um prerrequisito essencial da ação" e argumentou que ela é, ao mesmo tempo, difícil e possível. É difícil, porque os tomadores de decisão de um país ignoram os objetivos de seus equivalentes em outro país. E é possível, porque a liberdade de cada tomador de decisão (seja um indivíduo, seja um pequeno grupo) é limitada pelos objetivos que são escolhidos. Essa liberdade "encolhe" a cada passo dado.[32] Friedländer também observou a importância de se imaginarem cenários. "Na maioria dos casos, o observador pode listar as diferentes possibilidades abertas ao ator que está observando." Descrevendo as tentativas de Kennedy e Khrushchev de ler as intenções um do outro durante a Crise dos Mísseis de Cuba, o autor enfatiza a necessidade de "ver a situação pelos olhos do ator que está sob observação" e de se estar ciente do "estilo" pessoal dos tomadores de decisão, seus padrões particulares de comportamento. Argumenta-se que o fracasso em fazer isso foi uma das falhas básicas na estimativa da inteligência norte-americana da probabilidade da existência de armas de destruição em massa no Iraque de Saddam Hussein.[33]

Para se conseguir ter uma noção desse tal "estilo pessoal", é necessário o que Friedländer chama de "intuição".[34] A intuição também é enfatizada em um livro do psicólogo Philip Tetlock, publicado meio século depois do ensaio de Friedländer.[35] Tetlock liderou o Projeto de Bom Julgamento, lançado com o intuito de identificar os previsores que tiveram sucesso e analisar seus métodos. Ele requisitou voluntários e organizou torneios nos quais cada um deles, mais de 20 mil pessoas no total, fez centenas de previsões de eventos futuros – se um exército estrangeiro realizaria operações dentro da Síria antes de 1º de dezembro de 2014, por exemplo, ou se haveria menos gelo no mar do Ártico em 15 de setembro de 2014 do que na mesma data um ano antes. O "futuro", no caso desse projeto, era mais limitado do que o de Friedländer, já que não se estendia mais do que cinco anos e geralmente ficava restrito a um ano ou mais adiante.

Graças a esses torneios, Tetlock foi capaz de identificar um pequeno grupo do que ele chamou de "superprevisores", amadores que sempre fizeram previsões mais precisas do que os profissionais. Esses amadores passaram muito tempo investigando as perguntas que lhes foram solicitadas e atualizaram regularmente suas estimativas até o prazo final. Eles se saíram muito bem em termos de "pensamento probabilístico" e também na intuição, no sentido de reconhecimento de padrões baseados em conhecimento que parece ter sido esquecido, mas que permanece pronto para uso quando necessário.

ECONOMIA

Em economia, assim como na política, tem sido travado um longo debate sobre a possibilidade e os limites da previsibilidade. Um estudo recente de dois economistas seniores, John Kay e Mervyn King, confessou que, na juventude de ambos, eles aprenderam a abordar os problemas por meio de modelos matemáticos. Dessa forma, "o comportamento poderia ser previsto pela avaliação de qual seria a solução 'ótima' para esses problemas". No entanto, a experiência prática levou os autores a questionar essa abordagem, porque empresas, governos e famílias enfrentam todos "um futuro incerto", sabendo que não sabem o que vai acontecer.[36] Assim, Kay e King defendem a substituição dos modelos matemáticos por um foco na incerteza da vida econômica.

De maneira semelhante, um século antes, o economista norte-americano Frank Knight havia distinguido os riscos, que podiam ser medidos, da incerteza, que não podia. Knight criticou a suposição de "onisciência prática" dos atores econômicos e enfatizou o elemento-surpresa.[37] Alguns anos depois de Knight, John Maynard Keynes fez o mesmo comentário de uma forma memorável, como era característico dele, escrevendo que "a perspectiva de uma guerra europeia é incerta, ou o preço do cobre, ou a taxa de juros vinte anos depois, ou a obsolescência de uma nova invenção [...] Sobre esses assuntos, não há nenhuma base científica sobre a qual formar qualquer probabilidade calculável. Nós simplesmente não sabemos!".[38]

Keynes também escreveu sobre a necessidade de "derrotar as forças obscuras do tempo e da ignorância que envolvem nosso futuro". Uma ênfase semelhante no tempo e na ignorância, bem como nas consequências não intencionais, pode ser encontrada nos escritos de alguns economistas austríacos, de Joseph Schumpeter a Friedrich von Hayek. Eles criticaram os economistas neoclássicos tanto por ignorarem as mudanças quanto por suporem que os agentes econômicos ajam com perfeito conhecimento, uma suposição que é tão irrealista quanto a da concorrência perfeita.[39]

Outra contribuição para o estudo da incerteza veio do economista britânico George Shackle. Shackle foi descrito pelo analista de risco Nassim Taleb como um "grande pensador subestimado", acrescentando que "é incomum ver o trabalho de Shackle mencionado, e eu tive de comprar seus livros de negociantes de usados em Londres".[40] Esses livros enfatizavam o que o autor chamou de "desconhecimento" e discutiam como lidar com isso.

FUTUROLOGIA

Enquanto previsores em geral costumam estudar apenas o próximo ano ou dois (ou mesmo cinco), os futurólogos ou futuristas estão preocupados com o longo prazo, vinte ou trinta anos ou mais adiante. A futurologia requer – entre outras qualidades – uma forte imaginação, portanto não é surpresa encontrar romancistas envolvidos nessa empreitada, entre eles Júlio Verne, na França, e, na Inglaterra, H. G. Wells, cujo relato em *História do futuro* (originalmente *The Shape of Things to Come*, ou "A forma como as coisas serão", de 1933) descreveu eventos até o ano 2106.[41]

Alguns escritores de ficção fizeram previsões bem-sucedidas. Verne imaginou um pouso na Lua e um submarino, enquanto Wells, que tinha estudado biologia, imaginou a engenharia genética. Alguns anos antes da Primeira Guerra Mundial, Wells previu o uso de tanques (que ele chamou de "encouraçados terrestres"), bem como de uma "guerra no ar". Mais recentemente, Arthur C. Clarke, mais conhecido por sua colaboração com Stanley Kubrick no filme *2001: Uma odisseia no espaço* (1968), previu tanto o *internet banking* quanto as compras on-line.

Wells também escreveu não ficção, incluindo uma série de artigos na *Fortnightly Review*, em 1901, publicados depois sob a forma de um livro cujo título poderia ser traduzido como "Antecipações da reação do progresso mecânico e científico sobre a vida e o pensamento humanos". Esse livro foi uma contribuição inicial à futurologia, um termo que na verdade seria mais tarde cunhado originalmente em alemão, *Futurologie*, pelo advogado Ossip Flechtheim, em 1943. Outra contribuição veio do sociólogo norte-americano William Ogburn, membro do comitê de pesquisas sobre tendências sociais recentes, criado pelo presidente norte-americano Herbert Hoover. Requisitado pelo *New York Times*, em 1931, a fornecer previsões para o ano 2011, Ogburn sugeriu que o governo teria mais impacto na vida das pessoas e que a vida das mulheres estaria mais próxima da dos homens.

Previsões de longo prazo se tornaram mais comuns a partir do final dos anos 1950. Como a ficção científica, elas ajudaram o público a imaginar cenários futuros alternativos.[42] Três franceses fizeram contribuições importantes para esse campo que então se expandia. Gaston Berger, cujos interesses incluíam filosofia e administração, cunhou o termo "prospectiva" (o oposto complementar da retrospectiva). Ele fundou um centro para o estudo desse assunto em 1957. Bertrand de Jouvenel, um filósofo político, editou uma coleção de ensaios intitulada *Futuribles* (habilmente combinando a ideia de "futuros possíveis" em uma só palavra, "futurível"). O terceiro, o economista Jean Fourastié, baseou suas estimativas de tendências futuras no estudo dos séculos passados, e não apenas nas décadas anteriores.[43]

Já nos anos 1960, a futurologia havia se tornado uma empreitada internacional. Em 1967, Herman Kahn, que trabalhava para a já mencionada American Research and Development Corporation (conhecida como Corporação Rand), publicou um livro chamado *The Year 2000* ("O ano 2000"), com o subtítulo de "Um alicerce sobre o qual especular a respeito dos próximos 33 anos".[44] Aquela foi também a época do lançamento da revista *Futures* (1968) e da fundação da World Future Society (Sociedade Mundial do Futuro, 1966), do Clube de Roma (1968) e do Instituto Copenhague de Estudos Futuros (1969).

A partir deste ponto, parece útil distinguir entre quatro grupos principais envolvidos no estudo do futuro. Um primeiro grupo está mais associado ao governo, especialmente, mas não exclusivamente, à comunidade de inteligência. No início dos anos 1970, por exemplo, o governo sueco financiou uma Secretaria para Estudos do Futuro. Nos anos 1990, a comunidade de inteligência norte-americana começou a produzir estudos de tendências globais projetando vinte anos à frente. As pesquisas para o volume correspondente ao ano 2025 começaram em 2004, e o livro foi publicado em 2008.[45]

Um segundo grupo tem se preocupado especialmente com as tecnologias do futuro e as consequências sociais de seu uso. Esse segmento inclui o sociólogo Daniel Bell, que previu a ascensão da "sociedade pós-industrial" e o impacto dos computadores na vida cotidiana.[46] Também incluiu alguns inventores, que gostam tanto de imaginar como de moldar o futuro. O engenheiro Dennis Gabor, por exemplo, afirmou que, embora "o futuro não possa ser previsto [...] o futuro pode ser inventado". Nesse segundo grupo, a figura mais notável foi certamente a do polímata Buckminster Fuller (conhecido como "Bucky"). Entre muitas outras coisas, Fuller foi o projetista de uma casa que seria produzida em massa; de um automóvel que deveria viajar com a mesma facilidade em terra, mar e ar; e do que ele chamou de "domos geodésicos", que poderiam ser erguidos sobre espaços de diferentes tamanhos, de uma estufa a uma cidade.[47] Esses domos, leves, porém fortes, estão atraindo uma atenção renovada atualmente como um possível meio para os habitantes das cidades para lidar com a mudança climática.

Um terceiro grupo de futurólogos vem do ramo dos negócios, está preocupado com a estratégia corporativa e inclui o consultor administrativo Peter Drucker – que certa vez observou que "a melhor maneira de prever o futuro é criá-lo" –, além de Peter Schwartz, fundador da Global Business Network, e de Peter Fisk, fundador da GeniusWorks. Um quarto grupo, menos otimista que o segundo e o terceiro, preocupa-se com os limites do crescimento econômico e o futuro do meio ambiente. Ele inclui membros do Clube de Roma, como Donella e Dennis Meadows e Jørgen Randers. Foi em 2013 que Randers, analista de sistemas norueguês, publicou sua "previsão global" para o ano 2052.

Os mais recentes recrutados para estudos futuros vêm da filosofia e incluem Nick Bostrom e Toby Ord. Eles trabalham no Instituto do Futuro da Humanidade em Oxford, fundado em 2005 e preocupado com o "risco existencial", ou seja, o risco de extinção humana, ou pelo menos o risco de uma redução drástica no potencial da humanidade. Bostrom e Ord estão entre os analistas que tentam transformar a futurologia especulativa em uma previsão cuidadosa. A distância entre a previsão de curto prazo e a futurologia de longo prazo parece estar diminuindo, uma vez que aqueles que estudam o futuro estão se concentrando mais no médio prazo, ou seja, nas próximas décadas, ou no máximo nos próximos cem anos.

Ord, por exemplo, discute os riscos "naturais", como o de um meteorito atingir a Terra ou uma supererupção vulcânica, mas se concentra em cinco ameaças principais: armas nucleares, mudanças climáticas, danos ambientais, pandemias (sejam naturais, sejam "engendradas") e o que o autor descreve como "inteligência artificial desalinhada", no caso de a IA, que ainda serve à humanidade, um dia se tornar sua mestra. Shane Legg, o fundador da DeepMind, uma empresa que constrói sistemas de IA, chamou isso de "meu risco número um para este século".[48]

Os métodos empregados nesses "estudos do futuro" são tão variados quanto os grupos neles envolvidos.[49] Bertrand de Jouvenel escreveu sobre "a arte da conjectura", enquanto Herman Kahn descreveu seu relato do ano 2000 como "especulação". A base na qual se edificar a conjectura costumava ser a análise estatística, extrapolando de tendências do passado recente para tendências do futuro. Desde os anos 1970, no entanto, faz-se um uso cada vez mais crescente de simulações em computador. O Clube de Roma, por exemplo, empregou modelos computacionais do que chamaram de "Mundo 3", atualizando o modelo "Mundo 2", do engenheiro de computação Jay Forrester, para calcular os efeitos das futuras interações entre população, indústria e meio ambiente, e assim estimar os limites do crescimento econômico. A humanidade ainda navega em um mar de incertezas, mas, pelo menos no que diz respeito ao nosso meio ambiente, ela agora possui o equivalente a um astrolábio.

Enquanto as ameaças ao meio ambiente podem ser estimadas com algum grau de probabilidade, as ameaças que resultam da ação humana não podem. Com a exceção de Andrei Amalrik, dissidente russo que escrevera vinte anos antes, os acadêmicos que estudavam a União Soviética geralmente não conseguiram prever sua dissolução, em 1990. Amalrik havia previsto uma crise no sistema soviético, extrapolando a partir da ascensão da "oposição cultural", do "descontentamento passivo" e das "tendências nacionalistas dos povos não russos da União Soviética". Ele sugeriu cenários alternativos (incluindo uma guerra contra a China) e citou paralelos às condições que levaram às revoluções de 1905 e 1917.[50]

O futurologista Herman Kahn, escrevendo em 1970, apostou na ascensão da economia japonesa, afirmando que até o ano 2000 ela igualaria ou superaria a dos Estados Unidos. Ele não imaginou a possível ascensão da China.[51] Os economistas geralmente não conseguiram prever a Grande Crise de 1929. Também não conseguiram prever a "terrível" crise bancária de 2008 – como observou a rainha da Inglaterra na época.

O problema com a extrapolação a partir de tendências atuais é que, às vezes, elas entram em repentina inversão, como os preços das ações na bolsa de valores ou, para usar o memorável exemplo de Nassim Taleb, a expectativa de futuras refeições por parte de perus que são bem alimentados pouco antes do Dia de Ação de Graças.[52] Se lermos as previsões dos futurólogos décadas depois de terem sido feitas, os fracassos nos saltam aos olhos. Escrever sobre riscos é em si mesmo um negócio arriscado. O fato de que esses riscos podem, até certo ponto, ser reduzidos pelo estudo do passado é o argumento central do capítulo seguinte.

15

Ignorando o passado

Os tolos dizem que aprendem com os seus próprios erros.
Eu prefiro aprender com os erros dos outros.
Atribuído a Otto von Bismarck

Este capítulo explorará o desconhecimento do passado por parte de três grupos diferentes. Em primeiro lugar estão os historiadores, que nunca sabem tanto sobre o passado como gostariam, e muitas vezes sabem bem menos do que acham que sabem. Em segundo lugar vem o público em geral, cuja ignorância, assim como a ignorância dos eleitores, vem sendo objeto de pesquisas recentes. Em terceiro lugar, e o mais importante, está a ignorância dos tomadores de decisão, que muitas vezes não aprendem com seus predecessores. Ignorando o passado, eles cometem os mesmos erros outra vez.

CETICISMO HISTÓRICO

Ernst Gombrich, que, como vários intelectuais vienenses, tinha o dom de cunhar frases afiadas e espirituosas, costumava dizer a seus alunos que "a história é como um queijo suíço, cheio de buracos".[1] No mapa do passado, há muitos espaços em branco. Para compor a história de muitas partes do mundo, durante diversos períodos, as fontes podem ser bem esparsas, quando não quase totalmente ausentes. A consciência desse problema, juntamente à redescoberta do antigo filósofo Sexto Empírico (discutido no capítulo dois), embasa o movimento do ceticismo histórico ou "pirronismo" na Europa dos séculos XVI ao XVIII, uma campanha para revelar o desconhecimento do passado em geral e da história do mundo antigo em particular.

Em 1528, o famoso pregador e moralista espanhol Antonio de Guevara publicou uma biografia semificcional do imperador Marco Aurélio. Quando foi criticado por inventar detalhes históricos, Guevara se defendeu afirmando que, no que diz respeito às histórias seculares e pagãs, "não temos certeza de que alguns [historiadores] digam mais a verdade do que outros".[2] Mais tarde naquele mesmo século, *Sir* Philip Sidney defendeu a poesia contra seus críticos, lançando um ataque à história, zombando do historiador "coberto de velhos registros comidos pelos ratos", mas "na maior parte das vezes, clamando para si a autoridade sobre os notáveis alicerces do mero boato".[3]

Os meados do século XVII foram um momento em que a possibilidade, os limites e os fundamentos do conhecimento histórico se tornaram um debate particularmente vigoroso, especialmente, embora não exclusivamente, na França. Em seu *Discurso sobre o método* (1637), René Descartes argumentou que as obras dos historiadores eram inúteis e até mesmo perigosas. Ele os comparou ao modismo dos romances de cavalaria, pois omitiam circunstâncias aparentemente triviais (*les plus basses et moins illustres circonstances*) e assim encorajavam os leitores "a se dobrar pelas extravagâncias dos paladinos de nossos romances", fazendo planos que estavam além de seu poder de execução.[4]

O problema da incerteza da história foi discutido com mais detalhes pelo filósofo François La Mothe Le Vayer em um controverso estudo, *Du peu de certitude qu'il y a dans l'histoire* ("Da pouca certeza que há na história", em tradução livre, de 1668). O debate sobre o assunto foi ainda mais vigoroso uma geração depois, na era do cético Pierre Bayle, embora tenha ressoado até bem adiante no século XVIII, quando Voltaire publicou um ensaio sobre *Le Pyrrhonisme de l'histoire* ("O pirronismo da história", em tradução livre, de 1768).[5] Os pirronistas, como eram conhecidos na época, apresentavam dois argumentos principais. O primeiro era o argumento do viés, e o segundo, o argumento da falta de provas.

O que os historiadores ainda chamam de "parcialidade" ou "viés" (do inglês "*bias*", uma metáfora vinda do jogo de *bowls*, muito praticado na Inglaterra) nos leva de volta ao problema dos pontos de vista, discutido, como já vimos, pelo sociólogo Karl Mannheim nos anos 1920 e pelas feministas nos anos 1980, mas que remonta pelo menos ao século XVII. Qual seria a imagem que teríamos das Guerras Púnicas hoje, perguntou La Mothe Le Vayer, se só tivéssemos acesso a um relato do ponto de vista cartaginês? Como pareceriam a nós as Guerras Gálicas de César se Vercingetórix, e não César, tivesse sido o único a escrever suas memórias?[6]

Quanto a Bayle, ele comparou o trabalho dos historiadores ao de cozinheiros. "A história é tratada como a comida de uma cozinha [...] cada nação, cada religião, cada seita toma os mesmos fatos crus [...] e os tempera de acordo com seu gosto" (*l'on accommode l'Histoire à peu près comme les viands dans une Cuisine... chaque nation, chaque Religion, chaque Secte Prend les mêmes faits tout cruds... et les assaisonne selon son goût*). Por isso, dizia Bayle, ele quase nunca lia historiadores para saber o que aconteceu no passado, mas apenas para descobrir "o que é dito em cada nação e em cada grupo". O que o interessava em algum historiador em particular era precisamente o preconceito, o viés.[7]

Voltaire não estava dizendo nada de novo, apenas resumindo mais de um século de debate, quando discutiu o problema do viés em seu ensaio sobre o "pirronismo histórico" (*Historical Pyrrhonism*, de 1769). Ele até usou o mesmo exemplo de La Mothe sobre a influência das memórias de César na visão da posteridade sobre as Guerras Púnicas. "Para julgar com justiça", escreveu ele, "seria necessário ter acesso aos arquivos da família de Aníbal". Como era Voltaire, ele não resistiu a desejar que pudesse ver também as memórias de Caifás e Pôncio Pilatos.[8]

O segundo grande argumento empregado pelos céticos era o da falta de provas de muitos eventos do passado, juntamente à alegação de que algumas fontes que antes eram consideradas confiáveis não o eram e poderiam, inclusive, ter sido forjadas. Um jesuíta francês chamado Jean Hardouin chegou ao ponto de afirmar que a maioria dos textos clássicos eram falsificações. Hardouin seria hoje diagnosticado como paranoico, pois acreditava em uma conspiração destinada a forjar textos. Ele pode ter sido um caso isolado de insanidade, mas foi apenas um exemplo mais extremo de uma tendência que era geral, combinando as dúvidas já expressas sobre muitos daqueles documentos com algumas de sua própria lavra.[9]

O caso de Hardouin mostra vividamente como esses desafios específicos podem ter um efeito cumulativo. Não é de se admirar que o adjetivo "crítico" tenha se tornado moda nos títulos de livros no final do século

XVII. Uma quantidade crescente do que tinha sido geralmente aceito como história verdadeira – a fundação da Roma antiga por Rômulo, por exemplo, ou a vida de certos santos, ou a fundação da monarquia francesa por Faramundo – era então descartada como invenção, como mito.

Um exemplo importante da nova crítica histórica foi o trabalho do estudioso huguenote Louis de Beaufort, *Dissertation sur l'incertitude des cinq prèmiers siècles de l'histoire romaine* ("Um ensaio sobre a incerteza dos primeiros cinco séculos da história romana", em tradução livre, de 1738). Voltamos ao problema do queijo suíço, combinado com o da falta de confiabilidade das fontes sobreviventes para a história do passado remoto – no caso, o historiador Livy, escrevendo na época do nascimento de Cristo sobre eventos que aconteceram, se é que aconteceram, uns setecentos anos antes.[10] Os historiadores tiveram de admitir que sabiam menos sobre séculos anteriores do que haviam afirmado, que suas fontes eram menos confiáveis do que haviam presumido e que, mesmo na melhor das hipóteses, suas declarações não dispunham da certeza que pode ser encontrada na matemática.[11]

A ignorância do passado foi enfatizada mais uma vez na era pós-moderna, quando a historiografia (se não a própria história) parecia estar se repetindo. Uma segunda crise de consciência histórica se tornou visível, na qual, curiosamente, três filósofos franceses mais uma vez desempenharam um papel de liderança.

O trio de Descartes, La Mothe e Bayle foi substituído pelo de Michel Foucault, Jacques Derrida e Jean-François Lyotard. Dúvidas sobre a existência de César, por exemplo, foram substituídas por dúvidas sobre a realidade do Holocausto, e todo o passado foi por vezes tido como uma "construção" cultural. Na aparente ignorância do paralelo que estavam formando, os participantes dos debates da década de 1990 ecoaram seus antecessores dos anos 1690.[12]

IGNORÂNCIA SELETIVA

Mais importante em longo prazo do que a dúvida radical foi a descoberta da "ignorância seletiva", mencionada no capítulo um, notadamente a compreensão de que a história tem sido escrita em sua maioria por elites, sobre elites e para elites. A história romana foi escrita por senadores para senadores, a história chinesa, por mandarins e para mandarins, e a história medieval europeia (por um tempo), por monges e para monges. A história de outros tipos de pessoa foi muitas vezes rejeitada por *não valer a pena saber* – geralmente de forma implícita, mas ocasionalmente nessas mesmas exatas palavras – como uma afronta à "dignidade da história" (uma expressão clássica que ainda estava em uso no início do século XX).

Nos anos 1820, quando o grande escritor russo Alexander Pushkin estava estudando a história da revolta camponesa liderada por Yemelyan Pugachev, o czar Nicolau I disse-lhe: "tal homem não tem história". Nos anos 1950, quando um historiador britânico escreveu sua dissertação sobre um movimento popular que fez parte da Revolução Francesa, seu examinador – ninguém menos que Lewis Namier – perguntou-lhe: "Por que você se preocupa com esses bandidos?".[13]

A pesquisa histórica no século XX oferece uma série de casos de *seleção*. No início do século, ela se concentrou em eventos políticos vistos de cima, a partir da perspectiva dos líderes. Esse tipo de história foi rejeitado como superficial por historiadores econômicos, que se concentraram em estruturas e tendências, em vez de eventos ou indivíduos. Em uma geração posterior, os historiadores sociais rejeitaram a história econômica como reducionista. Nos anos 1960, a história vinda de baixo, como escrita por Edward Thompson e Eric Hobsbawm – que literalmente se preocupavam com "os bandidos" –, focalizava as pessoas comuns, os governados, e não os governantes, incluindo seu ponto de vista, assim como suas vidas e seus sofrimentos. Se a história a partir de baixo começou com homens da classe trabalhadora, logo veio a incluir também a história das mulheres.[14]

Como vimos nos capítulos anteriores, novos conhecimentos levaram a uma crescente consciência da ignorância que existia no passado – uma ignorância da história da classe trabalhadora, dos camponeses, das mulheres e, ainda mais recentemente, do meio ambiente.

A IGNORÂNCIA DO PÚBLICO

Assim como a ignorância da política, a ignorância da história tem sido objeto de pesquisas. Em 2015, por exemplo, uma pesquisa com uma amostra do público britânico mostrou que "três em cada quatro britânicos têm pouco ou nenhum conhecimento sobre a Batalha de Waterloo. Os jovens pensam que Waterloo é só uma música do Abba; os mais velhos conhecem o nome como sendo de uma estação ferroviária [...] muitos nomeiam Francis Drake ou Winston Churchill, e não o duque de Wellington, como o arquiteto da vitória, e muitos ainda pensam que os franceses venceram".[15]

Nos Estados Unidos, as pesquisas Gallup Youth (ou seja, com os jovens) realizadas em 1977 e 2000 mostraram que "o conhecimento da história mundial está em falta", com menos entrevistados capazes de associar Hitler à Alemanha, Napoleão à França ou Churchill à Inglaterra. Outra pesquisa do ano 2000, dessa vez voltada à história norte-americana, descobriu que apenas 42% dos entrevistados sabiam que 1492 foi o ano em que Colombo descobriu a América, enquanto 56% não sabiam a data da independência norte-americana.[16]

A situação pode estar ficando pior, mas o problema não é novo. Uma pesquisa do Gallup de 1996 já mostrava que menos de 25% dos britânicos de 16 a 24 anos de idade sabiam que foi Christopher Wren quem projetou a Catedral de São Paulo, e apenas 10% sabiam qual rei inglês assinou a *Carta Magna*. Um livro intitulado *1066 and All That* ("1066 e Tudo aquilo lá", em tradução livre, em referência ao ano da conquista da Inglaterra pelos normandos, com profundas implicações), publicado pela primeira vez em 1930 e hoje um clássico, é, entre outras coisas, um relato hilário de "toda a história de que você consegue se lembrar", ou seja, erros sobre o passado baseados na experiência de um dos autores, Walter Sellar, que ensinou história nas escolas inglesas durante a maior parte de sua carreira.

Se os alunos muitas vezes ignoram o passado, não é sempre por eles terem estado ausentes ou dormindo durante as aulas. Seus livros didáticos podem ser culpados. Um estudo envolvendo doze livros de história norte-americana destinados ao uso em escolas poderia ter sido apelidado de "1492 e tudo aquilo lá" (em referência ao ano da descoberta da América), embora na verdade tenha ganhado o título ainda mais atraente de *Mentiras que meu professor me contou* (originalmente, *Lies My Teacher Told Me*). De fato, os pecados cometidos pelos autores daqueles livros-textos não são exatamente mentiras, e sim imprecisões e, sobretudo, pecados de omissão, como deixar de mencionar que

Colombo não foi o primeiro a explorar o Novo Mundo, já que "pessoas de outros continentes tinham chegado às Américas muitas vezes antes de 1492". Mais uma vez, "enquanto os livros didáticos de hoje mostram o horror da escravidão e seu impacto na América negra, eles permanecem na maior parte silenciosos com relação ao impacto da escravidão na América branca, seja no Norte, seja no Sul".[17]

A ignorância da história por parte dos eleitores, uma espécie de amnésia coletiva, às vezes tem consequências importantes. Tomemos o caso da Espanha na época em que escrevemos este livro (2021). O retorno à democracia após a morte de Franco foi auxiliado pelas lembranças que os espanhóis tinham da Guerra Civil, quando a esquerda foi derrotada em grande parte por estar dividida. As lembranças dessa derrota encorajaram diferentes partidos a trabalharem juntos nos anos 1970. Agora que praticamente ninguém mais se lembra da Guerra Civil espanhola, a democracia por lá parece estar se tornando mais frágil.

A IGNORÂNCIA DOS TOMADORES DE DECISÕES

É frequente que amigos, parentes e estudantes dos historiadores perguntem a eles: qual é a *utilidade* da história? A pergunta se torna mais fácil de responder se for invertida, na forma de "quais são os perigos da ignorância da história?". Por exemplo, investidores com conhecimento da história têm mais chances de evitar perdas no mercado de ações. Na economia, *booms* e *crashes* se repetem, muitas vezes pelas mesmas razões, entre elas a oferta imprudente de crédito e promessas feitas por manipuladores inescrupulosos do mercado. Os investidores no mercado de ações "pontocom" nos anos 1990 deveriam ter sido bem aconselhados a ler sobre bolhas anteriores, incluindo duas que foram analisadas no capítulo dez, a bolha do Mar do Sul, na Inglaterra, em 1720, e a que precedeu a Grande Crise de 1929 da bolsa de Nova York. O célebre economista norte-americano John Kenneth Galbraith estudou esta última com base no argumento de que, "como forma de proteção contra a ilusão ou a insanidade financeira, a memória é muito melhor do que a lei". Sua expressão que fala sobre uma "memória imunizante" é, em si mesma, memorável. Galbraith também sugeriu que, depois que todos que sofreram um desastre já morreram, a história é capaz de fazer o trabalho da memória.[18]

A história não se repete, mas alguns tipos de situação, sim, o que torna certos cenários futuros mais prováveis do que outros. Em várias ocasiões, decisões tomadas por estadistas e generais, na ignorância de experiências anteriores, tiveram consequências infelizes, se não desastrosas. Tomemos o caso das fomes em Bengala, em 1770 e 1943. O jornalista Kali Charan Ghosh, escrevendo sobre as respostas oficiais a ambos os desastres, observou que "todos os pecados de omissão e comissão [...] foram repetidos em cada detalhe".[19]

Como vimos no capítulo nove, as consequências da ignorância ficam mais imediatamente óbvias na história da guerra. Os comandantes são frequentemente criticados por tentarem combater novamente a guerra anterior e por levarem muito pouco em consideração as diferenças entre passado e presente. Entretanto, alguns deles cometem erros pela razão oposta, ignorando as lições do passado.

Vamos considerar o caso de duas grandes invasões da Rússia, a primeira por Napoleão e seu exército, em 1812, e a segunda por ordem de Hitler, em 1941. Há, é claro, grandes diferenças entre as duas invasões. Napoleão liderou seu exército em pessoa, enquanto Hitler liderou de uma posição bem mais à retaguarda. O exército de Napoleão marchou a pé ou a cavalo e era seguido por um longo comboio de seguidores e bagagens de acampamento, enquanto alguns dos invasores alemães se deslocaram rapidamente em seus tanques (embora os cavalos continuassem sendo indispensáveis).

Alguns dos participantes da segunda invasão estavam muito cientes das semelhanças entre os problemas que enfrentavam ali e os que os franceses haviam vivido em 1812. Hitler não permitiria que seus generais avançassem sobre Moscou no que era, "em parte, uma superstição com o intuito de evitar as pegadas de Napoleão". Alguns dos oficiais do exército invasor, incluindo o comandante do Grupo do Exército do Centro, o marechal de campo Günther von Kluge, haviam lido as memórias do general Armand de Caulaincourt, que havia acompanhado Napoleão em 1812. O general de tropas panzer Erich Hoepner não foi o único a ver que "nossa situação tem semelhanças desesperadoras com a de Napoleão em 1812".[20]

Em ambos os casos, a destruição dos invasores não se devia tanto aos exércitos de defesa, e sim às constantes geográficas e meteorológicas, duas em particular. Uma era o vasto tamanho do país, no qual os invasores ficaram inevitavelmente dispersos, como se tivessem sido engolidos. Um oficial alemão que havia lido as memórias de Caulaincourt registrou sua "sensação ruim a respeito do enorme espaço da Rússia". Outro oficial declarou que "a vastidão da Rússia nos devora". Um terceiro chamou as estepes russas de "um oceano que poderia afogar o invasor".[21] Como Carl von Clausewitz escreveu na época, "a campanha russa de 1812 demonstrara [...] que um país de tal tamanho não poderia ser conquistado".[22]

A segunda constante era o clima. A maior ameaça tanto para os exércitos franceses quanto para os alemães era o que os russos chamavam de "General Inverno". É verdade que Napoleão já havia perdido mais da metade de suas tropas antes de sua retirada, mas o tempo certamente havia aumentado suas dificuldades.[23] O exército francês tinha quase 700 mil homens quando invadiu a Rússia. Naquele momento, era verão, e o exército sofria com o calor. No entanto, quando Napoleão finalmente ordenou uma retirada de Moscou, já era 20 de outubro. O imperador sabia que, na Rússia, normalmente não fazia tanto frio até dezembro, por isso pensou que teria muito tempo. "O que ele não percebeu, assim como muitos que não conhecem aqueles climas, era o quanto as mudanças no tempo ali podem ser repentinas e insanas, e como a temperatura é apenas um fator, que, junto ao vento, à água e ao terreno, pode transformar a natureza em um oponente ferozmente poderoso".[24] A propósito, Caulaincourt, que já estava familiarizado com a Rússia desde seus dias como diplomata, tinha tentado dissuadir Napoleão da invasão e o tinha advertido do perigo de passar o inverno lá.

Esse não é um caso simples de "pura ignorância". Napoleão sabia que o inverno russo era rigoroso e que roupas quentes seriam necessárias. É um caso do que poderia ser chamado de ignorância "aplicada", ou seja, o fracasso em se aplicar esse conhecimento a esse caso em particular, dando as ordens apropriadas. Esse fracasso em mobilizar o conhecimento ao serviço da tomada de decisões foi encorajado pela arrogância, notadamente pela suposição superotimista de que a vitória francesa seria tão rápida que os invasores estariam em segurança fora da Rússia no outono.

O aviso de Caulaincourt se revelou bem justificado. Em 6 de novembro de 1812, a temperatura já havia caído muito, e eles já enfrentavam neve espessa. O exército, que havia sido reduzido até então para apenas 100 mil homens, estava com falta de provisões. Eles não tinham como carregar comida suficiente para os homens ou forragem para os cavalos. Também não tinham roupas de inverno. "Não havia nem mesmo a noção de um 'uniforme de inverno', uma vez que, naqueles tempos, os exércitos não lutavam no inverno".[25] Como no caso da retirada britânica de Cabul, 28 anos depois, o congelamento das mãos dos soldados os impossibilitava de atirar, e dos pés os impossibilitava de marchar. No final de novembro, o exército francês havia sido reduzido de 700 mil para 25 mil homens – os demais estavam mortos, feridos ou tinham sido feitos prisioneiros.[26]

Em 1941, a história começou a se repetir. Hitler ordenou a invasão da Rússia em junho, dessa vez com cerca de 3 milhões de soldados. Em "total ignorância da campanha de Arkhangelsk" na Primeira Guerra Mundial, os comandantes alemães ficaram surpresos com os problemas decorrentes de se travar guerra em baixas temperaturas e com neve.[27] Hitler não era ignorante a respeito do que havia acontecido com o exército de Napoleão, mas certamente escolheu ignorar os fatos naquele momento. Ele estava confiante de que, com mais tropas, sem mencionar tanques e aviões, ele teria sucesso onde Napoleão havia falhado. Não conseguiu.

Os russos revidaram e por fim derrotaram os exércitos alemães. Sua defesa foi auxiliada pelo inverno russo – mais uma vez, as forças invasoras não tinham roupas de inverno adequadas, incluindo luvas e meias. Assim como Napoleão, Hitler também havia esperado derrotar os russos antes que o tempo esfriasse. Como resultado da falta de preparação, muitos soldados alemães congelaram até a morte, enquanto outros sofreram necroses pelo frio ou sobreviveram apenas por usar forros feitos com jornais por baixo de suas camisas e vestindo roupas civis por baixo de seus uniformes.[28] Os exércitos invasores também careciam de veículos, peças sobressalentes e gasolina suficientes, devido à negligência em fazer planejamento logístico. Como Goebbels admitiu, "o problema de abastecimento é sem dúvida a questão decisiva no Leste. Não soubemos reconhecer isso antes do início da campanha naquela direção".[29]

Os russos também sofreram tanto com a ignorância quanto com o tempo. Por exemplo, a invasão alemã os apanhou de surpresa, despreparados para fazer resistência. Entretanto, como havia acontecido no caso da guerra franco-prussiana, a ignorância relativa pode ser decisiva. E, no caso, os russos, que estavam lutando em casa, eram menos ignorantes que os alemães. Eles haviam aprendido sua lição na derrota pelos finlandeses não muito antes, após sua invasão da Finlândia, em 1939, quando "Stálin ignorou seus assessores militares e apressou a invasão sem preparação adequada".[30] Na "guerra do inverno" que se seguiu, uma pequena força de finlandeses praticamente destruiu uma divisão soviética inteira, porque, ao contrário dos russos, eles haviam sido treinados para lutar na neve, às vezes atacando até mesmo de esqui. Os russos aprenderam aquela lição, e as unidades soviéticas, usando esquis, desempenharam um papel importante no cerco do 6º Exército alemão, em 1942.

INVADINDO O AFEGANISTÃO

O que torna particularmente difícil entender a decisão norte-americana de ir à guerra no Vietnã, já discutida, e conduzi-la da forma como o fizeram, é o aparente desconhecimento, por parte dos tomadores de decisão tanto militares quanto civis, das lições da guerra que acabara de terminar quando o envolvimento deles próprios na região começou. Na Guerra da Indochina, de 1946-1954, a potência colonial, a França, fora derrotada pelas forças do Việt Minh, o movimento de libertação nacional. Também nesse caso como em outros, um exército comum de fora da região se viu confrontado por forças de guerrilha de dentro, usando táticas chamadas de "atropelamento e fuga" contra as linhas de abastecimento francesas, até que elas estivessem suficientemente fortes para uma batalha decisiva. Em Dien Bien Phu, no noroeste do Vietnã, os Việt Minh foram capazes de cercar os franceses e bombardeá-los até a rendição.[31]

Os norte-americanos simplesmente não aprenderam nada com a experiência francesa. "Como o acontecido em Dien Bien Phu pôde ser tão ignorado?"[32] Uma resposta a essa pergunta é que os norte-americanos "não aprenderam com os franceses porque pensavam que os franceses simplesmente não tivessem aparato de guerra suficiente; os Estados Unidos tinham muito mais".[33] Da mesma forma, ao ordenar a invasão da Rússia, Hitler acreditava que um exército com tanques teria sucesso onde um exército com cavalos tinha falhado. A recusa em aprender com o passado o levou a reencenar a derrota.

Outro exemplo dramático de "ignoramento" ativo das lições do passado é a invasão do Afeganistão, ou, mais exatamente, três invasões: pelos britânicos, em 1839, pelos russos, em 1979, e pelos norte-americanos, em 2001. Alguns dos mesmos erros foram cometidos em cada ocasião.[34]

No caso britânico, tal como vimos anteriormente, o "General Inverno" atacou novamente. No caso dos russos, "suas decisões foram atormentadas pela ignorância". Um general russo já havia notado em 1921 que o Afeganistão era "difícil de conquistar e ainda mais difícil de manter", graças à "sua natureza montanhosa e à natureza orgulhosa e amante da liberdade de seu povo".[35] Em 1980, o Ministério das Relações Exteriores britânico apresentou a um ministro russo visitante uma história das guerras britânicas no Afeganistão. Sua resposta foi: "dessa vez será diferente".[36] Não foi.

Os guerrilheiros locais, os *mujahideen*, emboscaram os russos e tomaram suas armas. Eles também receberam armas do exterior, especialmente dos Estados Unidos e do Egito. Quanto às suas táticas, eles "operavam nas alturas supervisionando a rota das lentas colunas soviéticas [...] Derrubavam o primeiro e o último veículos do comboio com uma mina ou um foguete e depois destruíam sistematicamente o restante". Foram necessários tempo e pesadas perdas para os russos aprenderem (como os britânicos haviam feito) a ocupar as alturas eles mesmos, ou a fazer uso de novas tecnologias e proteger suas forças com helicópteros. Em resumo, "os comandantes soviéticos não haviam planejado com antecedência como lidar com grupos pequenos, pouco equipados e de alta mobilidade, formados por homens fortemente motivados que se deslocavam bem em terrenos difíceis com os quais estavam intimamente familiarizados".[37]

Em 2001, foi a vez de os norte-americanos cometerem erros. Onze anos depois, o historiador escocês William Dalrymple publicou uma história da guerra afegã contra os britânicos na qual ele traçou paralelos entre a invasão britânica de 1839 e a invasão norte-americana de 2001. Logo após a publicação de seu livro, Dalrymple foi convidado a fazer uma palestra informativa para "a Agência de Segurança Nacional, a CIA e o departamento de Defesa" sobre a história do Afeganistão.[38] Parecia que os norte-americanos tinham finalmente aprendido sua lição, embora sua retirada precipitada e desastrada do Afeganistão, em 2021, sugira o contrário.

Há perigo, é claro, em forçar analogias entre o passado e o presente e acabar indo longe demais, ou simplesmente escolher a analogia errada. Nos anos 1950, por exemplo, as analogias dos anos 1930 moldaram as políticas tanto dos Estados Unidos quanto da Inglaterra. O presidente Truman reagiu agressivamente à invasão da Coreia do Sul pela Coreia do Norte em 1950, porque "o comunismo estava agindo na Coreia exatamente como Hitler, Mussolini e os japoneses tinham agido".[39] Em 1956, quando o primeiro-ministro Gamal Abdel Nasser ordenou o fechamento do Canal de Suez, o primeiro-ministro britânico Anthony Eden viu Nasser como um novo Hitler. Ele optou por responder com a força, porque identificou aquela negociação com o fracasso britânico em retaliar à ocupação da Tchecoslováquia por Hitler, em 1938. O resultado disso foi uma invasão britânica fracassada da zona do canal, uma campanha abortada hoje conhecida como "o fiasco de Suez".

De maneira semelhante, o presidente Johnson e seu assessor Henry Cabot Lodge, embaixador no Vietnã do Sul, encararam a crise no Vietnã em 1965 como uma espécie de repetição da crise de Munique de 1938, e estavam determinados, como Eden, a evitar o erro de "se sujeitar" ao agressor. Em uma reunião com o presidente, Lodge explodiu: "Será que não conseguimos ver a semelhança entre isso e a nossa própria indolência em Munique?".[40] O próprio Johnson explicou que "tudo o que eu sabia de história me dizia que, se eu saísse do Vietnã [...] estaria fazendo o que Chamberlain fez na Segunda Guerra Mundial" (pacificamente ceder partes da Tchecoslováquia a Hitler).[41]

Analogias podem ser perigosas, pois "obscurecem aspectos do caso presente que são diferentes dos casos do passado".[42] Para evitar os perigos, um exame cuidadoso do que poderia ser chamado de "des-analogias", ou desfazer ou descartar as analogias, pode ser recomendado. Entretanto, a recusa em se fazerem analogias também é perigosa. Afinal, é bem conhecido o aforismo do filósofo George Santayana que expressa muito bem essa ideia: "Aqueles que não se lembram do passado estão condenados a repeti-lo".

Conclusão
O novo conhecimento e a nova ignorância

> *Talvez cada novo conhecimento crie um lugar*
> *para si mesmo dando origem a uma nova ignorância.*
> C. S. Lewis

Como vimos, a interpretação triunfalista ou "Whig" da história em termos de rumar sempre a um "progresso inevitável", ideia dominante nos séculos XVIII e XIX e mesmo além, apresentava uma narrativa simples da *derrota da ignorância pelo conhecimento*. Em contraste, este livro argumentou que a ascensão de novos conhecimentos ao longo dos séculos envolveu necessariamente a ascensão de nova(s) ignorância(s). Coletivamente, a humanidade sabe mais do que nunca, mas, individualmente, não sabemos mais do que nossos predecessores.

Conhecimentos mais antigos foram abandonados a fim de abrir espaço para os novos. Nos tempos em que as enciclopédias eram consultadas sob a forma de pesados volumes impressos em vez de on-line, atualizá-las implicava descartar algumas informações mais velhas a fim de criar espaço em suas páginas para novas descobertas. O conhecimento acerca dos detalhes de funcionamento dos carros, por exemplo, substituiu o conhecimento acerca dos detalhes dos tratos com cavalos. O conhecimento da heráldica, em certo momento considerado essencial para um cavalheiro, hoje está praticamente confinado a um pequeno grupo de entusiastas, como os membros da Sociedade Britânica de Heráldica.

Na Europa, desde a Renascença até o início do século XX, esperava-se que os homens das classes alta e média conhecessem a história, a filosofia, a língua e a literatura da Grécia e da Roma antigas.

Os britânicos membros do Parlamento e outros senhores distintos deveriam saber reconhecer alusões clássicas feitas nos discursos da Câmara dos Comuns ou nas páginas do jornal *The Times*. Essa expectativa era razoável em uma época em que os clássicos tomavam grande parte da educação tanto nas escolas quanto nas universidades, e o ensino superior era praticamente restrito às elites masculinas.

Hoje, em uma época em que os currículos acadêmicos não oferecem mais do que um pequeno nicho para os clássicos, o uso do latim pelo primeiro-ministro inglês Boris Johnson se tornou uma excentricidade (que pode ser adorável ou irritante, de acordo com o gosto de cada um), bem como um sinal de que ele foi educado em uma escola de elite tradicional. Ao passo que nomes como os de Aristóteles e Platão, Homero e Virgílio, César e Cícero permanecem familiares, não se pode mais presumir que muitas pessoas tenham lido obras desses autores, mesmo traduzidas.

O conhecimento dos clássicos nas línguas nacionais também era muito mais bem difundido no passado. Na Itália, a partir do século XVI, a familiaridade com os poemas de Dante e Ariosto estava longe de se confinar às classes altas. Na França, Racine e Balzac se tornaram clássicos desse tipo. Na Espanha, Cervantes. Na Alemanha, Goethe. Na Inglaterra, Shakespeare, Milton, Scott e Dickens.

Hoje, esses textos têm de competir pela atenção dos leitores com obras clássicas de outras culturas – Borges e García Márquez, da América Latina, por exemplo, ou *O sonho do quarto vermelho*, da China, ou *O conto de Genji*, do Japão, e assim por diante. Como no caso da culinária, o conhecimento das variedades globais aumentou, enquanto a familiaridade com os produtos locais diminuiu. Com relação aos idiomas, a história é semelhante. O conhecimento de francês e alemão diminuiu em grande parte da Europa, enquanto o conhecimento do inglês norte-americano, do chinês e do espanhol aumentou em muitas partes do mundo.

Na Europa, na era da Reforma Protestante, os debates sobre teologia aconteciam em todos os lugares, não apenas em meio ao clero (católico, luterano ou calvinista), mas também entre homens e mulheres comuns. Graças à prática de se decorar o catecismo em idade precoce, era possível presumir com segurança, pelo menos por parte dos pregadores nas cidades, que as referências a conceitos teológicos como os sacramentos ou mesmo a transubstanciação seriam amplamente compreendidas, assim como referências à Bíblia, tanto o Antigo Testamento quanto o Novo. O conhecimento desse tipo não pode mais ser presumido com tanta certeza, como uma vez pôde, por exemplo, nos romances do final do século XIX de Thomas Hardy, repletos de referências bíblicas. Tomando-se as evidências levantadas por pesquisas recentes, os cristãos nos Estados Unidos, na Inglaterra e em outros lugares conhecem menos teologia do que as gerações anteriores. Em vez disso, eles sabem mais sobre hinduísmo e budismo do que seus antepassados, porque viajaram para a Ásia ou porque aprenderam sobre essas religiões na escola.

No caso da geografia, conhecimentos que eram lugar-comum na Inglaterra, nos Estados Unidos e em outros países, entre a geração que frequentou a escola nos anos 1960, tais como a posição dos principais países no mapa e o nome de suas capitais, não podem mais ser levados em conta, tendo em vista as mudanças no currículo que "tornaram a geografia mais relevante e rigorosa, mas ao preço de estreitar seu escopo anterior". Um professor de geografia do final dos anos 1980 e início dos anos 1990 lembra como "as estantes de livros do meu departamento de geografia foram purgadas de livros-textos antigos".[1]

Na história natural, a evidência é menos clara, mas certa jornalista já observou que uma nova edição do *Dicionário Oxford escolar* (*Oxford Junior Dictionary*) eliminou palavras como "*buttercup*" [a flor chamada em português de ranúnculo ou botão-de-ouro], "*catkin*" [a planta chamada em português de amento] e "*conker*" [a árvore chamada em português de castanheiro-da-índia], enquanto acrescentou "*broadband*" [banda larga], "*chatroom*" [sala de *chat*] e "*celebrity*" [celebridade] para acomodar as mudanças de interesse da geração mais jovem.[2]

No caso da ciência, a era de ouro para a popularização do conhecimento científico foi certamente o século XIX, quando experimentos em física e química eram realizados em frente a multidões, a teoria da evolução era debatida, e abundavam geólogos e botânicos amadores, tanto mulheres como homens. No entanto, como o químico britânico C. P. Snow, que virou escritor, apontou em uma famosa palestra dada em Cambridge, em 1959, as ciências naturais e as humanas haviam se tornado "duas culturas" cada vez mais distantes uma da outra, de modo que um indivíduo bem educado em alguma ciência humana provavelmente ignoraria a segunda lei da termodinâmica.[3] Hoje, em uma época de especialização cada vez mais intensa, mesmo essa noção de apenas "duas" culturas certamente se tornou um eufemismo.

No caso da história, o conhecimento a respeito da Grécia e da Roma antigas foi substituído pelo conhecimento do passado nacional, que, por sua vez, vem sendo substituído pela história global – mais uma vez, trata-se de um alargamento de horizontes concomitante com um declínio do conhecimento daquilo que está próximo. A mudança de uma história vista de cima – a história dos líderes e das elites – para uma história vista de baixo – a das pessoas comuns – aumentou enormemente nosso conhecimento e nossa compreensão do passado, mas também cobrou um preço. Uma geração mais jovem de estudantes de História sabe pouco sobre os decisores do passado. Como um importante historiador mais velho, John Elliott, observou: "algo está muito errado quando o nome de Martin Guerre ameaça se tornar mais conhecido do que o de Martinho Lutero".[4] Sugere-se que o conhecimento da carreira de Lutero vinha declinando há algum tempo, ao se compararem seu verbete na famosa edição de 1911 da *Encyclopædia Britannica* com aquele da *Nova Enciclopédia Britânica* 63 anos depois. O líder protestante ocupava quatorze colunas de texto em 1911, mas apenas uma em 1974.

Dadas a brevidade da vida humana, a necessidade de dormir e a competição por atenção exercida por novas formas de arte ou de esporte, deveria ser óbvio o suficiente a qualquer pessoa que cada geração em cada cultura dificilmente seria capaz de saber mais do que suas antecessoras. Uma geração mais nova simplesmente conhece os poemas de Tu Fu em vez dos de Tennyson, por exemplo, ou sabe mais sobre a história da África em vez da história dos Tudors. Também enfrentamos o paradoxo, observado pelo economista Friedrich von Hayek, de que quanto maior o aumento do conhecimento coletivo, graças às pesquisas de cientistas e estudiosos, "menor é a parcela de todo esse conhecimento [...] que uma mente pode absorver".[5]

Sob uma perspectiva mais prática, já pudemos observar como os avanços no conhecimento do povo pelo governo – um conhecimento adquirido por pesquisas e representado por mapas e tabelas estatísticas – às vezes levou à cegueira, a uma falta de consciência da diferença entre essas representações e as realidades locais em toda a sua confusão.

Em suma, como este livro argumentou, precisamos pensar em conhecimentos e em ignorâncias no plural, e não no singular, observando que o que é conhecimento *comum* ou sabedoria *convencional* varia de um lugar para outro e de um período para outro.[6] Para retomarmos as palavras de C. S. Lewis, "talvez cada novo conhecimento crie um lugar para si mesmo dando origem a uma nova ignorância".[7] Devemos sempre pensar duas vezes antes de descrever qualquer indivíduo, cultura ou período como "ignorante", uma vez que simplesmente há coisas demais a se saber – uma reclamação já antiga, mas que se tornou cada vez mais justificada em nossos tempos.[8] Para voltarmos a Mark Twain, "somos todos ignorantes, só que sobre coisas diferentes". O problema é que aqueles com poder muitas vezes carecem dos conhecimentos de que precisariam, enquanto aqueles que possuem esses conhecimentos carecem de poder.

1. A metáfora recorrente dos "laços" ou "correntes" da ignorância é retratada vividamente nessa pintura barroca. O conhecimento dá asas à humanidade!
Via Wikimedia Commons

2. A retórica triunfalista das narrativas iluministas acerca da derrota da ignorância é ilustrada aqui em uma imagem dramática que se baseia em representações tradicionais da queda de Lúcifer. Via Wikimedia Commons

3. A ignorância é a figura central nessa gravura, representada por meio de orelhas de burro – tal como era ou se tornou tradicional – e ilustrando a suposição comum de que a ignorância resulta da estupidez. Museus de Arte de Harvard / Museu Fogg, Transferido do Departamento de Belas Artes da Universidade de Harvard, Foto © Presidente e Membros da Harvard College.

4. O frade veneziano Paolo Sarpi, um "denunciante" do século XVII, se tornou famoso ou notório por seu *A História do Concílio de Trento* (reunião convocada para discutir a reforma da Igreja), texto que enfatizava a manipulação do Concílio pelos papas a fim de aumentar seu poder. Granger / Easypix Brasil

5. O lema de Montaigne, "Que sei eu?", revela tanto sua consciência de sua própria ignorância quanto suas dúvidas sobre a confiabilidade do assim chamado "conhecimento". Galeria Nacional de Victoria, Melbourne, Legado de Everard Studley Miller, 1961. Este registro digital foi disponibilizado no Acervo Online da NGV graças ao generoso apoio do Legado Joe White.

A Serious
PROPOSAL
TO THE
LADIES,
FOR THE
Advancement of their
True and Greateſt
INTEREST.

PART I.

By a Lover of her SEX.

The Fourth Edition.

LONDON:
Printed by *J. R.* for *R. Wilkin,* at the *King's Head* in St. *Paul's Church-Yard,* MDCCI.

6. Muito antes da ascensão do movimento feminista, a inglesa Mary Astell, no século XVII, já reclamava de que as meninas eram mantidas afastadas da "Árvore do Conhecimento" e propôs a fundação de uma faculdade para senhoras para remediar a situação. Biblioteca Britânica

7. Diferentemente de Astell, Mary Wollstonecraft alcançou fama internacional após publicar sua *Reivindicação dos direitos da mulher* em 1792. Granger / Easypix Brasil

8. Mary Ritter Beard não foi apenas esposa e colaboradora do historiador norte-americano Charles Beard, mas também uma acadêmica de méritos próprios, cujos livros argumentavam que os historiadores homens tinham deixado de registrar a "força da mulher" no passado, especialmente com relação ao poder que elas exerciam nos bastidores. Via Wikimedia Commons

9. Nicholas Culpeper, um boticário inglês do século XVII, criticava tanto a ignorância dos médicos quanto suas tentativas de manter o público na ignorância. Ele publicou seu guia de ervas medicinais para estimular a medicina do tipo "faça você mesmo". Via Wikimedia Commons

10. A enfermeira inglesa Florence Nightingale foi uma crítica da ignorância pública a respeito da higiene e uma firme apoiadora da importância de se lavarem as mãos com frequência. Via Wikimedia Commons

11. O médico inglês John Snow ficou famoso por seu trabalho detetivesco durante a epidemia de cólera em Londres, em 1854. Ele corrigiu a ignorância que existia então acerca da difusão da doença, seguindo pistas
que demonstravam que ela se espalhava por meio da água contaminada.
Via Wikimedia Commons

12. As chapas de raio X feitas pela especialista em cristalografia Rosalind Franklin contribuíram de maneira crucial para a descoberta da estrutura do DNA – a famosa "dupla hélice" –, mas seu papel na descoberta foi ignorado, ou pelo menos insuficientemente reconhecido, por seus colegas homens. Bridgeman Images / Easypix Brasil

13. A explosão na usina de Chernobyl em 1986 foi, ao mesmo tempo, um exemplo trágico dos efeitos da ignorância e uma dramática ilustração das tentativas do governo soviético de encobrir o desastre.

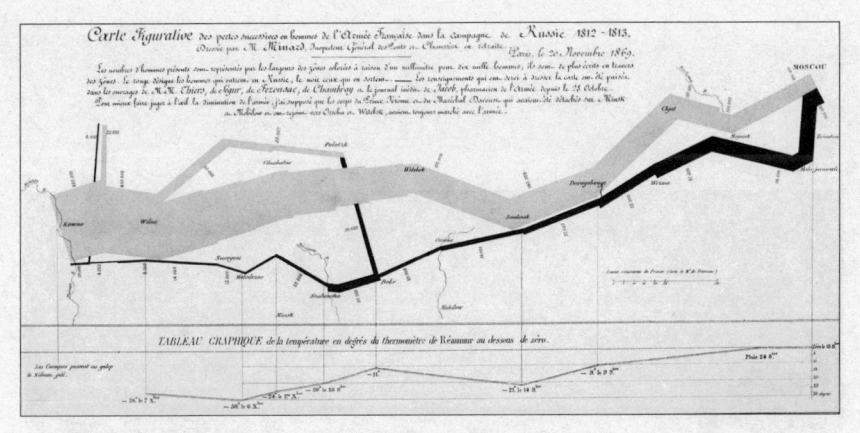

14. Essa imagem vívida da virtual destruição do exército de Napoleão durante sua debandada de Moscou em 1812 pode ser descrita como um mapa dos resultados fatais da ignorância – neste caso, a ignorância do quão severo era um inverno russo. Via Wikimedia Commons

15. Um dos maiores teóricos militares de todos os tempos, o oficial prussiano Clausewitz é mais conhecido por sua percepção da "névoa da guerra", uma expressão que descreve vividamente a ignorância de ambos os lados no campo de batalha.
Via Wikimedia Commons

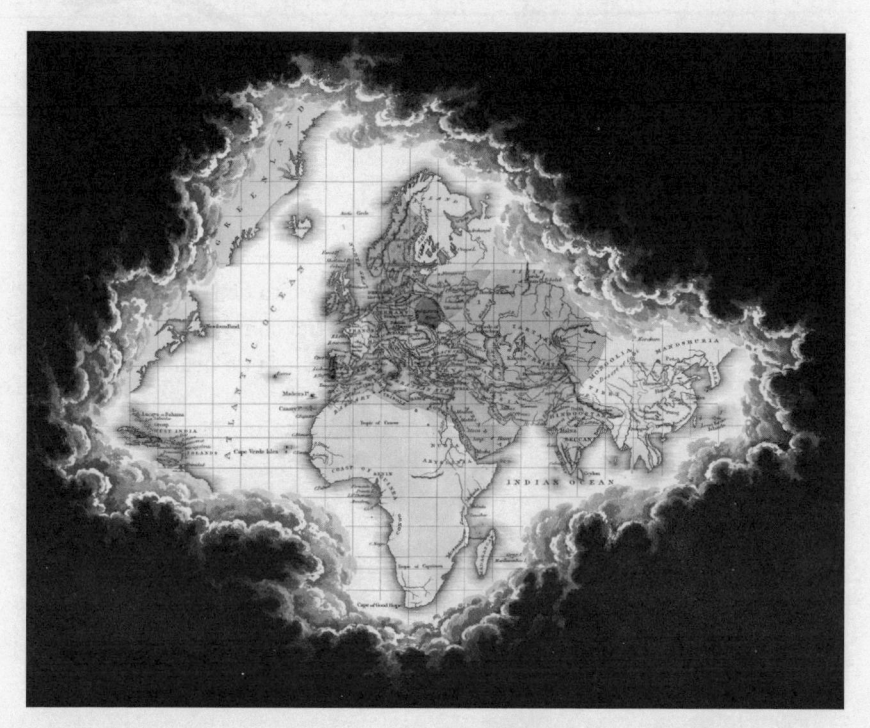

16. O atlas de Quin mostrando o que era conhecido a respeito do mundo – no Ocidente – em diferentes períodos oferece ilustrações igualmente claras daquilo que não era conhecido naquela época. Via Wikimedia Commons

17. Essa peça impressa satiriza tanto a ignorância de muitos investidores da Companhia do Mar do Sul quanto aquilo que o economista Adam Smith chamou de "negligência" e "malversação" por parte da própria Companhia, o que levou ao estouro da bolha em 1720. The South Sea Scheme, de William Hogarth, 1722. Museu Metropolitano de Arte (Met Museum), Fundo Harris Brisbane Dick, 1932.

18. Como no caso da bolha do Mar do Sul, as esperanças irrealistas de enriquecimento rápido por meio de compra de ações na bolsa de Nova York foram seguidas por confusões na hora de vender as ações quando elas despencaram em outubro de 1929. Reprodução da Biblioteca do Congresso dos Estados Unidos (Library of Congress). Fotografia da Pacific & Atlantic Photos

19. Na Conferência de Paz em Paris, em 1919, o presidente norte-americano Woodrow Wilson assumiu uma tarefa para a qual admitiu ter conhecimento insuficiente, ao ter de redesenhar o mapa da Europa em nome da autodeterminação nacional. Via Wikimedia Commons

20. Os protestos contra Donald Trump são um lembrete de que as *fake news* podem ser detectadas e daquilo que Abraham Lincoln disse: "Você não pode enganar todas as pessoas o tempo todo". Via Wikimedia Commons

Glossário

A lista a seguir se concentra em termos que se repetem neste livro e não tem qualquer intenção de ser completa.

agnoiologia	o estudo da ignorância
agnotologia	o estudo da produção da ignorância
analfabetismo	uma espécie de ignorância imputada por especialistas a uma parte dos leigos
conhecidos desconhecidos	conhecimento que se mantém subconsciente
desconhecidos conhecidos	aquilo que alguém está ciente de que não sabe
desconhecidos desconhecidos	aquilo que alguém desconhece e não está ciente de desconhecer
docta ignorantia; **ignorância douta**	ignorância adquirida por via de estudo ou meditação
ignorância aprendida	cf. *docta ignorantia*
ignorância assimétrica	ocorre quando um grupo A sabe menos sobre um grupo B do que o inverso
ignorância ativa	não querer saber
ignorância branca	ignorância ou falsas crenças a respeito de pessoas negras
ignorância censurável	cf. ignorância culpável

ignorância consciente	saber que não se sabe
ignorância criativa	uma ignorância acerca do passado que fomenta a inovação
ignorância culpável	cf. ignorância censurável
ignorância de grupo	cf. ignorância organizacional
ignorância deliberada	cf. ignorância voluntária ou intencional
ignorância específica	ignorar aquilo que é considerado irrelevante
ignorância estratégica	manter os outros ignorantes deliberadamente
ignorância genuína	ausência de conhecimento; cf. ignorância pura
ignorância imputada	a ignorância que se imputa aos outros
ignorância inadvertida	cf. ignorância inconsciente
ignorância inconsciente	nem mesmo estar ciente de que não se sabe
ignorância inescrutável	cf. desconhecidos desconhecidos, ou seja, aqueles sobre os quais não se está ciente
ignorância inesperada	surpresa
ignorância inevitável	cf. ignorância irrepreensível ou invencível
ignorância intencional	cf. ignorância deliberada ou voluntária
ignorância interessada	uma forma de não querer saber
ignorância invencível	cf. ignorância irrepreensível ou involuntária
ignorância irrepreensível	cf. ignorância invencível ou inevitável
ignorância local	o oposto complementar do conhecimento local

ignorância moral	julgamentos incorretos a respeito do que é certo e errado
ignorância opaca	desconhecidos desconhecidos, ou seja, aqueles sobre os quais não se está ciente
ignorância organizacional	o efeito da distribuição desigual do conhecimento dentro de uma organização
ignorância perspicaz	ter consciência de uma lacuna no conhecimento
ignorância prática	não saber como fazer alguma coisa
ignorância primária	ignorância da ignorância; cf. metaignorância
ignorância profunda	diz respeito a uma questão para a qual não se tem respostas plausíveis
ignorância pura	ausência de conhecimento; cf. ignorância genuína ou simples
ignorância racional	abster-se de aprender quando o custo é maior do que o benefício
ignorância relativa	a ignorância que é relativa a rivais ou inimigos
ignorância resoluta	querer não saber
ignorância sancionada	a desconsideração coletiva de alguma informação, tachando-a de desimportante
ignorância seletiva	escolher ignorar
ignorância simétrica	quando dois grupos são igualmente ignorantes
ignorância simples	ausência de conhecimento; cf. ignorância pura ou genuína
ignorância útil	a ignorância com uma função positiva; cf. ignorância virtuosa
ignorância vencível	cf. ignorância culpável ou censurável

ignorância virtuosa	a ignorância que é útil
ignorância voluntária	cf. ignorância deliberada ou intencional
ignorar	uma forma consciente ou inconsciente de resistência ao conhecimento; cf. ignorância voluntária ou deliberada
incerteza	uma hesitação entre o conhecimento e a ignorância
incognoscibilidade	a impossibilidade de se saber algo
macroignorância	ignorância coletiva
manufatura da ignorância	manter os outros ignorantes; cf. produção da ignorância
metaignorância	não saber que não se sabe
nesciência, desconhecimento	conceitos ambíguos referentes ao que ainda não é conhecido ou à total ausência de conhecimento
produção de ignorância	manter os outros ignorantes; cf. manufatura da ignorância

Notas de fim

PREFÁCIO E AGRADECIMENTOS

1. Enquanto escrevo, o *Guardian* relata que David Puttnam, ao renunciar à Câmara dos Lordes, acusou membros do Parlamento de "ignorância suína" dos problemas existentes na fronteira com a Irlanda durante as negociações do Brexit. 16 de outubro de 2021. www.theguardian.com/politics.
2. Françoise Waquet, *Parler comme un livre: L'oralité et le savoir (XVIe–XXe siècle)* (Paris, 2003); *Les enfants de Socrate: Filiation intellectuelle et transmission du savoir, XVIIe–XXIe siècle* (Paris, 2008); *L'ordre materiel du savoir: Comment les savants travaillent, XVIe–XXIe siècle* (Paris, 2015); *Une histoire émotionelle du savoir, XVIIe–XXIe siècle* (Paris, 2019).

1 O QUE É A IGNORÂNCIA?

1. De Gustave Flaubert para Louise Colet, 16 de janeiro de 1852, como parte de sua *Correspondance*, ed. Bernard Masson (Paris, 1975), 156.
2. Lord Clarendon, *A Compleat Collection of Tracts* (Londres, 1747), 237. [Os chamados Pais da Igreja, ou Santos Padres, foram teólogos cristãos muito antigos e influentes que estabeleceram os fundamentos intelectuais e doutrinários do cristianismo. Suas obras datam principalmente da Alta Idade Média (entre os séculos V e X) e são consideradas a interpretação definitiva das escrituras sagradas. Talvez o mais conhecido e ainda referenciado deles seja Santo Agostinho. (N.T.)]
3. George Washington, *Circular to the States*, junho de 1783. Sobre a história dessa afirmação, ver Lucie Varga, *Das Schlagwort der 'Finsteren Mittelalter'* (Baden, 1932); Theodore Mommsen, 'Petrarch's conception of the "Dark Ages"', *Speculum* 17 (1942), 226–42.
4. William E. Shepard, 'The Age of Ignorance', em *Encyclopaedia of the Qur'an*, vol. 1 (Leiden, 2001), 37–40.
5. William Beveridge, *Social Insurance and Allied Services* (Londres, 1942), http://www.bl.uk/onlinegallery/takingliberties/staritems/712beveridgereportpic.html.
6. Charles Simic, 'Age of Ignorance', *New York Review of Books* (20 de março de 2012), https://www.nybooks.com/daily/2012/03/20/age-of-ignorance; 'Robert Proctor', em Janet Kourany e Martin Carrier (eds.), *Science and the Production of Ignorance* (Cambridge MA, 2020), 53.

7. Martin Mulsow, *Prekäres Wissen: Eine andere Ideengeschichte der Frühen Neuzeit* (Berlim, 2012). Cf. Renate Dürr (ed.), *Threatened Knowledge: Practices of Knowing and Ignoring from the Middle Ages to the Twentieth Century* (Londres, 2021).
8. Rhodri Marsden, 'Filter Failure: Too Much Information?', *Independent*, 31 de maio de 2011. O termo "falha de filtro" [*filter failure*] foi cunhado por Clay Shirky, professor de Estudos Midiáticos na Universidade de Nova York. Cf. Shaheed Nick Mohammed, *The (Dis)Information Age: The Persistence of Ignorance* (Nova York, 2012), 2.
9. Hans Blumenberg, 'Curiosity is Enrolled in the Catalogue of Vices', em *The Legitimacy of the Modern Age* (1966: trad. inglês, Cambridge MA, 1983), 309–23; Neil Kenny, *The Uses of Curiosity in Early Modern France and Germany* (Oxford, 2004), 99, e (criticando Blumenberg), 165–7.
10. Eliza Butler, *The Fortunes of Faust* (Cambridge, 1952).
11. Franco Venturi, 'Was ist Aufklärung? Sapere Aude!', *Rivista storica italiana* 71 (1959), 119–28.
12. Henry Thoreau, 'Walking' (1851), faculty.washington.edu/timbillo/Readings e documents/Wilderness, acesso em 27 de outubro de 2020.
13. Alain Corbin, *Terra Incognita: A History of Ignorance in the Eighteenth and Nineteenth Centuries* (2020: trad. inglês, Cambridge, 2021), 4.
14. Citada em Sandrine Bergès, 'Olympe de Gouges versus Rousseau', *Journal of the American Philosophical Association* (2018), 433–51, na 444.
15. José González García, *The Eyes of Justice: Blindness and Farsightedness, Vision and Blindness in the Aesthetics of the Law* (Frankfurt, 2016).
16. John Rawls, *A Theory of Justice* (Cambridge MA, 1971).
17. Wilbert Moore e Melvin Tumin, 'Some Social Functions of Ignorance', *American Sociological Review* 14 (1949), 787–96; Heinrich Popitz, *Über die Präventivwirkung des Nichtwissens* (Tübingen, 1968); Roy Dilley, 'Reflections on Knowledge Practices and the Problem of Ignorance', *Journal of the Royal Anthropological Institute* 16 (2010), 176–92; Peter Wehling (ed.), *Vom Nutzen des Nichtwissens* (Bielefeld, 2011); Nick Bostrom, 'Information Hazards: A Typology of Potential Harms from Knowledge', *Review of Contemporary Philosophy* 10 (2011), 44–79.
18. Susan Matt e Luke Fernandez (2021), 'Ignorance is Power, as well as Joy', em Dürr (ed.), *Threatened Knowledge*, 212–31, na 212.
19. Anthony Tjan, 'The Power of Ignorance', *Harvard Business Review*, 9 August 2010, hbr.org/2010/08/the-power-of-ignorance.html. Cf. Ursula Schneider, *Das Management der Ignoranz: Nichtwissen als Erfolgsfaktor* (Wiesbaden, 2006), e Piero Formica, *The Role of Creative Ignorance* (Nova York, 2014).
20. *New Yorker*, 10 de fevereiro 1945. Ford citado em Formica, *Creative Ignorance*, 10.
21. James Ferrier, *Institutes of Metaphysic* (Edimburgo, 1854), 405.
22. Halcyon Backhouse, (ed.), *The Cloud of Unknowing* (Londres, 2009).

23 Matthias Gross, "'Objective Culture' and the Development of Nonknowledge: Georg Simmel and the Reverse Side of Knowing", *Cultural Sociology* 6 (2012), 422–37, na 433.

24 Michael J. Smithson, 'Social Theories of Ignorance', em Robert N. Proctor e Londa Schiebinger (eds.), *Agnotology: The Making and Unmaking of Ignorance* (Stanford, CA, 2008), 209–29, entre 209–12.

25 Briefing de notícias, Departamento de Defesa dos Estados Unidos, 12 de fevereiro de 2002, respondendo a uma pergunta a respeito da falta de provas da existência de armas de destruição em massa no Iraque. https://en.wikipedia.org/wiki/There_are_known_knowns.

26 Slavoj Žižek, 'What Rumsfeld Doesn't Know That He Knows About Abu Ghraib', *In These Times*, 21 de maio de 2004. Agradeço a Lukas Verburgt por essa referência.

27 Sigmund Freud, *Introductory Lectures on Psychoanalysis* (1916–17: trad. inglês, Londres, 1922), 100.

28 Jacques Lacan, *My Teaching* (Londres, 2008).

29 Charles Mills, 'White Ignorance', em Shannon Sullivan e Nancy Tuana (eds.), *Race and Epistemologies of Ignorance* (Albany NY, 2007), 13–28, na 33.

30 'Traces of Terrorism', *New York Times*, 17 de maio de 2002, www.nytimes.com, acesso em 26 de julho de 2021.

31 Andrew Abbott, 'Varieties of Ignorance', *American Sociologist* 41 (2010), 174–89; Nikolaj Nottelmann, 'The Varieties of Ignorance', em Rik Peels e Martijn Blaauw (eds.), *The Epistemic Dimensions of Ignorance* (Cambridge, 2016), 33–56.

32 Gilbert Ryle, 'Knowing How and Knowing That', *Proceedings of the Aristotelian Society* 46, 1–16.

33 Linsey McGoey, *The Unknowers: How Strategic Ignorance Rules the World* (Londres, 2019), 326.

34 Gayatri Chakravorty Spivak, *Critique of Postcolonial Reason* (Cambridge MA, 1999).

35 Jane Austen, *Northanger Abbey* (Londres, 1817), cap. 2.

36 Paul Hoyningen-Huene, 'Strong Incommensurability and Deeply Opaque Ignorance', em Kourany e Carrier (eds.), *Science*, 219–41, na 222.

37 Lucien Febvre, *Le problème de l'incroyance au XVIe siècle* (Paris, 1942), 385–8.

38 Thomas Kuhn, *The Structure of Scientific Revolutions* (Chicago IL, 1962); Menachem Fisch e Yitzhak Benbaji, *The View from Within: Normativity and the Limits of Self-Criticism* (Notre Dame IN, 2011).

39 A clássica discussão acerca desse tópico se encontra em Robin Horton, 'African Traditional Thought and Western Science', *Africa* 37 (1967), 50–71.

40 Peter Burke, 'Alternative Modes of Thought', *Common Knowledge* (2022), 41–60.

41 William Beer, 'Resolute Ignorance: Social Science and Affirmative Action', *Society* 24 (1987), 63–9.

42 Michel-Rolph Trouillot, *Silencing the Past: Power and the Production of History* (Boston MA, 1995).

43 Carta a Étienne Falconet, em 1768, citada em Peter Gay, *The Enlightenment: An Interpretation*, vol. 2, *The Science of Freedom* (Nova York, 1969), 520.

44 Lytton Strachey, *Eminent Victorians* (Londres, 1918), prefácio.

45 Roxanne L. Euben, *Journeys to the Other Shore* (Princeton NJ, 2006), 136.

46 Mary Louise Pratt, *Imperial Eyes: Travel Writing and Transculturation* (Londres, 1992), 159–60; Indira Ghose, *Women Travellers in Colonial India: The Power of the Female Gaze* (Delhi, 1998).

47 Robert Halsband (ed.), *The Complete Letters of Lady Mary Wortley Montagu*, 3 vols (Oxford, 1965–7), vol. 1, 315.

48 Grace Browne, 'Doctors Were Sure They Had Covid 19. The Reality Was Worse', *Wired*, 23 de abril de 2021, www.wired.co.uk.

49 Robert K. Merton, 'Three Fragments from a Sociologist's Notebooks: Establishing the Phenomenon, Specified Ignorance, and Strategic Research Materials', *Annual Review of Sociology* 13 (1987), 1–28. Cf. Peter Burke, 'Paradigms Lost: from Göttingen to Berlin', *Common Knowledge* 14 (2008), 244–57.

50 Karl Popper, *Logik der Forschung* (1934: adapt. inglês, *The Logic of Scientific Discovery* (Londres, 1959).

51 David Gilmour, *Curzon* (Londres, 1994), 481.

52 Matt Seybold, 'The Apocryphal Twain', https://marktwainstudies.com/category/the-apocryphal-twain. Acesso em 12 de maio de 2022.

53 Proctor e Schiebinger, *Agnotology*.

54 William Scott, 'Ignorance and Revolution', em Joan H. Pittock e Andrew Wear (eds.), *Interpretation and Cultural History* (Londres, 1991), 235–68, na 241.

55 Sobre a estupidez, ver Carlo Cipolla, *The Laws of Stupidity* (1976: trad. inglês, Londres, 2019); Barbara Tuchman, *The March of Folly: From Troy to Vietnam* (Londres, 1984).

56 Sobre história conceitual, ver Melvin Richter, *The History of Political and Social Concepts* (Oxford, 1995), 27–51.

57 Gaston Bachelard, *The Formation of the Scientific Mind: A Contribution to a Psychoanalysis of Objective Knowledge* (1938: trad. inglês, Manchester 2002). Cf. Burke, 'Paradigms Lost'.

58 John Barnes, 'Structural Amnesia' (1947: repr. em *Models and Interpretations*, Cambridge 1990, 226–8); Jack Goody e Ian Watt, 'The Consequences of Literacy' (1963: repr. em Goody (ed.), *Literacy in Traditional Societies*, Cambridge, 1968), 27–68, na 32–3; David W. DeLong, *Lost Knowledge: Confronting the Threat of an Aging Workforce* (Oxford, 2004).

59 Robert Merton, *The Sociology of Science* (Chicago IL, 1973), 402–3, citado por Malhar Kumar, 'A Review of the Types of Scientific Misconduct in Biomedical Research', *Journal of Academic Ethics* 6 (2008), 211–28, na 214.

60 Stanley Cohen, *States of Denial: Knowing About Atrocities and Suffering* (Cambridge, 2001).

61 Reconhecimentos disso podem ser encontrados em Erik Zürcher, *Dialoog der misverstanden* (Leiden, 1962); Wenchao Li, *Die christliche China-Mission im 17. Jht: Verständnis, Unverständnis, Misverständnis* (Stuttgart, 2000); Martin Espenhorst (ed.), *Unwissen und Misverständnisse im vormodernen Friedensprozess* (Göttingen, 2013).

62 Marshall Sahlins, *Islands of History* (Chicago IL, 1985). Essa interpretação foi contestada por outro antropólogo, Gananath Obeyesekere, em *The Apotheosis of Captain Cook* (Princeton NJ, 1992).

2 FILÓSOFOS E A IGNORÂNCIA

1 *The Sayings of Confucius* (trad. inglês, James R. Ware, Nova York, 1955), livro 2, cap. 17. Atualmente, os acadêmicos acreditam que essa coleção de ditados seja resultado de um coletivo, e não uma produção de um só indivíduo, e veio ganhando corpo ao longo dos séculos: Michael Nylan, *The Five 'Confucian' Classics* (New Haven CT, 2001).

2 Laozi, *Daodejing*, cap. 71, trad. Ernest R. Hughes. Agradecimentos a Cao Yiqiang por esclarecer essa passagem. Sobre "palavras vazias", ver Geoffrey Lloyd e Nathan Sivin, *The Way and the Word: Science and Medicine in Early China and Greece* (New Haven CT, 2002), 204, 209. Ver também Alan Chan, 'Laozi', *Stanford Encyclopedia of Philosophy* (Stanford CA, 2018), https://plato.stanford.edu/archives/win2018/entries/laozi.

3 Chuang Tzu, *Basic Writings*, trad. Burton Watson (Nova York, 1964), 40.

4 Sócrates citado em Platão, *Apology*, 21d, 23a.

5 Diogenes Laertius, *Lives of Eminent Philosophers* (trad. inglês, 2 vols, Cambridge MA, 1925), vol. 1, 163. Cf. W. K. C. Guthrie, 'The Ignorance of Socrates', *History of Greek Philosophy* (Cambridge, 1969), vol. 3, 442–9; Gregory Vlastos, 'Socrates' Disavowal of Knowledge', *Philosophical Quarterly* 35 (1985), 1–31; Gareth Matthews, *Socratic Perplexity and the Nature of Philosophy* (Oxford, 1999); e Hugh Benson, *Socratic Wisdom* (Nova York, 2000).

6 Jacques Brunschwig, 'Pyrrhon' and 'Scepticisme', em Brunschwig e Geoffrey Lloyd (eds.), *Le savoir grec* (Paris, 1996), 801–6, 1001–20; Brunschwig, 'The Beginnings of Hellenistic Epistemology', em Keimpe Algra et al. (eds.), *The Cambridge History of Hellenistic Philosophy* (Cambridge, 1999), 229–59, nas 229, 241, 246; Luca Castagnoli, 'Early Pyrrhonism', em James Warren e Frisbee Sheffield, *The Routledge Companion to Ancient Philosophy* (Londres, 2014), 496–510.

7 Sextus Empiricus, *Outlines of Pyrrhonism* (trad. inglês, Nova York, 1933), 27–9.

8 Michael Frede, 'The Skeptic's Beliefs' (1979), em seus *Essays in Ancient Philosophy* (Oxford, 1987), 179–200, na 186; Katja Vogt, 'Ancient Skepticism', em Edward N. Zalta (ed.), *Stanford Encyclopedia of Philosophy* (Stanford CA, 2018), plato.stanford.edu/entries/ skepticism-ancient.

9. Nicolette Zeeman, Kantik Ghosh e Dallas Denery II, 'The Varieties of Uncertainty', em Denery, Ghosh e Zeeman (eds.), *Uncertain Knowledge: Scepticism, Relativism and Doubt in the Middle Ages* (Turnhout, 2014), 1–12, na 9.
10. Richard Popkin, *The History of Scepticism: From Savonarola to Bayle* (1964: 3. ed., Nova York, 2003), 1–16, 50. Sobre o contraste entre o ceticismo antigo e o do começo da era moderna, ver Myles Burnyeat e Richard Popkin em Charles Schmitt (eds.), *Skepticism from the Renaissance to the Enlightenment* (Wiesbaden, 1987), 13–14.
11. Popkin, *History of Scepticism*, 44–57 (Montaigne) e 57–61 (Charron).
12. Michael Moriarty, 'Montaigne and Descartes', em Philippe Desan (ed.), *The Oxford Handbook of Montaigne* (Oxford, 2016). Devo a expressão "ignorância metodológica" a Lukas Verburgt.
13. Elisabeth Labrousse, *Pierre Bayle*, 2 vols (Haia, 1963–4).
14. Peter Burke, 'The Age of the Baroque' (1998: original inglês em Burke, *Identity, Culture and Communications in the Early Modern World* (Brighton, 2018), 119–48, na 120.
15. Ferrier, *Institutes of Metaphysic*; Jenny Keefe, 'James Ferrier and the Theory of Ignorance', *The Monist* 90 (2007), 297–309.
16. Thomas Carlyle, *Sartor Resartus* (1831). Cf. Ruth apRoberts, 'Carlyle and the History of Ignorance', *Carlyle Studies Annual* 18, 73–81.
17. Sobre Marx e Freud, ver Sandra Harding, 'Two Influential Theories of Ignorance and Philosophy's Interests in Ignoring Them', *Hypatia* 21 (2006), 20–36.
18. Steve Fuller, *Social Epistemology* (Bloomington IN, 1988, 2. ed. 2002), xxix. Cf. Miranda Fricker e Jennifer Hornsby (eds.), *The Routledge Handbook of Social Epistemology* (Londres, 2000).
19. Shannon Sullivan e Nancy Tuana, 'Introduction', em Sullivan e Tuana, *Race and Epistemologies of Ignorance*, 1.

3 IGNORÂNCIA COLETIVA

1. Joanne Roberts, 'Organizational Ignorance', em Matthias Gross e Linsey McGoey (eds.), *Routledge International Handbook of Ignorance Studies* (Londres, 2015), 361–9; Tore Bakken e Erik-Lawrence Wiik, 'Ignorance and Organization Studies', *Organization Studies* 39 (2018), 1109–20. Cf. 'Systemic ignorance', em Moore e Tumin, 'Social Functions', 789.
2. DeLong, *Lost Knowledge*.
3. Michel Crozier, *The Bureaucratic Phenomenon* (1963: trad. inglês, Londres, 1964), 190, 42, 51.
4. Serhii Plokhy, *Chernobyl: History of a Tragedy* (Londres, 2018), 20, 34, 43, 54.
5. Silvio Funtowicz e Jerome Ravetz, *Uncertainty and Quality in Science for Policy* (Dordrecht, 1990), 1.

6. James C. Scott, *Seeing Like a State: How Certain Schemes to Improve the Human Condition Have Failed* (New Haven CT, 1998). Cf. Roy Dilley e Thomas G. Kirsch (eds.), *Regimes of Ignorance: Anthropological Perspectives on the Production and Reproduction of Non-Knowledge* (Oxford, 2015).
7. Sei Shōnagon, *Pillow Book* (trad. inglês, Londres, 1960), 66; Ivan Morris, *The World of the Shining Prince: Court Life in Ancient Japan* (Oxford, 1964), 85; Mark Bailey, 'The Peasants and the Great Revolt', em Sian Echard e Stephen Rigby (eds.), *Historians on John Gower* (Cambridge, 2019), cap. 4; sobre La Bruyère, ver Carlo Ginzburg, *Occhiacci di Legno: Nove Riflessioni sulla Distanza* (Milão, 1998), 26.
8. Andrew McKinnon, 'Reading "Opium of the People"', *Critical Sociology* 31 (2005), 15–38, na 17. O texto de Marx é *Zur Kritik der Hegelschen Rechtsphilosophie* (1844).
9. Antonio Gramsci, *Selections from the Prison Notebooks*, ed. Quintin Hoare e Geoffrey Nowell Smith (Londres, 1971), 58.
10. Michel Foucault, *Power/Knowledge: Selected Interviews and Other Writings* (Brighton, 1980), 8.
11. Shirley Ardener, 'Introduction' to Ardener (ed.), *Perceiving Women* (Londres, 1975), vii– xxiii, na 12. Cf. Shirley Ardener, 'Ardener's Muted Groups: The Genesis of an Idea and its Praxis', *Women and Language* 28 (2005), 50–54, e Gayatri Spivak, *Can the Subaltern Speak?* (Basingstoke, 1988).
12. Charles W. Mills, *The Racial Contract* (Ithaca NY, 1997), 97; Mills, 'White Ignorance', 11–38, na 17; Eric Malewski e Nathalia Jaramillo (eds.), *Epistemologies of Ignorance in Education* (Charlotte NC, 2011).
13. Sobre a credibilidade feminina, ver Lorraine Code, *What Can She Know? Feminist Theory and the Construction of Knowledge* (Ithaca NY, 1991), 222–64.
14. Jean Donnison, *Midwives and Medical Men: A History of Inter-Professional Rivalries and Women's Rights* (Londres, 1977), 21–41; Londa Schiebinger, *The Mind Has No Sex? Women in the Origins of Modern Science* (Cambridge MA, 1989), 108. Cf. Ruth Ginzberg, 'Uncovering Gynocentric Science', *Hypatia* 2 (1987), 89–105, nas 95, 102.
15. François Fénelon, *L'éducation des filles* (1687: nova ed., Paris 1885), caps 1–2.
16. Sobre essa deleção do trecho, ver Andrew Bennett, *Ignorance: Literature and Agnoiology* (Manchester, 2009), 203, nota 14.
17. Virginia Woolf, *Three Guineas* (1938), citada em William Whyte, 'The Intellectual Aristocracy Revisited', *Journal of Victorian Culture* 10 (2005), 15–45, na 20.
18. Christine de Pizan, *The Book of the City of Ladies* (1405: trad. inglês, Nova York, 1998), 70–83.
19. Anna Maria van Schurman, *De ingenii muliebris ad doctrinam et meliores litteras aptitudine* (1638), trad. inglês *The Learned Maid* (Londres, 1659).
20. François Poullain de la Barre, *L'égalité des deux sexes* (1671: edição bilíngue, *The Equality of the Two Sexes*, Lampeter, 1989), 6–7, 29–30, 84.

21 Gabrielle Suchon, *Traité de la Morale* (Paris, 1693), vol. 3, 11–12; seleções, ed. e trad. Domna Stanton e Rebecca Wilkins como *A Woman Who Defends All the Persons of Her Sex* (Chicago IL, 2010), 73, 133. Cf. Michèle Le Dœuff, *The Sex of Knowing* (1998: trad. inglês, Nova York, 2003), 36, 40.

22 Cavendish citada em Schiebinger, *The Mind Has No Sex?*, 48; Mary Astell, 'A serious proposal to the ladies' (1694–7: nova ed., Londres 1997), 1, 25–6; Astell, *Reflections Upon Marriage* (1700: repr. em seu *Political Writings*, ed. Patricia Springborg, Cambridge 1996), 28.

23 Maria Lúcia Pallares-Burke, 'Globalizing the Enlightenment in Brazil', *Cultural History* 9 (2020), 195–216.

24 "Sophia", *Woman Not Inferior to Man* (Londres, 1739), 45; Mary Wollstonecraft, *A Vindication of the Rights of Woman* (Londres, 1792), caps. 4 e 13, seção seis.

25 Le Doeuf, *Sex of Knowing*, 104.

26 Citado em Joan Kelly, 'Early Feminist Theory and the "Querelle des Femmes"', *Signs* 8 (1982), 4–28, na 18, 20, 25.

27 Esse problema é o foco de vários estudos recentes, tais como Jill Tietjen, *Engineering Women: Re-visioning Women's Scientific Achievement and Impact* (Cham, 2017) e outras contribuições para a série Springer 'Women in Engineering and Science'.

28 Para uma discussão mais geral, ver Evelyn Fox-Keller, *Reflections on Gender and Science* (New Haven CT, 1985); Schiebinger, *The Mind Has No Sex?*.

29 Ruth Sime, *Lise Meitner: A Life in Physics* (Berkeley CA, 1996); Hugh Torrens, 'Anning, Mary', *Oxford Dictionary of National Biography* 2 (Oxford, 2004), 240–41.

30 James Watson, *The Double Helix: A Personal Account of the Discovery of DNA* (1968: 2. ed., Londres 1997). Cf. Howard Markel, *The Secret of Life: Rosalind Franklin, James Watson, Francis Crick and the Discovery of DNA's Double Helix* (Nova York, 2021), 313, 315, 333, 387, e, sobre uma suposta conspiração, ver 200, 335, 360, 385.

31 Cabe contrastar John Chadwick, *The Decipherment of Linear B* (Cambridge, 1958) com Margalit Fox, *The Riddle of the Labyrinth: The Quest to Crack an Ancient Code* (Londres, 2013).

32 Ruth Hagengruber e Sarah Hutton (eds.), *Women Philosophers from the Renaissance to the Enlightenment* (Londres, 2021).

33 Linda Nochlin, 'Why Have There Been No Great Women Artists?', *ArtNews*, janeiro de 1971, 22–39, 67–71; Rozsika Parker e Griselda Pollock, *Old Mistresses: Women, Art and Ideology* (Londres, 1981).

34 Ann Oakley, *The Sociology of Housework* (1974: nova ed. Bristol, 2018), 1–26; Renate Bridenthal e Claudia Koonz (eds.), *Becoming Visible: Women in European History* (Boston MA, 1977).

35 Donna Haraway, 'Situated Knowledges: The Science Question in Feminism', *Feminist Studies* 14 (1988), 575–99. Nos anos 1920, Karl Mannheim discutiu a

relatividade dos pontos de vista sem fazer referência a gênero: *Essays on the Sociology of Knowledge* (trad. inglês, Londres, 1952), 103–4 e ao longo do texto.

36 Alison Jagger, 'Love and Knowledge: Emotion in Feminist Epistemology', em Ann Garry e Marilyn Pearsall (eds.), *Women, Knowledge and Reality* (Nova York, 1996), 166–90, na 175–7, 185; Mary Belenky et al., *Women's Ways of Knowing* (1986: 2. ed. Nova York, 1997), 11, 95, 6. Para uma crítica, ver Code, *What Can She Know?* 251–62.

37 Lorraine Code, 'Taking Subjectivity into Account', em Linda Alcoff e Elizabeth Potter (eds.), *Feminist Epistemologies* (Londres, 1993), 15–48, na 32.

38 Evelyn Fox-Keller, 'Gender and Science' (1978: repr. em Fox-Keller, *Reflections on Gender and Science*), 75–94. Cf. Alison Wylie, 'Feminism in Philosophy of Science', em Miranda Fricker e Jennifer Hornsby (eds.), *The Cambridge Companion to Feminism in Philosophy* (Cambridge, 2000), 166–84.

4 ESTUDANDO A IGNORÂNCIA

1 Fox-Keller, *Reflections on Gender and Science*.

2 Nancy Levit e Robert Verchick, *Feminist Legal Theory* (2006: 2. ed. Nova York, 2016); Ann Scales, *Legal Feminism* (Nova York, 2006).

3 Carole Pateman, *Participation and Democratic Theory* (Cambridge, 1970); Pateman, *The Disorder of Women* (Cambridge, 1989), 1, 121 e ao longo do texto.

4 Gillian Rose, *Feminism and Geography* (Minneapolis MI, 1993); Joni Seager e Lise Nelson (eds.), *Companion to Feminist Geography* (Oxford, 2004).

5 Esther Boserup, *Woman's Role in Economic Development* (Londres, 1970), 5.

6 Oakley, *Sociology of Housework*; Dorothy Smith, 'Women's Perspective as a Radical Critique of Sociology', *Sociological Inquiry* 44 (1974), 7–13.

7 Margaret Mead, *Coming of Age in Samoa: A Psychological Study of Primitive Youth for Western Civilisation* (Nova York, 1928); Ruth Landes, *City of Women* (Nova York, 1947). Mead foi duramente criticada em Derek Freeman, *Margaret Mead and Samoa: The Making and Unmaking of an Anthropological Myth* (Cambridge MA, 1983). A controvérsia permanece.

8 Richard Fardon, *Mary Douglas: An Intellectual Biography* (Londres, 1999), 243.

9 Marilyn Strathern, 'Culture in a Netbag: The Manufacture of a Subdiscipline in Anthropology', *Man* 16 (1981), 665–88; Henrietta Moore, *Feminism and Anthropology* (Cambridge, 1988).

10 Joan Gero e Margaret Conkey (eds.), *Engendering Archaeology: Women and Prehistory* (Oxford, 1991).

11 Marija Gimbutas, *The Civilization of the Goddess* (São Francisco CA, 1991), 222, 324.

12 Leszek Gardeła, *Women and Weapons in the Viking World: Amazons of the North* (Oxford, 2021).

13 Gero e Conkey (eds.), *Engendering Archaeology*, 163–223.

14. Bennett, *Ignorance*, 2.
15. Paulo Freire, *Pedagogy of the Oppressed* (1968: trad. inglês, Harmondsworth, 1970), 45–6; José de Souza Martins, 'Paulo Freire, Educador', *Eu & Fim de Semana* 22, n. 1084, 1º de outubro de 2021.
16. Peter K. Austin e Julia Sallabank (eds.), *The Cambridge Handbook of Endangered Languages* (Cambridge, 2011).
17. Mark Plotkin, 'How We Know What We Do Not Know', em Kurt Almqvist e Matthias Hessérus (eds.), *Knowledge and Information* (Estocolmo, 2021), 25–31, na 25.
18. Heinz Post, 'Correspondence, Invariance and Heuristics', *Studies in History and Philosophy of Science* 2 (1971), 213–55, na 229. A referência é a Kuhn, *Structure*.
19. Peter Galison, 'Removing Knowledge', *Critical Inquiry* 31 (2004), 229–43.
20. Julius Lukasiewicz, *The Ignorance Explosion* (Ottawa, 1994), que veio como amplificação de um artigo com o mesmo título publicado em *Leonardo* 7 (1974), 159–63.
21. Citado em Erwin Panofsky, 'The First Page of Vasari's Libro' (1930: trad. inglês em *Meaning in the Visual Arts* (Garden City NY, 1955), 169–235.
22. Joseph Addison, *The Spectator*, n. 1 (Londres, 1711); Ziauddin Sardar, 'The Smog of Ignorance', *Futures* 120 (2020), www.sciencedirect.com, acesso em 26 de julho de 2021.
23. Citado em Varga, *Schlagwort*, 125.
24. Astell, 'A serious proposal', 21.
25. Relatório dos administradores, citado em G. Ward Hubbs, '"Dissipating the Clouds of Ignorance": The First University of Alabama Library, 1831–1865', *Libraries & Culture* 27 (1992), 20–35, na 24.
26. Edward Gibbon, *Decline and Fall of the Roman Empire* (1776–89), vol. 6, cap. 66.
27. Citado em Varga, *Schlagwort*, 119.
28. George Eliot, *The Mill on the Floss* (1860: Harmondsworth, 1979), 427, 185.
29. George Eliot, *Daniel Deronda* (Londres, 1876), cap. 21. Cf. Linda K. Robertson, 'Ignorance and Power: George Eliot's Attack on Professional Incompetence', *The George Eliot Review* 16 (1985), https://digitalcommons.unl.edu/ger/24.
30. Bennett, *Ignorance*, 106.
31. Cf. J. Hillis Miller, 'Conscious Perjury: Declarations of Ignorance in the Golden Bowl', em *Literature as Conduct: Speech Acts in Henry James* (Nova York, 2005), 228–90.
32. Michael Smithson, 'Ignorance and Science', *Knowledge: Creation, Diffusion, Utilization* 15 (1993), 133–56, na 133. Ele já havia publicado um livro sobre o assunto: *Ignorance and Uncertainty: Emerging Paradigms* (Nova York, 1989).
33. Théodore Ivainer e Roger Lenglet, *Les ignorances des savants* (Paris, 1996), 6.
34. Gross, 'Objective Culture'. Cf. Moore e Tumin, 'Social Functions', 789–95.

[35] Friedrich von Hayek, 'Coping with Ignorance', *Imprimis* 7 (1978), https://imprimis.hillsdale.edu/coping-with-ignorance-july-1978.

[36] Andrew Martin, *The Knowledge of Ignorance from Genesis to Jules Verne* (Cambridge, 1985); Philip Weinstein, *Unknowing: The Work of Modernist Fiction* (Ithaca NY, 2005); Bennett, *Ignorance*, especialmente no cap. 6, sobre "Blindness", de Joseph Conrad.

[37] C. S. Lewis, 'New Learning and New Ignorance', *English Literature in the Sixteenth Century, Excluding Drama* (Oxford, 1954), 1–65; Bennett, *Ignorance*, 1; Steven Connor, *The Madness of Knowledge: On Wisdom, Ignorance and Fantasies of Knowing* (Londres, 2019).

[38] Ivainer e Lenglet, *Ignorances*, 5; Mills, *Racial Contract*, 97.

[39] Murray Last, 'The Importance of Knowing About Not-Knowing' (1981: repr. em S. Feierman e J. Janzen (eds.), *The Social Basis of Health and Healing in Africa* (Berkeley CA, 1992), 393–406; Ronald Duncan e Miranda Weston-Smith, *The Encyclopaedia of Medical Ignorance* (Oxford, 1984); Lewis Thomas, 'Medicine as a Very Old Profession', em James B. Wyngaarden e L. H. Smith (eds.), *Cecil Textbook of Medicine* (Filadélfia PA, 1985), 9–11.

[40] Marlys Witte, Ann Kerwin et al., 'A Curriculum on Medical Ignorance', *Medical Education* 23 (1989), 24–9.

[41] Roberta Bivins, *Alternative Medicine? A History* (Oxford, 2007), 52, 56, 75, 78, 135.

[42] Em uma edição especial da revista *Knowledge*, vol. 15, com contribuições de Ann Kerwin, Jerome R. Ravetz, Michael J. Smithson e S. Holly Stocking.

[43] Matthias Gross, *Ignorance and Surprise: Science, Society and Ecological Design* (Cambridge MA, 2010); Gross, *Experimentelles Nichtwissen: Umweltinnovationen und die Grenzen sozial-ökologischer Resilienz* (Bielfeld, 2014); Ana Regina Rêgo e Marialva Barbosa, *A construção intencional da ignorância: O mercado das informações falsas* (Rio, 2020); José de Souza Martins, *Sociologia do desconhecimento: ensaios sobre a incerteza do instante* (São Paulo, 2021).

[44] Gross e McGoey, *Routledge Handbook of Ignorance Studies*.

[45] 'Vaguen' (Chris Gibbs e T. J. Dawe), *The Power of Ignorance: 14 Steps to Using Your Ignorance* (Londres, 2006); David H. Swendsen, *The Power of Ignorance: The Ignorance Trap* (autopublicado, 2019); Dave Trott, *The Power of Ignorance: How Creative Solutions Emerge When We Admit What We Don't Know* (Londres, 2021).

5 HISTÓRIAS DA IGNORÂNCIA

[1] Antoine Thomas, *Essay on the Characters, Manners and Genius of Women in Different Ages. Enlarged from the French of M. Thomas by Mr Russell* (Londres, 1773); Christoph Meiners, *History of the Female Sex: Comprising a View of the Habits, Manners and Influence of Women Among All Nations from the Earliest Ages to the Present Time* (Londres, 1808).

2   Daniel Woolf, 'A Feminine Past? Gender, Genre and Historical Knowledge in England, 1500–1800', *American Historical Review* 102 (1997), 645–79; Natalie Z. Davis, 'Gender and Genre: Women as Historical Writers 1400–1820', em Patricia Labalme (ed.), *Beyond Their Sex: Learned Women of the European Past* (Nova York, 1980), 153–75; Bonnie Smith, *The Gender of History: Men, Women and Historical Practice* (Cambridge, 1998).

3   Mary R. Beard, *Woman as Force in History: A Study in Traditions and Realities* (Nova York, 1946), 1, 273.

4   Smith, *Gender of History*, 207.

5   Natalie Z. Davis, 'Women's History in Transition', *Feminist Studies* 3 (1975), 83–103; Davis, 'City Women and Religious Change', em *Society and Culture in Early Modern France* (Londres, 1975), 65–95. Cf. Joan Scott, 'Women's History', em Peter Burke (ed.), *New Perspectives on Historical Writing* (Cambridge, 1991), 42–66.

6   Natalie Z. Davis, *The Return of Martin Guerre* (Cambridge MA, 1983).

7   Estudos gerais incluem Heide Wunder, *He is the Sun, She is the Moon: Women in Early Modern Germany* (1992: trad. inglês, Cambridge MA, 1998); Merry Wiesner-Hanks, *Women and Gender in Early Modern Europe* (1993: 4. ed. Cambridge, 2019); Olwen Hufton, *The Prospect Before Her: A History of Women in Western Europe*, 1500–1800 (Londres, 1995).

8   Marshall Sahlins, *Historical Metaphors and Mythical Realities* (Ann Arbor MI, 1981).

9   Davis, 'Women's History', 90.

10 Peter Galison e Robert Proctor, 'Agnotology in Action', em Kourany e Carrier (eds.), *Science*, 27–54, nas 27–8; Proctor e Schiebinger, *Agnotology*. Trabalhos mais recentes são discutidos em Lukas Verburgt, 'The History of Knowledge and the Future History of Ignorance', *Know* 4 (2020), 1–24.

11 Entre os historiadores generalistas, uma exceção mais antiga pode ser encontrada em Scott, 'Ignorance and Perceptions of Social Reality in Revolutionary Marseilles', em Pittock e Andrew (eds.), *Interpretation and Cultural History*, 235–68.

12 Robert DeMaria Jr, *Johnson's Dictionary* (Oxford, 1986), 77.

13 François La Mothe Le Vayer, *Du peu de certitude qu'il y a dans l'histoire* (Paris, 1668).

14 Varga, *Schlagwort*, 119, 123.

15 Bernard de Fontenelle, *De l'origine des fables* (1724: ed. Jean-Raoul Carré, Paris, 1932), 11–12, 37.

16 Nicolas de Condorcet, *Esquisse d'un tableau historique des progrès de l'esprit humain* (1794–5: ed. Oliver H. Prior, Paris 1933).

17 A expressão foi cunhada, e essa interpretação foi criticada, em Herbert Butterfield, *The Whig Interpretation of History* (Londres, 1931). [A terminologia vem emprestada do partido inglês chamado de Whigs; mas Butterfield, em sua crítica, não se referia ao partido, e sim aos valores que eram outrora associados a ele, conferindo

ao termo um caráter mais amplo. Os Whigs do século XIX acreditavam acima de tudo na luta contra um passado dito "opressivo" (ignorante) rumo a um presente que era "glorioso" (esclarecido) por força da adoção da democracia liberal, do governo constitucional, da garantia das liberdades individuais e do progresso científico. (N.T.)].

[18] Martin Kintzinger, '*Ignorantia diplomatica*. Konstrukiv Nichtwissen in der Zeit des Hundertjähriges Krieges', em Espenhorst, *Unwissen und Missverständnisse*, 13–40; Cornel Zwierlein, *Imperial Unknowns: The French and the British in the Mediterranean*, 1650–1750 (Cambridge, 2016), e Zwierlein (ed.), *The Dark Side of Knowledge: Histories of Ignorance, 1400 to 1800* (Leiden, 2016); Corbin, Terra Incognita.

[19] Elliot W. Eisner, *The Educational Imagination* (Nova York, 1979), 83–92, na 83.

[20] Exemplos do que pode ser feito podem ser encontrados em Peter Burke, *A Social History of Knowledge*, vol. 2: *From the Enyclopédie to Wikipedia* (Cambridge, 2012), 149–50.

[21] Scott Frickel, 'Absences: Methodological Note about Nothing, in Particular', *Social Epistemology* 28 (2014), 86–95; Jenny Croissant, 'Agnotology: Ignorance and Absence or Towards a History of Things that Aren't There', ibid., 4–25.

[22] Francesco Petrarca, 'De sui ipsius et multorum ignorantia' (1368: em *Opera*, Basel, 1554), 1123–68, trad. inglês 'On His Own Ignorance and That of Many Others', em Ernst Cassirer, Paul O. Kristeller e John H. Randall Jr (eds.), *The Renaissance Philosophy of Man* (Chicago IL, 1948), 47–133.

[23] Gómara's *Historia General de las Indias y Nuevo Mundo*, citado em José Antonio Maravall, *Antiguos y modernos* (Madri, 1966), 446.

[24] Marc Bloch, *Caractères originaux de l'histoire rurale française* (Oslo, 1931).

[25] Febvre, *Problème de l'incroyance*, parte 2, livro 2, cap. 2.

[26] Arthur Conan Doyle, 'The Silver Blaze', em *Memoirs of Sherlock Holmes* (Londres, 1892); Werner Sombart, *Warum gibt es in den Vereinigten Staaten keine Sozialismus?* (Tübingen, 1906).

[27] Zwierlein, *Imperial Unknowns*, 189–91.

[28] Edward Janak, 'What Do You Mean It's Not There? Doing Null History', *American Archivist* 83 (2020), 57–76.

[29] Burke, *Knowledge*, vol. 2, 139–59.

[30] C. S. Lewis, *English Literature in the Sixteenth Century, excluding Drama* (Oxford, 1954), 31.

[31] Harold Lasswell, 'The Structure and Function of Communication in Society', em Lyman Bryson (ed.), *The Communication of Ideas* (Nova York, 1948), 37–51.

[32] Zwierlein, *Imperial Unknowns*, 2, 118, etc.

[33] Citado em David Vincent, *The Culture of Secrecy: Britain, 1832–1998* (Oxford, 1998), 160–61.

[34] Michel Foucault, *The History of Sexuality*, vol. 1 (1976: trad. inglês, Londres, 1978), 3, 123, 127. Em contraste, Peter Gay, em *The Education of the Senses*

(Nova York, 1984), 468, desmontou a argumentação de Foucault como sendo "quase que totalmente desvinculada dos fatos reais".

[35] Madeleine Alcover, 'The Indecency of Knowledge', *Rice University Studies* 64 (1978), 25–40; Bathsua Makyn, *An Essay to Revive the Antient Education of Gentlewomen* (Londres, 1673); Jerome Nadelhaft, 'The Englishwoman's Sexual Civil War', *Journal of the History of Ideas* 43 (1982), 555–79. Cf. Le Doeuf, *Sex of Knowing*.

[36] Peter Burke, 'Cultural History as Polyphonic History', *Arbor* 186 (2010), DOI: 10.3989/arbor.2010.743n1212.

6 A IGNORÂNCIA DA RELIGIÃO

[1] Justin McBrayer, 'Ignorance and the Religious Life', em Peels e Blaauw, *Epistemic Dimensions*, 144–59, na 149.

[2] Silvia Berti, 'Scepticism and the *Traité des trois imposteurs*', em Richard Popkin e Arjo Vanderjagt (eds.), *Scepticism and Irreligion in the Seventeenth and Eighteenth Centuries* (Leiden, 1993), 216–29.

[3] Denys Hay, *The Church in Italy in the Fifteenth Century* (Cambridge, 1977), 49.

[4] Eamon Duffy, *The Stripping of the Altars: Traditional Religion in England, 1400–1580* (New Haven CT, 1992), 53.

[5] Citado em Jean Delumeau, *Le Catholicisme entre Luther et Voltaire* (Paris, 1971), 270.

[6] Christopher Hill, 'Puritans and the "Dark Corners of the Land"', *Transactions of the Royal Historical Society* 13 (1963), 77–102, na 80.

[7] Sobre padres ignorantes, ver Hay, *The Church*, 49–57; sobre pastores, ver Gerald Strauss, 'Success and Failure in the German Reformation', *Past & Present* 67 (1975), 30–63, nas 51, 55.

[8] Bernard Heyberger, *Les chrétiens du proche-orient au temps de la réforme catholique* (Roma, 1994), 140.

[9] Citado em Larry Wolff, *Inventing Eastern Europe: The Map of Civilization on the Mind of the Enlightenment* (Stanford CA, 1994), 175, 177.

[10] Citado em Keith Thomas, *Religion and the Decline of Magic* (Londres, 1971), 164.

[11] Hill, 'Puritans', 82.

[12] Strauss, 'Success and Failure', 43.

[13] Hilding Pleijel, *Husandakt, husaga, husförhör* (Estocolmo, 1965). Meu agradecimento à Dra. Kajsa Weber por essa referência.

[14] Gigliola Fragnito, *Proibito capire: la Chiesa e il volgare nella prima età moderna* (Bologna, 2005).

[15] Peter Burke, 'The Bishop's Questions and the People's Religion' (1979: repr. em *Historical Anthropology of Early Modern Italy* (Cambridge, 1987), 40–47.

[16] Leonard P. Harvey, *Muslims in Spain, 1500 to 1614* (Chicago IL, 2005), 25.

17. David M. Gitlitz, *Secrecy and Deceit: The Religion of the Crypto-Jews* (1996: 2. ed. Albuquerque NM, 2002), 135.
18. Gitlitz, *Secrecy*, 87–8, 100, 117.
19. Citado em Thomas, *Religion and the Decline of Magic*, 164–6.
20. Rudyerd citado em Hill, 'Puritans', 96.
21. Adriano Prosperi, 'Otras Indias', em Paola Zambelli (ed.), *Scienze, credenze occulte, livelli di cultura* (Florence, 1982), 205–34, na 208.
22. Will Sweetman, 'Heathenism, Idolatry and Rational Monotheism among the Hindus', em Andreas Gross et al. (eds.), *Halle and the Beginning of Protestant Christianity in India* (Halle, 2006), 1249–72.
23. Heyberger, *Les chrétiens du proche-orient*, 140.
24. Hildegarde Fast, '"In at One Ear and Out at the Other": African Response to the Wesleyan Message in Xhosaland, 1825–1835', *Journal of Religion in Africa* 23 (1993), 147–74, na 150.
25. Scipione Paolucci, *Missioni de' Padri della Compagnia de Giesù nel Regno di Napoli* (Naples, 1651), 29; Antoine Boschet, *Le Parfait Missionaire, ou la vie du r. p. Julien Maunoir* (Paris, 1697), 96; Louis Abelly, *La vie de St Vincent de Paul*, vol. 2 (Paris, 1664), 76.
26. Fast, 'In at One Ear'.
27. Adrian Hastings, *The Church in Africa, 1450–1950* (Oxford, 1994), 258.
28. Luke A. Veronis, 'The Danger of Arrogance and Ignorance in Missions: A Case Study from Albania', https://missions.hchc.edu/articles/articles/the-danger-of-arrogance-and-ignorance-in-missions-a-case-study-from-albania. Acesso em 28 de junho de 2022.
29. Citado em David Maxwell, *Religious Entanglement and the Making of the Luba Katanga in Belgian Congo* (Madison WI, 2022).
30. James Clifford, *Person and Myth: Maurice Leenhardt in the Melanesian World* (Berkeley CA, 1982).
31. https://www.reuters.com/article/us-britain-bible-idINTRE56A30S20090711. Acesso em 28 de junho de 2022.
32. https://www.pewforum.org/2010/09/28/u-s-religious-knowledge-survey-who. Acesso em 13 de maio de 2022.
33. Zwierlein, *Imperial Unknowns*, 118–24, 134.
34. Nicholas Rescher, *Ignorance: On the Wider Implications of Deficient Knowledge* (Pittsburgh PA, 2009), 14.
35. Tamotsu Shibutani, *Improvised News: A Sociological Study of Rumour* (Indianapolis IN, 1966). Cf. Gordon Allport e Leo Postman, *The Psychology of Rumor* (Nova York, 1947).
36. Andrew McGowan, 'Eating People: Accusations of Cannibalism against Christians in the Second Century', *Journal of Early Christian Studies* 2 (1994), 413–42.

37 Norman Daniel, *Islam and the West: The Making of an Image* (Edimburgo, 1958), 217; Michael Camille, *The Gothic Idol: Ideology and Image-Making in Medieval Art* (Cambridge, 1989), 165–75.

38 James Parkes, *The Conflict of the Church and the Synagogue* (Londres, 1934); Joshua Trachtenberg, *The Devil and the Jews: The Medieval Conception of the Jew and its Relation to Modern Antisemitism* (New Haven CT, 1943), 97–155; Miri Rubin, *Gentile Tales: The Narrative Assault on Late Medieval Jews* (New Haven CT, 1999); Ronald P. Hsia, *The Myth of Ritual Murder: Jews and Magic in Reformation Germany* (New Haven CT, 1988).

39 Trachtenberg, *The Devil and the Jews*, 174.

40 Nicholas of Cusa, *On Learned Ignorance* (1440: trad. inglês, Minneapolis MN, 1981), livro 1, cap. 25.

41 Heiko Oberman, *The Roots of Anti-Semitism in the Age of Renaissance and Reformation* (1981: trad. inglês, Filadélfia PA, 1984), 25, 30, 40.

42 Christopher Probst, *Demonizing the Jews: Luther and the Protestant Church in Nazi Germany* (Bloomington IN, 2012), 39–45.

43 Pierre de l'Ancre, *L'incredulité et mescréance du sortilege* (Paris, 1622), citado em Hugh Trevor-Roper, *The European Witch-Craze of the Sixteenth and Seventeenth Centuries* (Harmondsworth, 1969), 36.

44 Norman Cohn, *Warrant for Genocide: The Myth of the Jewish World Conspiracy and the Protocols of the Elders of Zion* (Londres, 1967).

45 Richard M. Hunt, 'Myths, Guilt, and Shame in Pre-Nazi Germany', *Virginia Quarterly Review* 34 (1958), 355–371.

46 Probst, *Demonizing the Jews*, 137.

47 Daniel, *Islam and the West*, 309–13; Richard W. Southern, *Western Views of Islam in the Middle Ages* (Cambridge MA, 1962), 14, 25, 28, 32; Camille, *The Gothic Idol*, 129–64, nas 129, 142.

48 Pim Valkenberg, 'Learned Ignorance and Faithful Interpretation of the Qur'an in Nicholas of Cusa', em James L. Heft, Reuven Firestone e Omid Safi (eds.), *Learned Ignorance: Intellectual Humility among Jews, Christians and Muslims* (Oxford, 2011), 34–52, nas 39, 45.

49 Marco Polo, *The Travels*, ed. Robin Latham (Harmondsworth, 1958), 57, 134.

50 Robert Irwin, *For Lust of Knowing: The Orientalists and Their Enemies* (Londres, 2006), 82–108.

51 Glenn J. Ames (ed.), *Em Nome de Deus: The Journal of the First Voyage of Vasco da Gama to India, 1497–1499* (Boston, 2009), 66n, 72, 75–6. Cf. Sanjay Subrahmanyam, *The Career and Legend of Vasco da Gama* (Cambridge, 1997), 132–3.

52 Donald Lach, *Asia in the Making of Europe*, 2 vols (Chicago IL, 1965), 439, 449.

53 Partha Mitter, *Much Maligned Monsters: A History of European Reactions to Indian Art* (1977: 3. ed. Oxford, 2013), 15, 17, 22, 25; Inga Clendinnen, *Am-

bivalent Conquests: Maya and Spaniard in Yucatan, 1517–1570 (1987: 2. ed. Cambridge, 2003), 45–56; Diego de Landa, *Relación de las Cosas de Yucatan* (Paris, 1928), cap. 18.

54 Peter Marshall (ed.), *The British Discovery of Hinduism in the Eighteenth Century* (Cambridge, 1970), 48, 50, 107, 145.

55 Lynn Hunt, Margaret Jacob e Wijnand Mijnhardt, *The Book that Changed Europe: Picart and Bernard's Religious Ceremonies of the World* (Cambridge MA, 2010); Hunt, Jacob e Mijnhardt (eds.), *Bernard Picart and the First Global Vision of Religion* (Los Angeles CA, 2010).

56 Robert Pomplun, Joan-Pau Rubiès e Ines G. Županov, 'Early Catholic Orientalism and the Missionary Discovery of Asian Religions', *Journal of Early Modern History* 24 (2020), 463–70.

57 Luciano Petech (ed.), *I missionari italiani nel Tibet e nel Nepal*, parte 6 (Roma: Istituto Poligrafico dello Stato, 1955), 115ff; Philip C. Almond, *The British Discovery of Buddhism* (Cambridge, 1988), 7.

58 Melville J. Herskovits, 'African Gods and Catholic Saints in New World Negro Belief', *American Anthropologist* 39 (1937), 635–43; Paul C. Johnson, *Secrets, Gossip and Gods: The Transformation of Brazilian Candomblé* (Oxford, 2002), 71. [A entidade masculina Xangô pode ser identificada com Santa Bárbara, mas é mais comumente associada a santos homens, como São Jerônimo e São João Batista (N.T.)].

59 Harvey, *Muslims*, 61–2. Cf. Antonio Domínguez Ortiz, *Historia de los Moriscos: Vida y Tragedia de una Minoría* (Madri, 1978).

60 Brian Pullan, 'The Marranos of Iberia and the Converts of Italy', em *The Jews of Europe and the Inquisition of Venice, 1550–1670* (Oxford, 1983), 201–312, na 223. Cf. Perez Zagorin, 'The Marranos and Crypto-Judaism', em *Ways of Lying: Dissimulation, Persecution and Conformity in Early Modern Europe* (Cambridge MA, 1990), 38–62; Gilitz, *Secrecy*.

61 Delio Cantimori, *Eretici italiani del Cinquecento* (Florence, 1939); Carlo Ginzburg, *Il Nicodemismo: simulazione e dissimulazione religiosa nell' Europa del '500* (Turin, 1970); Zagorin, *Ways of Lying*, 83–152.

62 Mauro Bonazzi, *The Sophists* (Cambridge, 2020), 113.

63 Sexto Empírico, *Esboços pirrônicos*, 329.

64 Friedrich Nietzsche, *Genealogie der Moral* (1887), seção 25; Marcel Proust, *Le Côté de Guermantes* (Paris, 1920).

65 T. H. Huxley, 'Agnosticism and Christianity' (1899).

66 Bernard Lightman, *The Origins of Agnosticism: Victorian Unbelief and the Limits of Knowledge* (Baltimore MD, 1987).

67 Denys Turner, T*he Darkness of God: Negativity in Christian Mysticism* (Cambridge, 1995); William Franke, 'Learned Ignorance', em Gross e McGoey (eds.), *Routledge Handbook of Ignorance Studies*, 26–35; Jonathan Jacobs, 'The Inef-

fable, Inconceivable and Incomprehensible God', em Jonathan Kvanvig (ed.), *Oxford Studies in Philosophy of Religion* 6 (Oxford, 2015), 158–76.
68. Moses Maimonides, *Guide for the Perplexed* (trad. inglês, Nova York, 1956), 81.
69. Nicholas of Cusa, *On Learned Ignorance*, livro 1, cap. 26; Peter Casarella (ed.), *Cusanus: The Legacy of Learned Ignorance* (Washington DC, 2006); Blaise Pascal, *Pensées* (1670: trad. inglês, Londres, 1958), números 194 e 242; Lucien Goldmann, *The Hidden God: A Study of Tragic Vision in Pascal's Pensées and the Tragedies of Racine* (1959: trad. inglês, Londres, 1964); Volker Leppin, 'Deus Absconditus und Deus Revelatus', *Berliner Theologischer Zeitschrift* 22 (2005), 55–69.
70. Peter Gay, *Deism: An Anthology* (Princeton NJ, 1968).
71. Alexander Pope, *Essay on Man* (1732–4), epístola II, linhas 1–2.
72. https://www.rt.com/uk/231811-uk-atheism-report-decline e https://www.cnn.com/2019/04/13/us/no-religion-largest-group-first-time-usa-trnd, ambos visitados em 18 de novembro de 2020.
73. 'Evangelical Ignorance', 15 de março de 2018, brucegerencser.net.
74. Peter Stanford, 'Christianity, Arrogance and Ignorance', *Guardian*, 3 de julho de 2010, https://www.theguardian.com.
75. 'What Americans Know About Religion', www.pewforum.org/2019. Acesso em 13 de maio de 2022.
76. 'A Review of Survey Research on Muslims in Britain', https://www.ipsos.com/en-uk/review-survey-research-muslims-britain-0. Acesso em 13 de maio de 2022.
77. Reportado em *The Economist*, 3–9 de julho de 2021, 54.

7 A IGNORÂNCIA DA CIÊNCIA

1. Peter Wehling, 'Why Science Does Not Know: A Brief History of (the Notion of) Scientific Ignorance in the 20th and Early 21st Century', *Journal of the History of Knowledge* 2 (2021), https://doi.org/10.5334/jhk.40; Proctor e Schiebinger, *Agnotology*.
2. Jerome R. Ravetz, 'The Sin of Science: Ignorance of Ignorance', *Knowledge* 15 (1993), 157–65.
3. A evidência indireta desse comentário é discutida em https://todayinsci.com/N/Newton_Isaac/NewtonIsaac-PlayingOnTheSeashore.htm. Acesso em 13 de maio de 2022.
4. Isaac Newton, *Four Letters to Dr Bentley* (Londres, 1756), 20 (É da segunda carta de Newton a Bentley, escrita em 1693).
5. Citado em Leonard Huxley, *Life and Letters of Thomas Huxley* (Londres, 1900), 261.
6. Citado em Stuart Firestein, *Ignorance: How it Drives Science* (Nova York, 2012).
7. Ferdinand Vidoni, *Ignorabimus! Emil Du Bois-Reymond und die Debatte über die Grenzen wissenschaftlicher Erkenntnis im 19 Jahrhundert* (Frankfurt, 1991).

8 www.nobelprize.org/prizes/physics/2004/gross/speech. Acesso em 13 de maio de 2022.
9 Firestein, *Ignorance*, 5, 44.
10 Voltaire, *Lettres philosophiques* (Paris, 1734), cap. 12.
11 James Ussher, *Annals of the World* (Londres, 1658), 1.
12 Brent Dalrymple, *The Age of the Earth* (Stanford CA, 1994); James Powell, *Mysteries of Terra Firma: The Age and Evolution of the World* (Nova York, 2001).
13 Yuval Noah Harari, *Sapiens: A Brief History of Humankind* (2011: trad. inglês, Londres, 2014), 275–306, na 279.
14 Herbert Spencer, *First Principles of a New System of Philosophy* (Londres, 1862), 17. Blaise Pascal havia empregado essa metáfora duzentos anos antes.
15 Citado em Firestein, *Ignorance*, 7, 4.
16 Firestein, *Ignorance*, 44.
17 Citado em Steven Shapin, *The Scientific Life: A Moral History of a Late Modern Vocation* (Chicago IL, 2008), 135, 142. Cf. Firestein, *Ignorance*; Verburgt, 'History of Knowledge', 1–24; Wehling, 'Why Science Does Not Know'.
18 Francis Crick, *What Mad Pursuit: A Personal View of Scientific Discovery* (1988: nova ed. Londres, 1989), 35, 141–2.
19 Citado em Firestein, *Ignorance*, 136, 44.
20 Janet Kourany e Martin Carrier, 'Introducing the Issues', em Kourany e Carrier (eds.), *Science*, 3–25, na 14.
21 Citado em Formica, *Creative Ignorance*, 13.
22 Hans-Jörg Rheinberger, *Toward a History of Epistemic Things* (Stanford CA, 1997); Hans-Jörg Rheinberger, 'Man weiss nicht genau, was man nicht weiss. Über die Kunst, das Unbekannte zu erforschen', *Neue Zürcher Zeitung*, 5 de maio de 2007. https://www.nzz.ch/articleELG88-ld.409885.
23 Gross, *Ignorance and Surprise*, 1.
24 Ian Taylor, 'A bluffer's guide to the new fundamental law of nature', *Science Focus*, 8 de abril de 2021, www.sciencefocus.com/news/a-bluffers-guide; 'Mapping the Local Cosmic Web: Dark matter map reveals hidden bridges between galaxies', 25 de maio de 2021, phys.org.
25 Richard Southern, *The Making of the Middle Ages* (Londres, 1953), 210.
26 Dimitri Gutas, *Greek Thought, Arabic Culture: The Graeco-Arabic translation movement in Baghdad and early Abbasid Society* (Londres, 1998); Charles Burnett, *Arabic into Latin in the Middle Ages: The Translators and Their Intellectual and Social Context* (Londres, 2009).
27 Mulsow, *Prekäres Wissen*.
28 Guy Deutscher, *Through the Language Glass: Why the World Looks Different in Other Languages* (Londres, 2010), 79, 83, 85.
29 William Bateson, *Mendel's Principles of Heredity* (Cambridge, 1913).

30 Bernard Barber, 'Resistance by Scientists to Scientific Discovery', *Science* 134 (1961), 596–602, na 598.

31 Sobre "anomalias", ver Kuhn, *Structure*, 52–65.

32 Max Planck, *Scientific Autobiography* (1945: trad. inglês, Londres, 1948), 33-4.

33 Andrew D. White, *A History of the Warfare of Science with Theology in Christendom* (Nova York, 1896).

34 Edward Grant, 'In Defense of the Earth's Centrality and Immobility: Scholastic Reaction to Copernicanism in the Seventeenth Century', *Transactions of the American Philosophical Society* 74 (1984), 1–69, na 4; Christopher Graney, *Setting Aside All Authority: Giovanni Battista Riccioli and the Science Against Copernicus in the Age of Galileo* (Notre Dame IN, 2015), 63.

35 Rivka Feldhay, *Galileo and the Church: Political Inquisition or Critical Dialogue?* (Cambridge, 1995).

36 Ludovico Geymonat, *Galileo* (Turin, 1957), cap. 4. Cf. Ernan McMullin, 'Galileo's Theological Venture', em McMullin (ed.), *The Church and Galileo* (Notre Dame IN, 2005), 88–116.

37 Citado em Edward Lurie, *Louis Agassiz: A Life in Science* (Chicago IL, 1960), 151.

38 Peter Bowler, *The Eclipse of Darwinism: Anti-Darwinian Evolution Theories in the Decades around 1900* (Baltimore MD, 1983); James R. Moore, *The Post-Darwinian Controversies* (Cambridge, 1979).

39 Freeman Henry, 'Anti-Darwinism in France: Science and the Myth of Nation', *Nineteenth-Century French Studies* 27 (1999), 290–304.

40 Citado em Moore, *Post-Darwinian Controversies*, 1.

41 Naomi Oreskes, *The Rejection of Continental Drift: Theory and Method in American Earth Science* (Nova York, 1999), 316. Cf. John Stewart, *Drifting Continents and Colliding Paradigms: Perspectives on the Geoscience Revolution* (Bloomington IN, 1990), 17–19, 22–44.

42 Citado em Powell, *Mysteries of Terra Firma*, 77.

43 Citado em Oreskes, *Rejection of Continental Drift*, 277.

44 Naomi Oreskes e Erik M. Conway, *Merchants of Doubt: How a Handful of Scientists Obscured the Truth on Issues from Tobacco Smoke to Global Warming* (Nova York, 2010).

45 Scott Frickel et al., 'Undone Science', *Science, Technology and Human Values* 35 (2010), 444–73; David Hess, *Undone Science: Social Movements, Mobilized Publics, and Industrial Transitions* (Cambridge MA, 2016).

46 Roy Porter, *Quacks: Fakers and Charlatans in English Medicine* (Stroud, 2000); David Wootton, *Bad Medicine: Doctors Doing Harm Since Hippocrates* (Oxford, 2006).

47 Ben Goldacre, *Bad Pharma: How Drug Companies Mislead Doctors and Harm Patients* (Londres, 2012), 311, 242.

⁴⁸ William Eamon, *Science and the Secrets of Nature: Books of Secrets in Medieval and Early Modern Culture* (Princeton NJ, 1994).

⁴⁹ Charles Webster, *Paracelsus: Medicine, Magic and Mission at the End of Time* (New Haven CT, 2008).

⁵⁰ Citado em F. N. L. Poynter, 'Nicholas Culpeper and His Books', *Journal of the History of Medicine and Allied Sciences* 17 (1962), 152–67, na 157.

⁵¹ Culpeper citado em Benjamin Woolley, *The Herbalist: Nicholas Culpeper and the Fight for Medical Freedom* (Londres, 2004), 297. Sobre Culpeper, ver Patrick Curry, 'Culpeper, Nicholas', *Oxford Dictionary of National Biography* 14, 602–5.

⁵² Lisbet Koerner, em Nicholas Jardine, James Secord e Emma Spary (eds.), *Cultures of Natural History* (Cambridge, 1996), 145.

⁵³ Simon Schaffer, 'Natural Philosophy and Public Spectacle in the Eighteenth Century', *History of Science* 21 (1983), 1–43.

⁵⁴ Aileen Fyfe e Bernard Lightman (eds.), *Science in the Marketplace: 19th-century Sites and Experiences* (Chicago IL, 2007).

⁵⁵ Edward Larson, *Summer for the Gods: The Scopes Trial and America's Continuing Debate over Science and Religion* (Nova York, 1997).

⁵⁶ Larson, Summer, 281; cf. Larson, *The Creation-Evolution Debate* (Athens GA, 2007), 23–6.

⁵⁷ Glenn Branch, 'Understanding Gallup's Latest Poll on Evolution', *Skeptical Inquirer* 41 (2017), 5–6.

⁵⁸ C. P. Snow, *The Two Cultures* (Cambridge, 1959).

⁵⁹ 'Survey Reveals Public Ignorance of Science', 14 de julho de 1989, https://www.newscientist.com.

⁶⁰ Melissa Leach, Ian Scoones e Brian Wynne (eds.), *Science and Citizens: Globalization and the Challenge of Engagement* (Londres, 2005).

⁶¹ Alan Irwin, *Citizen Science* (Londres, 1995).

⁶² Firestein, *Ignorance*, 171.

8 A IGNORÂNCIA DA GEOGRAFIA

¹ John Morgan, 'The Making of Geographical Ignorance?' *Geography* 102.1 (2017), 18–25, nas 18–20.

² John R. Short, *Cartographic Encounters: Indigenous Peoples and the Exploration of the New World* (Londres, 2009).

³ O texto é uma reprodução de "Proclamação do governador Bourke em 26 de agosto de 1835", retirado de Wikisource, a biblioteca virtual on-line gratuita.

⁴ Corbin, *Terra Incognita*.

⁵ Sobre Ptolomeu, ver Pierre-Ange Salvadori, *Le Nord de la Renaissance: La carte, l'humanisme suédois et la genèse de l'Arctique* (Paris, 2021), 29.

6. Danilo Dolci, *Inchiesta a Palermo* (1956: nova ed. Palermo, 2013).
7. Wolff, *Inventing Eastern Europe*, 174.
8. Janet Abu-Lughod, *Before European Hegemony: The World System,* ad *1250–1350* (Nova York, 1989).
9. W. G. L. Randles, 'Classical Models of World Geography and Their Transformation Following the Discovery of America', e James Romm, 'New World and "Novos Orbes": Seneca in the Renaissance Debate over Ancient Knowledge of the Americas', em Wolfgang Haase e Meyer Reinhold (eds.), *The Classical Tradition and the Americas*, vol. 1 (Berlim, 1994), 6–76 e 77–116.
10. Edmundo O'Gorman, *The Invention of America* (1958: trad. inglês, Bloomington IN, 1961); Eviatar Zerubavel, *Terra Cognita: The Mental Discovery of America* (New Brunswick NJ, 1992).
11. Paolo Chiesa, 'Marckalada: The First Mention of America in the Mediterranean Area (c.1340)', *Terrae Incognitae* 53.2 (2021), 88–106.
12. Jean-Jacques Rousseau, *Discours sur Inégalité* (1755: Paris 2004 ed., 110, tradução própria).
13. Shibutani, *Improvised News*.
14. John B. Friedman, *The Monstrous Races in Medieval Art and Thought* (Cambridge MA, 1981).
15. Robert Silverberg, *The Realm of Prester John* (1996: 2. ed. Londres, 2001), 26, 38.
16. Silverberg, *Prester John*, 40–73.
17. Silverberg, *Prester John*, 163–92.
18. Ames, *Em Nome de Deus*, 51.
19. Kathleen March e Kristina Passman, 'The Amazon Myth and Latin America', em Haase e Reinhold, *Classical Tradition*, 286–338, nas 300–307.
20. Dora Polk, *The Island of California: A History of the Myth* (Spokane WA, 1991), 105–20, 301. O romance em questão era "As aventuras de Esplandián" (*Las Sergas de Esplandián*), de Garci Rodríguez de Montalvo.
21. Robert Silverberg, *The Golden Dream: Seekers of El Dorado* (Athens OH, 1985), 4–5; cf. Jean-Pierre Sánchez, 'El Dorado and the Myth of the Golden Fleece', em Haase e Reinhold, *Classical Tradition*, 339–78; John Hemming, *The Search for El Dorado* (Londres, 2001).
22. Lach, *Asia in the Making of Europe*.
23. Andrea Tilatti, 'Odorico da Pordenone', *DBI* 79.
24. Marco Polo, *Il Milione*, ed. Luigi Benedetto (Milão, 1932: trad. inglês, *Travels*).
25. John Larner, *Marco Polo and the Discovery of the World* (New Haven CT, 1999), 131.
26. Marco Polo, *Travels*, 218.
27. Timothy Brook, *Great State: China and the World* (2019: nova ed. Londres, 2021), 46–7.

28. Larner, *Marco Polo*, 97, 108.
29. Stephen Greenblatt, *Marvelous Possessions: The Wonder of the New World* (Oxford, 1991), 26–51; Iain M. Higgins, *Writing East: The 'Travels' of Sir John Mandeville* (Filadélfia PA, 1997), 6, 156–78; Carlo Ginzburg, *The Cheese and the Worms: The Cosmos of a Sixteenth-Century Miller* (1976: trad. inglês, Londres, 1980), seção 12.
30. Larner, *Marco Polo*, 151–70, na 155.
31. Brook, *Great State*, 148.
32. Lach, *Asia in the Making of Europe*, 731–821.
33. Nicholas Trigault (ed.), *De christiana expeditione apud Sinas* (Augsburg, 1615).
34. Kenneth Ch'en, 'Matteo Ricci's Contribution to, and Influence on Geographical Knowledge in China', *Journal of the American Oriental Society* 59 (1939), 325–59; Cordell Yee, 'The Introduction of European Cartography', em J. Brian Harley e David Woodward (eds.), *The History of Cartography*, vol. 2, livro 2, *Cartography in the Traditional East and Southeast Asian Societies* (Chicago IL, 1994), 170–202, na 176.
35. Edwin Van Kley, 'Europe's Discovery of China and the Writing of World History', *American Historical Review* 76 (1971), 358–85.
36. Philippe Couplet et al., *Confucius Sinarum Philosophus* (Paris, 1687).
37. Virgile Pinot, *La Chine et la formation de l'esprit philosophique en France* (Paris, 1932).
38. Hugh Honour, *Chinoiserie* (Londres, 1961). [O termo *chinoiserie* vem do francês ("*chinois*" quer dizer "chinês") e significa a evocação de motivos e estilos tipicamente chineses na arte e na arquitetura dos países europeus de então. (N.T.)].
39. Felix Greene, *A Curtain of Ignorance* (Londres, 1965), xiii. Cf. Greene, *Awakened China: The Country Americans Don't Know* (Nova York, 1961). Sua simpatia pelo regime comunista compensava as reportagens hostis da imprensa norte-americana da época.
40. Brook, *Great State*, 226. Cf. Brook, 'Europaeology? On the Difficulty of Assembling a Knowledge of Europe in China', em Antoni Üçerler (ed.), *Christianity and Cultures: Japan and China in Comparison, 1543–1644* (Roma, 2009), 269–93.
41. John Henderson, 'Chinese Cosmographical Thought', em Harley e Woodward (eds.), *History of Cartography*, 203–27. Sobre a Europa, ver Grant, 'In Defense of the Earth's Centrality and Immobility', 1–69, na 22.
42. Ch'en, 'Matteo Ricci's Contribution', 325–59, nas 326, 329–32, 341.
43. James Cahill, *The Compelling Image: Nature and Style in Seventeenth-Century Chinese Painting* (Cambridge MA, 1982). Cf. Michael Sullivan, *The Meeting of Eastern and Western Art* (Berkeley CA, 1989).
44. Eugenio Menegon, *Un Solo Cielo: Giulio Aleni SJ (1582–1649): Geografia, arte, scienza, religion dall'Europa alla Cina* (Brescia, 1994), 38–9, 42–3.

45 Nathan Sivin, 'Copernicus in China', *Studia Copernicana* 6 (1973), 63–122; Roman Malek, *Western Learning and Christianity in China: The Contribution and Impact of Johann Adam Schall von Bell SJ (1592–1666)* (Sankt Agustin, 1998); Florence Hsia, *Sojourners in a Strange Land: Jesuits and Their Scientific Missions in Late Imperial China* (Chicago IL, 2009).

46 Marta Hanson, 'Jesuits and Medicine in the Kangxi Court', *Pacific Rim Report* 43 (2007), 1–10, nas 5, 7.

47 Mario Cams, 'Not Just a Jesuit Atlas of China: Qing Imperial Cartography and its European Connections', *Imago Mundi* 69 (2017), 188–201.

48 Meus agradecimentos a Joseph McDermott por essa sugestão.

49 *Lettres edifiantes* vol. 24, 334, 375, citado em Jürgen Osterhammel, *Unfabling the East: The Enlightenment's Encounter with Asia* (1998: trad. inglês, Princeton NJ, 2018), 85.

50 Ricci, citado em Ch'en, 'Matteo Ricci's Contribution', 343.

51 Brook, 'Europaeology?', 285; Roger Hart, *Imagined Civilizations: China, the West and Their First Encounter* (Baltimore MD, 2013), 19, 188–91.

52 Ren Dayuan, 'Wang Zheng', em Malek, *Western Learning*, vol. 1, 359–68; sobre Mei Wending, ver Benjamin Elman, *On Their Own Terms: Science in China, 1550–1900* (Cambridge MA, 2005), 154–5.

53 Brook, 'Europaeology?', 270.

54 Ch'en, 'Matteo Ricci's Contribution', 348. Cf. George Wong, 'China's Opposition to Western Science during Late Ming and Early Ch'ing', *Isis* 54 (1963), 29–49.

55 Brook, 'Europaeology?', 291; Brook, *Great State*, 263.

56 Discutido em Shang Wei, 'The Literati Era and its Demise (1723–1840)', em Kang-I Sun Chang e Stephen Owen (eds.), *The Cambridge History of Chinese Literature*, vol. 2 (Cambridge, 2010), 245–342, nas 292, 294. Agradecimentos a Joe McDermott por essa referência.

57 Henderson, 'Chinese Cosmographical Thought', 209, 223, 225.

58 John Frodsham (ed.), *The First Chinese Embassy to the West* (Oxford, 1974), xvii, xxii, 148.

59 James Polachek, *The Inner Opium War* (Cambridge MA, 1992).

60 Jane Leonard, *Wei Yuan and China's Discovery of the Maritime World* (Cambridge MA, 1984), 101.

61 Frodsham, *First Chinese Embassy*, 97.

62 Elman, *On Their Own Terms*, xxvii, 320.

63 Adrian Bennett, *John Fryer: The Introduction of Western Science and Technology into Nineteenth-Century China* (Cambridge MA, 1967).

64 Benjamin Schwartz, *In Search of Wealth and Power: Yen Fu and the West* (Cambridge MA, 1964); Douglas Howland, *Translating the West* (Honolulu, 2001).

65 Michael Cooper (ed.), *The Southern Barbarians: The First Europeans in Japan* (Tokyo, 1971); Derek Massarella, *A World Elsewhere: Europe's Encounter with Japan in the Sixteenth and Seventeenth Centuries* (New Haven CT, 1990).

66 Charles Boxer, *Jan Compagnie in Japan* (Haia, 1936); Grant K. Goodman, *Japan and the Dutch, 1600–1853* (1967: ed. revisada Richmond, 2000); Beatrice Bodart-Bailey e Derek Massarella (eds.), *The Furthest Goal: Engelbert Kaempfer's Encounter with Tokugawa Japan* (Folkestone, 1996).

67 Donald Keene, *The Japanese Discovery of Europe 1720–1830* (1952: ed. revisada Stanford CA, 1969).

68 William G. Beasley, *Japan Encounters the Barbarian: Japanese Travellers in America and Europe* (New Haven CT, 1995).

69 Essa descrição se originou de William Griffis, *Corea: The Hermit Nation* (Nova York, 1882).

70 Hendrick Hamel, *Journaal* (1668: ed. Henny Savenije, Rotterdam, 2003).

71 Rodney Needham, 'Psalmanazar, Confidence-Man', em *Exemplars* (Berkeley CA, 1985), 75–116; Richard M. Swiderski, *The False Formosan* (São Francisco CA, 1991); Michael Keevak, *The Pretended Asian* (Detroit MI, 2004). Sobre sua confissão, ver Percy Adams, *Travelers and Travel Liars, 1660–1800* (Berkeley CA, 1962), 93.

72 Richard Burton, *Personal Narrative of a Pilgrimage to al-Madinah and Mecca* (Londres, 1856); Christiaan Snouck Hurgronje, *Het Mekkaansche Feest* (Leiden, 1880).

73 Petech, *I missionari*, 115ff.

74 Peter Hopkirk, *Trespassers on the Roof of the World* (Londres, 1983), 23; *Oxford Dictionary of National Biography*, 'Montgomerie, Thomas'.

75 Frank Kryza, *The Race for Timbuktu* (Nova York, 2007).

76 Peter Hopkirk, *Foreign Devils on the Silk Road: The Search for the Lost Cities and Treasures of Chinese Central Asia* (Londres, 1980), 32–43.

77 Wilfrid Thesiger, *Arabian Sands* (Londres, 1959).

78 Vicente de Salvador, *Historia do Brasil* (1627: nova ed. São Paulo, 1918).

79 Leo Africanus, *Descrizione dell'Africa* (Veneza, 1550); Oumelbanine Zhiri, *L'Afrique au miroir de l'Europe, Fortunes de Jean Léon l'Africain à la Renaissance* (Genebra, 1991); Natalie Davis, *Trickster Travels: A Sixteenth-Century Muslim Between Worlds* (Nova York, 2007).

80 Miles Bredin, *The Pale Abyssinian: A Life of James Bruce, African Explorer and Adventurer* (Londres, 2000), 72. Cf. *Oxford Dictionary of National Biography*, 'Bruce, James, of Kinnaird'.

81 James Bruce, *Travels to Discover the Source of the Nile*, 5 vols (Edimburgo, 1790).

82 Bredin, *The Pale Abyssinian*, 163.

83 Bredin, *The Pale Abyssinian*, 25.

84 Bredin, *The Pale Abyssinian*, 161.

85 O editor de *Proceedings of the Association for Promoting the Discovery of the Interior Parts of Africa*, citado em Roxanne Wheeler, 'Limited Visions of Africa', em James Duncan e Derek Gregory (eds.), *Writes of Passage: Reading Travel Writing* (Londres, 1999), 14–48, na 16.

86 Henry Stanley, *Through the Dark Continent* (Londres, 1878), 2.

87 Kryza, *Race for Timbuktu*.

88 Kenneth Lupton, *Mungo Park: The African Traveller* (Oxford, 1979); Christopher Fyfe, 'Park, Mungo', *Oxford Dictionary of National Biography*.

89 Stanley, *Dark Continent*, prefácio.

90 Citado em Joe Anene, *The International Boundaries of Nigeria, 1885–1960* (Londres, 1970), 3.

91 J. Brian Harley, 'Silences and Secrecy' (1988: repr. *The New Nature of Maps: Essays in the History of Cartography*, Baltimore MD, 2001), 84–107.

92 Bailie W. Diffie, 'Foreigners in Portugal and the "Policy of Silence"', *Terrae Incognitae* 1 (1969), 23–34; David Buisseret (ed.), *Monarchs, Ministers and Maps: Emergence of Cartography as a Tool of Government in Early Modern Europe* (Chicago IL, 1992), 106.

93 'André João Antonil' (Giovanni Antonio Andreoni), *Cultura e opulência do Brasil* (1711: ed. Andrée Mansuy, Paris, 2019).

94 Rachel Zimmerman, 'The Cantino Planisphere', https://smarthistory.org/cantino-planisphere. Acesso em 13 de maio de 2022.

95 Alison Sandman, 'Controlling Knowledge: Navigation, Cartography and Secrecy in the Early Modern Spanish Atlantic', em James Delbourgo e Nicholas Dew (eds.), *Science and Empire in the Atlantic World* (Londres, 2008), 31–52, na 35; Maria L. Portuondo, *Secret Science: Spanish Cosmography and the New World* (Chicago IL, 2009).

96 Harley, 'Silences and Secrecy', 90.

97 Craig Clunas, *Fruitful Sites: Garden Culture in Ming Dynasty China* (Londres, 1996), 191.

98 Patrick van Mil (ed.), *De VOC in de kaart gekeken* (Haia, 1988), 22.

99 Woodruff D. Smith, 'Amsterdam as an Information Exchange in the 17th Century', *Journal of Economic History* 44 (1984), 985–1005, na 994. Cf. Karel Davids, 'Public Knowledge and Common Secrets: Secrecy and its Limits in the Early-Modern Netherlands', *Early Science and Medicine* 10 (2005), 411–27, na 415.

100 Elspeth Jajdelska, 'Unknown Unknowns: Ignorance of the Indies among Late Seventeenth-century Scots', em Siegfried Huigen, Jan L. de Jong e Elmer Kolfin (eds.), *The Dutch Trading Companies as Knowledge Networks* (Leiden, 2010), 393–413.

101 Matthew H. Edney, *Mapping an Empire: The Geographical Construction of British India, 1765–1843* (Chicago IL, 1997), 143.

102 Marie-Noelle Bourguet et al. (eds.), *L'invention scientifique de la Méditerranée* (Paris, 1998), 108.

[103] G. Lappo e Pavel Polian, 'Naoukograds, les villes interdites', em Christian Jacob (ed.), *Lieux de Savoir* (Paris, 2007), 1226–49; Sean Keach, 'Revealed: 11 Secret Google Maps locations you're not allowed to see', *The Sun*, 17 de fevereiro de 2021.

[104] Adams, *Travelers and Travel Liars*.

[105] Higgins, *Writing East*, 49, 161.

[106] Marco Polo, *Travels*, 272–7.

[107] Marco Polo, *Travels*, 244.

[108] Eileen Power, *Medieval People* (1924: nova ed. 1937), 55, 65; Larner, *Marco Polo*, 59–60.

[109] John W. Haeger, 'Marco Polo in China? Problems with Internal Evidence', *Bulletin of Sung and Yuan Studies* 14 (1978), 26, 28.

[110] Luigi Benedetto (ed.), *Il Milione* (Florença, 1928), xx, xxii, xxv.

[111] Adams, *Travelers and Travel Liars*.

[112] Frances Wood, *Did Marco Polo Go to China?* (Londres, 2018), 148–50. Em contraste, ver Larner, *Marco Polo*, 58–62.

[113] Haeger, 'Marco Polo', 22–9.

[114] Citado em Rebecca D. Catz, 'Introduction' to Fernão Mendes Pinto, *Travels* (Chicago IL, 1989), xv–xlvi, na xxvii.

[115] Jonathan Spence, 'The Peregrination of Mendes Pinto', *Chinese Roundabout* (New Haven CT, 1990), 25–36, na 30.

[116] Bredin, *The Pale Abyssinian*.

[117] Cyril Kemp, *Notes on Van der Post's Venture to the Interior and The Lost World of the Kalahari* (Londres, 1980), 176, 443; Simon Cooke, *Travellers' Tales of Wonder: Chatwin, Naipaul, Sebald* (Edimburgo, 2013).

[118] Toby Ord, *The Precipice: Existential Risk and the Future of Humanity* (Londres, 2021), 62, 92.

[119] Jonathan Schell, *The Fate of the Earth* (Londres, 1982).

[120] Rachel Carson, *Silent Spring* (1962: nova ed. Londres, 2000), 24, 29, 51, 64, 82. Para detalhes da situação hoje, ver Julian Cribb, *Earth Detox: How and Why We Must Clean Up Our Planet* (Cambridge, 2021).

[121] Bill McKibben, *The End of Nature* (1989: 2ª ed. Nova York, 2006), 60.

[122] Keith Thomas, *Man and the Natural World* (Londres, 1983), 15.

[123] 'Plastic in the Ocean', https://www.worldwildlife.org/magazine/issues/fall-2019/articles/plastic-in-the-ocean. Acesso em 13 de maio de 2022.

[124] Elizabeth Kolbert, *The Sixth Extinction: An Unnatural History* (Londres, 2014).

PARTE II: CONSEQUÊNCIAS DA IGNORÂNCIA

[1] https://www.diariodocentrodomundo.com.br/.

9 A IGNORÂNCIA NA GUERRA

1. Sun Tzu, *The Art of War* (trad. inglês, Londres, 2002), 21–3.
2. John Presland, *Vae Victis: The Life of Ludwig von Benedek* (Londres, 1934), 232, 275; Oskar Regele, *Feldzeugmeister Benedek: Der Weg zu Königgratz* (Viena, 1960).
3. Owen Connelly, *Blundering to Glory: Napoleon's Military Campaigns* (Lanham MD, 2006), 100, 107, 113.
4. Huw Davies, *Wellington's War* (New Haven CT, 2012).
5. Marc Bloch, 'Réflexions d'un historien sur les fausses nouvelles de la guerre', *Revue de Synthèse Historique* 33 (1921), 13–35.
6. Tolstoy, *War and Peace* (Voina i Mir; 1869), livro 3, parte 2, cap. 33.
7. Peter Snow, *To War with Wellington: From the Peninsula to Waterloo* (Londres, 2010), 59–60, 109, 161; Rory Muir, *Wellington* (New Haven CT, 2013), 46, 589.
8. Henri Troyat, *Tolstoy* (1965: trad. inglês, Londres 1968), 105–26.
9. Lonsdale Hale, *The Fog of War* (Londres, 1896).
10. Erik A. Lund, *War for the Every Day: Generals, Knowledge and Warfare in Early Modern Europe, 1680–1740* (Westport CT, 1999), 15.
11. David Chandler, *The Campaigns of Napoleon* (1966: Londres, 1993), 411; Robert Goetz, 1805, *Austerlitz: Napoleon and the Destruction of the Third Coalition* (2005: 2. ed. Barnsley, 2017), 283–4, 291.
12. Davies, *Wellington's War*, 231–4.
13. Cecil Woodham-Smith, *The Reason Why: Story of the Fatal Charge of the Light Brigade* (Londres, 1953); George R. Stewart, *Pickett's Charge* (Boston MA, 1959); Earl J. Hess, *Pickett's Charge* (Chapel Hill NC, 2001).
14. Gregory Daly, *Cannae* (Londres, 2002).
15. Basil Liddell Hart, *Scipio Africanus: Greater than Napoleon* (Londres, 1926); Howard Scullard, *Scipio Africanus* (Londres, 1970).
16. Maximilien Foy, citado em Snow, *To War with Wellington*, 167; Torres Vedras, ibid., 79, 96.
17. Brian Lavery, *Nelson and the Nile* (1998: 2. ed. Londres, 2003), 170, 178.
18. Para um relato em detalhes, ver Thaddeus Holt, *The Deceivers: Allied Military Deception in the Second World War* (Nova York, 2004).
19. Antony Beevor, *Stalingrad* (Londres, 2018), 239–330, especialmente 226–7, 246.
20. Zola, *La Débâcle* (1892: Paris, 1967), 364.
21. Adam Roberts, no obituário de Howard, *Guardian*, 1º de dezembro de 2019.
22. Michael Howard, *The Franco-Prussian War* (Londres, 1961), 70, 147, 206, 209.
23. Howard, *Franco-Prussian War*, 191, 198.
24. James M. Perry, *Arrogant Armies: Great Military Disasters and the Generals Behind Them* (Nova York, 1996).

25. Sobre *jezails*, ver T. R. Moreman, *The Army in India and the Development of Frontier Warfare, 1849–1947* (Basingstoke, 1998), 13, 37.
26. John Kaye, *History of the First Afghan War* (Londres, 1860); Perry, *Arrogant Armies*, 109–40; John Waller, *Beyond the Khyber Pass: The Road to British Disaster in the First Afghan War* (Nova York, 1990); William Dalrymple, *Return of a King: The Battle for Afghanistan* (Londres, 2012).
27. Richard Burton, (tradutor), *The Arabian Nights* (Londres, 1885), introdução.
28. Alfred Martin, *Mountain and Savage Warfare* (Allahabad, 1898); George Younghusband, *Indian Frontier Warfare* (Londres, 1898). Cf. Moreman, *Army in India*, 46–7, 75.
29. Euclides da Cunha, *Os sertões* (1902: nova ed., 2 vols, Porto, 1980); Robert M. Levine, *Vale of Tears: Revisiting the Canudos Massacre* (Berkeley CA, 1992); Adriana Michéle Campos Johnson, *Sentencing Canudos: Subalternity in the Backlands of Brazil* (Pittsburgh PA, 2010).
30. Da Cunha, *Os sertões*, 57.
31. James Gibson, *The Perfect War: Technowar in Vietnam* (Boston MA, 1986), 12.
32. Harrison Salisbury (ed.), *Vietnam Reconsidered: Lessons from a War* (Nova York, 1984).
33. Gibson, *Perfect War*, 17.
34. Salisbury, *Vietnam Reconsidered*, 39.
35. Tuchman, *March of Folly*, 376.
36. Josiah Heyman, 'State Escalation of Force', em Heyman (ed.), *States and Illegal Practices* (Oxford, 1999), 285–314, na 288.
37. Salisbury, *Vietnam Reconsidered*, 55, 64.
38. Ronald H. Spector, *After Tet* (Nova York, 1993), 314.
39. Eric Alterman, *When Presidents Lie: A History of Official Deception and Its Consequences* (Nova York, 2004), 178; Gibson, *Perfect War*, 124–5, 462.
40. Robert McNamara e Brian VanDeMark, *In Retrospect: The Tragedy and Lessons of Vietnam* (Nova York, 1995), 322.
41. Citado em James Blight e Janet Lang, *The Fog of War: Lessons from the Life of Robert McNamara* (Lanham MD, 2005).
42. Leonard Bushkoff, 'Tragic Ignorance in Vietnam', *Christian Science Monitor*, 30 de novembro de 1992; M. S. Shivakumar, 'Ignorance, Arrogance and Vietnam', *Economic and Political Weekly*, 16 de dezembro de 1995. Cf. H. R. McMaster, *Dereliction of Duty: Lyndon Johnson, Robert McNamara, the Joint Chiefs of Staff and the Lies that Led to Vietnam* (Nova York, 1997).
43. Salisbury, *Vietnam Reconsidered*, 117, 149.
44. Salisbury, *Vietnam Reconsidered*, 161.
45. Kendrick Oliver, *The My Lai Massacre in American History and Memory* (2. ed., Manchester, 2006), 4 (citado pelo ex-soldado Ronald Ridenhour), 41.

Seymour Hersh, *My Lai: A Report on the Massacre and its Aftermath* (Nova York, 1970).

[46] Oliver, *The My Lai Massacre*, 19, 49.

[47] Salisbury, *Vietnam Reconsidered*, 43.

[48] Carl von Clausewitz, *On War* (1832: trad. inglês, Princeton NJ, 1976), livro 2, cap. 2.

[49] Vasily Grossman, *Stalingrad* (1952: trad. inglês, Londres, 2019), 121; Grossman, *Life and Fate* (escrito em 1959, publicado em 1980: trad. inglês, Londres, 2006), 49.

[50] Beevor, *Stalingrad*, 345.

[51] David Stahel, *Retreat From Moscow: A New History of Germany's Winter Campaign, 1941–1942* (Nova York, 2019), 294 e certamente ao longo do texto. Cf. Jonathan Dimbleby, *Barbarossa: How Hitler Lost the War* (Londres, 2021).

10 A IGNORÂNCIA NOS NEGÓCIOS

[1] William Cronon, *Changes in the Land: Indians, Colonists and the Ecology of New England* (Nova York, 1983), 36.

[2] Thomas R. Dunlap, *Nature and the English Diaspora* (Cambridge, 1999), 46.

[3] Dunlap, *Nature*, 80–88, na 81.

[4] Pietro Lanza, Principe di Trabia, *Memoria sulla decadenza dell'agricultura nella Sicilia: ed il modo di rimediarvi* (Naples, 1786).

[5] R. J. Shafer, *The Economic Societies in the Spanish World, 1763–1821* (Syracuse NY, 1958).

[6] Scott, *Seeing Like a State*.

[7] J. S. Hogendorn e K. M. Scott, 'The East African Groundnut Scheme', *African Economic History* 10 (1981), 81–115; Richard Cavendish, 'Britain Abandons the Groundnut Scheme', *History Today* 51 (2001).

[8] Wei Li e Dennis Tao Yang, 'The Great Leap Forward: Anatomy of a Central Planning Disaster', *Journal of Political Economy* 113 (2005), 840–77; Frank Dikötter, *Mao's Great Famine: The History of China's Most Devastating Catastrophe, 1958–62* (2010: 2. ed., Londres, 2017).

[9] Donald Worster, 'Grassland Follies: Agricultural Capitalism on the Plains', em Worster, *Under Western Skies* (Nova York, 1992), 93–105. [Essa prática indiscriminada de aragem deixava o solo extremamente ressecado, sem umidade, o que, combinado aos ventos típicos do Meio-Oeste norte-americano, resultou em terrenos não cultiváveis e a tempestades de poeira devastadoras por dez anos. O desastre econômico e ambiental agravou a crise econômica dos fazendeiros que se seguia à Grande Depressão de 1929. (N.T.)].

[10] Warren Dean, *With Broadax and Firebrand: The Destruction of the Brazilian Atlantic Forest* (Berkeley CA, 1995).

11. Bengt Holmström et al., 'Opacity and the Optimality of Debt for Liquidity Provision', https://www.researchgate.net/publication/268323724_Opacity_and_the_Optimality_of_Debt_for_Liquidity_Provision. Acesso em 13 de maio de 2022.
12. George A. Akerlof, 'The Market for "Lemons": Quality Uncertainty and the Market Mechanism', *Quarterly Journal of Economics* 84 (1970), 488–500.
13. John von Neumann e Oskar Morgenstern, *Theory of Games and Economic Behavior* (1944: nova ed. Princeton NJ, 2004).
14. Eric Maskin e Amartya Sen, *The Arrow Impossibility Theorem* (Nova York, 2014).
15. Cornel Zwierlein, 'Coexistence and Ignorance: what Europeans in the Levant did not Read (*c.* 1620–1750)', em Zwierlein, *The Dark Side*, 225–65; Julian Hoppit, *Risk and Failure in English Business 1700–1800* (Cambridge, 1987), 69.
16. Hoppit, *Risk and Failure*, 139, 177, 114–15.
17. Joel Mokyr, *The Gifts of Athena: Historical Origins of the Knowledge Economy* (Princeton NJ, 2003), 37n. Cf. David Hey, 'Huntsman, Benjamin', *Oxford Dictionary of National Biography*.
18. Svante Lindqvist, *Technology on Trial: The Introduction of Steam Power Technology into Sweden, 1715–36* (Uppsala, 1984); John R. Harris, *Industrial Espionage and Technology Transfer: Britain and France in the Eighteenth Century* (Aldershot, 1998).
19. Hedieh Nasheri, *Economic Espionage and Industrial Spying* (Cambridge, 2005).
20. Malcolm Balen, *A Very English Deceit* (Londres, 2002), 41.
21. Smith, 'Amsterdam as an Information Exchange', 1001–3.
22. Vance Packard, *The Hidden Persuaders* (Londres, 1957); Stefan Schwarzkopf e Rainer Gries (eds.), *Ernest Dichter and Motivational Research* (Nova York, 2010).
23. John K. Galbraith, *The Great Crash* (1954: nova ed. Londres, 2009), 70.
24. Elizabeth W. Morrison e Frances J. Milliken, 'Organizational Silence', *The Academy of Management Review* 25 (2000), 706–25.
25. Gabriel Szulanski, *Sticky Knowledge: Barriers to Knowing in the Firm* (Thousand Oaks CA, 2003).
26. Morrison e Milliken, 'Organizational Silence', 708.
27. Miklós Haraszti, *A Worker in a Worker's State* (1975: trad. inglês, Harmondsworth, 1977); Dikötter, *Mao's Great Famine*.
28. Clinton Jones, 'Data Quality and the Management Iceberg of Ignorance' (2017), www.jonesassociates.com/?p=808. O presidente é citado em John S. Brown e Paul Duguid, 'Organizational Learning and Communities of Practice', em E. L. Lesser, M. A. Fontaine e J. A. Slusher (eds.), *Knowledge and Communities* (Oxford, 1991), 123.
29. DeLong, *Lost Knowledge*, 13, 101–18. Cf. Arnold Kransdorff, *Corporate Amnesia: Keeping Know-how in the Company* (Oxford, 1998), especialmente 21–8.

30 Sobre a França do fim dos anos 1950, ver Crozier, *Bureaucratic Phenomenon*, já discutido brevemente no capítulo um. Sobre respostas a esse problema, ver Ikujiro Nonaka e Hirotaka Takeuchi, *The Knowledge Creating Company: How Japanese Companies Create the Dynamics of Innovation* (Nova York, 1995); Nancy M. Dixon, *Common Knowledge: How Companies Thrive by Sharing What They Know* (Boston MA, 2000).

31 Már Jónsson, 'The Expulsion of the Moriscos from Spain', *Journal of Global History* 2 (2007), 195–212; Warren C. Scoville, *The Persecution of Huguenots and French Economic Development, 1680–1720* (Berkeley CA, 1960).

32 Dorothy Davis, *A History of Shopping* (Londres, 1966); Sheila Robertson, *Shopping in History* (Hove, 1984); Evelyn Welch, *Shopping in the Renaissance* (New Haven CT, 2009).

33 Ernest S. Turner, *The Shocking History of Advertising* (Londres, 1952); Packard, *Hidden Persuaders*.

34 George A. Akerlof e Robert Shiller, *Phishing for Phools: The Economics of Manipulation and Deception* (Princeton NJ, 2015).

35 Goldacre, *Bad Pharma*, 278–82, 292–8.

36 www.accountingliteracy.org/about-us.html. Acesso em 13 de maio de 2022.

37 Annamaria Lusardi e Olivia S. Mitchell, 'Financial Literacy Around the World', *Journal of Pension Economics and Finance* 10 (2011), 497–508.

38 Jacob Soll, *The Reckoning: Financial Accountability and the Making and Breaking of Nations* (Londres, 2014).

39 Daniela Pianezzi e Muhammad Junaid Ashraf, 'Accounting for Ignorance', *Critical Perspectives on Accounting* (2020), repository.essex.ac.uk/26810.

40 Nils Steensgaard, 'The Dutch East India Company as an Institutional Innovation', em Maurice Aymard (ed.), *Dutch Capitalism and World Capitalism* (Cambridge, 1982), 447–50; Lodowijk Petram, *The World's First Stock Exchange* (Nova York, 2014).

41 Steve Fraser, *Every Man a Speculator: A History of Wall Street in American Life* (Nova York, 2005).

42 William Quinn e John D. Turner, *Boom and Bust: A Global History of Financial Bubbles* (Cambridge, 2020), índice.

43 Robert J. Shiller, *Irrational Exuberance* (2000: 3. ed. Princeton NJ, 2015), 190, 195–6, 200–203.

44 Quinn and Turner, *Boom and Bust*, 8.

45 Sobre Ponzi, Shiller, *Irrational Exuberance*, 117–18. Essa máxima foi usada pelo Better Business Bureau (Departamento para Melhores Negócios) para avisar o público a respeito de esquemas ilegais: "Se alguma coisa parece boa demais para ser verdade, provavelmente não é verdade" (5 de junho de 2009), www.barrypopik.com.

46 Shiller, *Irrational Exuberance*, 127, 148, 204–5.

47 Jonathan Israel, 'The Amsterdam Stock Exchange and the English Revolution of 1688', *Tijdschrift voor Geschiedenis* 103 (1990), 412–40; Richard Dale, *Napoleon is Dead: Lord Cochrane and the Great Stock Exchange Scandal* (Stroud, 2006).

48 Charles P. Kindleberger e R. Z. Aliber, *Manias, Panics and Crashes* (Basingstoke, 2005).

49 Thomas Lux, 'Herd Behaviour, Bubbles and Crashes', *Economic Journal* 105 (1995), 881–96. Cf. Shiller, *Irrational Exuberance*, 200–203.

50 Shiller, *Irrational Exuberance*, 112–14.

51 Citado em Julian Hoppit, 'Attitudes to Credit in Britain, 1680–1780', *Historical Journal* 33 (1990), 305–22, na 309.

52 John Carswell, *The South Sea Bubble* (1960: ed. revisada Londres, 1993); Balen, *Very English Deceit*; Julian Hoppit, 'The Myths of the South Sea Bubble', *Transactions of the Royal Historical Society* 12 (2002), 141–65; Richard Dale, *The First Crash* (Princeton NJ, 2004); Helen Paul, *The South Sea Bubble* (Abingdon, 2011); William Quinn e John D. Turner, '1720 and the Invention of the Bubble', em Quinn e Turner, *Boom and Bust*, 16–38; Stefano Condorelli e Daniel Menning (eds.), *Boom, Bust and Beyond: New Perspectives on the 1720 Stock Market Bubble* (Berlim, 2019); Daniel Menning, *Politik, Ökonomie und Aktienspekulation: 'South Sea' und Co. 1720* (Berlim, 2020).

53 Carswell, *Bubble*, 89.

54 Dale, *First Crash*, 2, 82, 120.

55 Carswell, *Bubble*, 57n., 119.

56 Carswell, *Bubble*, 132; Balen, *Very English Deceit*, 119.

57 Dale, *First Crash*, 17, 93.

58 O termo "*screened*" [tapado por tapumes ou biombos] foi usado pela primeira vez por Richard Steele, o antigo editor (com Joseph Addison) da revista *The Spectator*: Carswell, *Bubble*, 175.

59 Archibald Hutchison em 1720, citado em Dale, *First Crash*, 85, 98.

60 Balen, *Very English Deceit*, 97, 105, 116.

61 Adam Smith, *Wealth of Nations* (1776), ed. Roy Campbell e Andrew Skinner (2 vols, Oxford, 1976), vol. 2, 745–6.

62 Citado em Dale, *First Crash*, 101, de *The Secret History of the South Sea Scheme* (atribuído a John Toland, Londres, 1726).

63 Galbraith, *Crash*; Maury Klein, *Rainbow's End* (Nova York, 2001); William Quinn e John D. Turner, 'The Roaring Twenties and the Wall Street Crash', em Quinn e Turner, *Boom and Bust*, 115–33.

64 Galbraith, *Crash*, 9.

65 Galbraith, *Crash*, 28, 32, 187.

66 Galbraith, *Crash*, 75–80, 100. Em contraponto, ver a jornalista Eunice Barnard, que escreveu naquela época e descreveu um grupo de especuladoras mulheres observando a *ticker tape* e discutindo as informações que chegavam: Eunice Bar-

nard, 'Ladies of the Ticker', *North American Review* 227 (1929), 405–10, citada em Daniel Menning, 'Doubt All Before You Believe Anything: Stock Market Speculation in the Early Twentieth-Century United States', em Dürr, *Threatened Knowledge*, 74–93, nas 74–5.

67 Galbraith, *Crash*, 121–2, 133–5, 148–9.
68 Galbraith, *Crash*, 51, 125.
69 Menning, 'Doubt All', 90.
70 Heyman, *States and Illegal Practices*.
71 Daniel Okrent, *Last Call: The Rise and Fall of Prohibition* (Nova York, 2010), 150–53, 165, 207–11, 215, 272–4.
72 Dikötter, *Mao's Great Famine*, 197–207.
73 Friedrich Schneider e Dominik H. Enste, *The Shadow Economy* (2. ed. Cambridge, 2013).
74 Misha Glenny, *McMafia* (Londres, 2008), 251, 385.
75 Paul Gootenberg, 'Talking Like a State: Drugs, Borders and the Language of Control', em Willem van Schendel e Itty Abraham (eds), *Illicit Flows and Criminal Things* (Bloomington IN, 2005), 101–27, na 109; Gootenberg (ed.), *Cocaine: Global Histories* (Londres, 1999); Gootenberg, *Andean Cocaine: The Making of a Global Drug* (Chapel Hill NC, 2008); Mark Bowden, *Killing Pablo: The Hunt for the Richest, Most Powerful Criminal in History* (Londres, 2007).
76 Peter Reuter e Edwin M. Truman, *Chasing Dirty Money: The Fight Against Money Laundering* (Washington DC, 2004); Douglas Farah, 'Fixers, Super Fixers and Shadow Facilitators: How Networks Connect', em Michael Miklaucic e Jacqueline Brewer (eds), *Convergence: Illicit Networks and National Security in the Age of Globalization* (Washington DC, 2013), 75–95, citação na 77.
77 Ian Smillie, 'Criminality and the Global Diamond Trade', em Van Schendel e Abraham, *Illicit Flows*, 177–200, na 181.
78 Jason C. Sharman, *Havens in a Storm: The Struggle for Global Tax Regulation* (Ithaca NY, 2006); Nicholas Shaxson, *Treasure Islands: Uncovering the Damage of Offshore Banking and Tax Havens* (Londres, 2011).
79 Shaxson, *Treasure Islands*, 54; Sébastien Guex, 'The Origins of the Swiss Banking Secrecy Law', *Business History Review* 74 (2000), 237–66, na 241.
80 R. T. Naylor, *Hot Money* (Londres, 1987), 234–9.
81 Pino Arlacchi, *Mafia Business* (1983: trad. inglês, Oxford, 1988); Diego Gambetta, *The Sicilian Mafia: The Business of Private Protection* (Cambridge MA, 1993); Yiu-kong Chu, *The Triads as Business* (Londres, 2000); Vadim Volkov, *Violent Entrepreneurs: The Use of Force in the Making of Russian Capitalism* (Ithaca NY, 2002), 43. Cf. Federico Varese, *The Russian Mafia: Private Protection in a New Market Economy* (Oxford, 2001).
82 Varese, *Russian Mafia*, 22–9, 55–9.
83 Alan Knight, *The Mexican Revolution*, 2 vols (Cambridge, 1986).

84 Peter Andreas, 'The Clandestine Political Economy of War and Peace in Bosnia', *International Studies Quarterly* 48 (2004), 29–51, na 31.

85 Douglas Farah e Stephen Braun, *Merchant of Death* (Hoboken NJ, 2007).

86 Kenneth I. Simalla e Maurice Amutari, 'Small Arms, Cattle Raiding and Borderlands', em Van Schendel e Abraham, *Illicit Flows*, 201–25, na 217.

87 Paul Grendler, *The Roman Inquisition and the Venetian Press*, 1540–1605 (Princeton NJ, 1977).

88 Robert Darnton, *The Forbidden Best-Sellers of Pre-Revolutionary France* (Nova York, 1996), 3, 7, 18–20.

89 Frances Yates, 'Paolo Sarpi's History of the Council of Trent', *Journal of the Warburg and Courtauld Institutes* 7 (1944), 123–44.

90 Adrian Johns, *Piracy: The Intellectual Property Wars from Gutenberg to Gates* (Chicago IL, 2009); Paul Kruse, 'Piracy and the *Britannica*', *Library Quarterly* 33 (1963), 318–38.

91 Glenny, *McMafia*, 382.

92 Roberto Saviano, *Gomorrah* (2006: trad. inglês, Nova York, 2007).

93 Saviano, *Gomorrah*, 25–33. Alguns desses trabalhadores apareceram no filme feito com base no livro, também chamado *Gomorrah* (2008).

94 Saviano, *Gomorrah*, 7.

95 Sobre La Salada, ver Matías Dewey, *Making It at Any Cost: Aspirations and Politics in a Counterfeit Clothing Marketplace* (Austin TX, 2020).

96 Dewey, *Making It*, 6.

97 Jane Schneider e Peter Schneider, 'Is Transparency Possible? The Political-Economic and Epistemological Implications of Cold War Conspiracies and Subterfuge in Italy', em Heyman (ed.), *States and Illegal Practices*, 169–98, na 169.

98 Pino Arlacchi, *Addio Cosa Nostra* (Milão, 1994), 159, citado em Varese, *Russian Mafia*, 234–5.

99 Diego Gambetta, 'The Price of Distrust', em Gambetta (ed.), *Trust* (Oxford, 1988), 158–75.

11 A IGNORÂNCIA NA POLÍTICA

1 Foucault, *Power/Knowledge*; Lorraine Code, 'The Power of Ignorance', em Sullivan e Tuana (eds), *Race and Epistemologies*, 213–30.

2 Hubert Dreyfus e Paul Rabinow (eds), *Michel Foucault: Beyond Structuralism and Hermeneutics* (Brighton, 1982), 187, obtido a partir de comunicação pessoal com os autores.

3 Richelieu, *Testament Politique*, ed. Françoise Hildesheimer (Paris, 1995), 137; Daniel Roche, *France in the Enlightenment* (1993: trad. inglês, Cambridge MA, 1998), 346.

4   Frederico, o Grande, citado em Gay, *Science of Freedom*, 521–2; Frederick VI citado em Robert J. Goldstein (ed.), *The War for the Public Mind: Political Censorship in Nineteenth-Century Europe* (Westport CT, 2000), 3.
5   Oldenburg a Samuel Hartlib (1659), em A. Rupert Hall e Marie Boas Hall (eds), *The Correspondence of Henry Oldenburg*, 13 vols (Madison WI, 1965–86).
6   Ryszard Kapuściński, *Shah of Shahs* (1982: trad. inglês, Londres, 1986), 150.
7   Shibutani, *Improvised News*.
8   Citado em Janam Mukherjee, *Hungry Bengal* (Nova York, 2016), 83.
9   Raymond A. Bauer e David B. Gleicher, 'Word-of-Mouth Communication in the Soviet Union', *Public Opinion Quarterly* 17 (1953), 297–310.
10 Stanley Cohen, *Folk Devils and Moral Panics: The Creation of Mods and Rockers* (Londres, 1972).
11 John Kenyon, *The Popish Plot* (Londres, 1972).
12 W. C. Abbott, 'The Origins of Titus Oates's Story', *English Historical Review* 25 (1910), 126–9, na 129; Allport e Postman, *Psychology of Rumour*; Shibutani, *Improvised News*.
13 https://journals.plos.org/plosone/article?id=10.1371/journal.pone.0233879, acesso em 28 de junho de 2022; https://www.bbc.co.uk/bitesize/articles/zgfgf82, acesso em 28 de junho de 2022.
14 Sobre Veneza, ver Paolo Preto, *I servizi secreti di Venezia* (Milão, 1994).
15 Sobre o primeiro sentido, ver Alison Bailey, 'Strategic Ignorance', em Sullivan e Tuana, *Race and Epistemologies*, 77–94. Cf. James C. Scott, *Domination and the Arts of Resistance* (New Haven CT, 2008). Sobre o segundo, ver McGoey, *Unknowers*.
16 Dito por Jefferson para Charles Yancey (1816); dito por Madison para William Barry (1822).
17 John Foster, *An Essay on the Evils of Popular Ignorance* (Londres, 1824), 214.
18 Hansard, julho de 1833, 143–6, 'National Education' (30 de julho de 1833), http://hansard.millbank-systems.com. Cf. S. A. Beaver, 'Roebuck, John Arthur', *Oxford Dictionary of National Biography*.
19 Michael Cullen, 'The Chartists and Education', *New Zealand Journal of History* 10 (1976), 162–77, nas 163, 170.
20 John Stuart Mill, *Representative Government* (1867: repr. *On Liberty, Utilitarianism and Other Essays*, Oxford, 2015), 239; Walter Bagehot, *The English Constitution* (1867: ed. Paul Smith, Cambridge 2001), 327.
21 Para ser mais exato, ele declarou, em um discurso no Parlamento, que era necessário que "nossos futuros senhores aprendam as letras" ("*our future masters to learn their letters*"). Em Jonathan Parry, 'Lowe, Robert', *Oxford Dictionary of National Biography*. Na memória cultural, entretanto, o aforismo se tornou mais contundente.
22 Oscar Wilde, *The Importance of Being Earnest* (1895), Act One. Muito obrigado a Ghil'ad Zuckermann por me lembrar dessa passagem.

23 Dolci, *Inchiesta a Palermo*, 76.

24 What Americans Know, 1989-2007, comunicado à imprensa, Pew Research Center, 15 de abril de 2007, https://www.pewresearch.org/wp-content/uploads/sites/4/legacy-pdf/319.pdf. Acesso em 28 de junho de 2022. Sobre pesquisas por ocasião das eleições de 2008, ver Ilya Somin, *Democracy and Political Ignorance* (2013: edição revisada, Stanford CA, 2016), 34-5. Somin (162) observa o problema de fazer comparações entre o atual estado de ignorância e o estado no século XIX e início do século XX, dada a ausência de pesquisas – ou seja, a ausência de evidências sobre a ausência de conhecimento.

25 Anthony Downs, *An Economic Theory of Democracy* (Nova York, 1957).

26 Linda Martín Alcoff em The Epistemology of Ignorance and the 2016 Presidential Election (24 de fevereiro de 2017), https://philosophy.commons.gc.cuny.edu/linda-martin-alcoff.

27 Philip Kitcher, *Science in a Democratic Society* (Amherst NY, 2011).

28 Simon Kaye, 'On the Complex Relationship between Political Ignorance and Democracy' (5 de abril de 2017), http://eprints.lse.ac.uk/72489.

29 Sophia Kaitatzi-Whitlock, 'The Political Economy of Political Ignorance', em Janet Wasko, Graham Murdock e Helena Sousa (eds), *The Handbook of Political Economy of Communications* (Oxford, 2011), 458–81.

30 Mario Sabino, 'FHC, Suplicy, O preço do paõzinho, o general Medici e eu', *Crusoé*, 17 de agosto de 2018, https://crusoe.com.br.

31 Adam Nicolson, *When God Spoke English: The Making of the King James Bible* (Londres, 2011), 7.

32 Geoffrey Parker, *Emperor: A New Life of Charles V* (New Haven CT, 2019).

33 Parker, *Emperor*, 35, 136, 208, 265, 317.

34 Parker, *Emperor*, 58, 86, 195–6, 290.

35 Geoffrey Parker, *Philip II* (1978: 4. ed. Chicago IL, 2002), especialmente 24–37.

36 Paul Dover, 'Philip II, Information Overload and the Early Modern Moment', em Tonio Andrade e William Reger (eds), *The Limits of Empire: European Imperial Formations in Early Modern World History* (Farnham, 2012).

37 Citado em Albert W. Lovett, *Philip II and Mateo Vázquez de Leca* (Genebra, 1977), 66; Stafford Poole, *Juan de Ovando* (Norman OK, 2004), 162.

38 Soll, *The Reckoning*, ix, 87.

39 Isabel de Madariaga, *Russia in the Age of Catherine the Great* (Londres, 1981), 371; Simon Montefiore, *Prince of Princes: The Life of Potemkin* (Londres, 2001), 380–33.

40 Citado em Ladislav Bittman, *The Deception Game* (Syracuse NY, 1972), 58.

41 Richard Cobb, 'The Informer and his Trade', em Cobb, *The Police and the People* (Oxford, 1970), 5–8.

42 Scott, *Seeing Like a State*, 2.

43 Sheldon Ungar, 'Ignorance as an Under-Identified Social Problem', *British Journal of Sociology* 59 (2008), 301–26, na 306.
44 Adam Tooze, *Statistics and the German State, 1900–1945: The Making of Modern Economic Knowledge* (Cambridge, 2001), 84.
45 Frank Cowell, *Cheating the Government: The Economics of Evasion* (Cambridge MA, 1990), 38.
46 *Sir* William Hayter (embaixador britânico em Moscou, 1953–7), citado em Anna Aslanyan, *Dancing on Ropes: Translators and the Balance of History* (Londres, 2021), 13.
47 Lothar Gall, *Bismarck: The White Revolutionary*, vol. 1 (1851–71: trad. inglês, Londres, 1986), 180.
48 Christopher Clark, *The Sleepwalkers: How Europe Went to War in 1914* (Londres, 2013), 200–1.
49 Margaret MacMillan, *Peacemakers: The Paris Conference of 1919 and its Attempt to End War* (Londres, 2001), 43, 48–9.
50 Bartlomiej Rusin, 'Lewis Namier, the Curzon Line and the Shaping of Poland's Eastern Frontier', *Studia z Dziejów Rosji i Europy Środkowy-Wschodniej* 48 (2013), 5-26, na 6, n. 3. Como Lloyd George se opunha às reivindicações polonesas, essa "lenda" pode ser apenas polonesa.
51 Russell H. Fifield, *Woodrow Wilson and the Far East: The Diplomacy of the Shantung Question* (Nova York, 1952), 240–41.
52 James Headlam-Morley, citado em D. W. Hayton, *Conservative Revolutionary: The Lives of Lewis Namier* (Londres, 2019), 108.
53 John W. Wheeler-Bennett, *Munich: Prologue to Tragedy* (Londres, 1948), 264, 157.
54 Constantin Dumba, citado em Larry Wolff, *Woodrow Wilson and the Reimagining of Eastern Europe* (Stanford CA, 2020), 5.
55 John M. Cooper, *Woodrow Wilson* (Nova York, 2009), 182.
56 Citado em MacMillan, *Peacemakers*, 41.
57 Wolff, *Woodrow Wilson*, 228, 231.
58 Cooper, *Woodrow Wilson*, 490. Cf. Harold Nicolson, *Peacemaking 1919* (Londres, 1933); David Fromkin, *A Peace to End All Peace* (1989).
59 Essa carta é citada em Hugh e Christopher Seton-Watson, *The Making of a New Europe* (Londres, 1981), 343. Uma jovem Zara Steiner participou do seminário, citada em David Reynolds, 'Zara Steiner', *Biographical Memoirs of Fellows of the British Academy XIX* (Londres, 2021), 467–81, na 470. Cf. Nicolson, *Peacemaking*, 200, 203.
60 R. W. Seton-Watson, *Masaryk in England* (Cambridge, 1943), 67.
61 'Resign! Alexander Lukashenko heckled by factory workers in Minsk', *Guardian*, 17 de agosto de 2020.
62 'Trump touts hydroxychloroquine as a cure for Covid-19', *Guardian*, 6 de abril de 2020; 'Coronavírus: Trump says he's been taking hydroxychloroquine for "a

few weeks"', *The Independent*, 19 de maio de 2020; 'Bolsonaro bets "miraculous cure" for COVID-19 can save Brazil – and his life', *Reuters Health News*, 8 de julho de 2020.

63 Oreskes and Conway, *Merchants of Doubt*.
64 Joanne Roberts, 'Organizational Ignorance', em Gross e McGoey (eds.), *Routledge Handbook of Ignorance Studies*, 361–9; Bakken e Wiik, 'Ignorance and Organization Studies', 1109–20.
65 Michael Zack, 'Managing Organizational Ignorance', *Knowledge Directions* 1 (1999), http://web.cba.neu.edu/~mzack/articles/orgig/orgig.htm. Acesso em 28 de junho de 2022.
66 Uma continuidade do que já vinha ocorrendo desde a Idade Média é enfatizada em G. L. Harriss, 'A Revolution in Tudor History?', *Past & Present* 25 (1963), 8–39.
67 Geoffrey Elton, *The Tudor Revolution in Government* (Cambridge, 1953); Max Weber, *Soziologie*, ed. Johannes Winckelmann (Stuttgart, 1956), 151–4.
68 Sobre Persson, ver Michael Roberts, *The Early Vasas: A History of Sweden, 1523–1611* (Cambridge, 1968), 224–5, 237–9, e Marko Hakanen e Ulla Koskinen, 'Secretaries as Agents in the Middle of Power Structures (1560–1680)', e 'The Gentle Art of Counselling Monarchs', em Petri Karonen e Marko Hakanen (eds), *Personal Agency at the Swedish Age of Greatness* (Helsinki, 2017), 5–94. Sobre Cromwell, ver Diarmaid MacCulloch, *Thomas Cromwell* (Londres, 2018); sobre Richelieu, ver Orest Ranum, *Richelieu and the Councillors of State* (Oxford, 1968), especialmente 45–76.
69 Ranum, *Richelieu*, 63.
70 Sobre Eraso, ver Carlos Javier de Carlos Morales, 'El Poder de los Secretarios Reales: Francisco de Eraso', em José Martínez Millán (ed.), *La corte de Felipe II* (Madri, 1994), 107–48.
71 Gregorio Marañón, *Antonio Pérez* (Madri, 1947); Lovett, *Philip II*.
72 Fernand Braudel, *The Mediterranean and the Mediterranean World in the Age of Philip II* (1949: trad. inglês, 2 vols, Londres, 1972–3), parte 2, cap. 1, seção 1. Cf. Geoffrey Blainey, *The Tyranny of Distance: How Distance Shaped Australia's History* (Melbourne, 1966), e Parker, *Emperor*, 382, 653.
73 Parker, *Emperor*, 385.
74 Parker, *Philip II*, 25, 28. Sobre Filipe e seu império, Arndt Brendecke, *The Empirical Empire: Spanish Colonial Rule and the Politics of Knowledge* (2009: trad. inglês, Berlim, 2016), especialmente cap. 1, sobre "a cegueira do rei", e Brendecke, 'Knowledge, Oblivion and Concealment in Early Modern Spain: The Ambiguous Agenda of the Archive of Simancas', em Liesbeth Corens, Kate Peters e Alexandra Walsham (eds), *Archives and Information in the Early Modern World* (Oxford, 2018), 131–49.
75 Simon Franklin e Katherine Bowers (eds), *Information and Empire: Mechanisms of Communication in Russia, 1600–1850* (Cambridge, 2017).

76 Scott, *Seeing Like a State*, 11; cf. Jacob Soll, *The Information Master: Jean-Baptiste Colbert's Secret State Intelligence System* (Ann Arbor MI, 2009); Michèle Virol, *Vauban* (Seyssel, 2003).

77 Oliver MacDonagh, 'The Nineteenth-Century Revolution in Government', *Historical Journal* 1 (1958), 52–67.

78 Scott, *Seeing Like a State*, 33, 77.

79 Emily Osborn, 'Circle of Iron: African Colonial Employees and the Interpretation of Colonial Rule in French West Africa', *Journal of African History* 44 (2003), 29–50.

80 Philip Bowring, *Free Trade's First Missionary: Sir John Bowring in Europe and Asia* (Hong Kong, 2014), 170.

81 William Dalrymple, *The Anarchy: The Relentless Rise of the East India Company* (Londres, 2019).

82 Dalrymple, *Anarchy*, 237, 313.

83 Christopher A. Bayly, *Empire and Information: Intelligence Gathering and Social Communication in India, 1780–1870* (Cambridge, 1996), 14.

84 Dalrymple, *Return of a King*, 130.

85 Bayly, *Empire and Information*, 178.

86 Ranajit Guha, *A Rule of Property for Bengal* (Paris, 1963).

87 Nicholas B. Dirks, *Castes of Mind: Colonialism and the Making of Modern India* (Princeton NJ, 2001).

88 Bayly, *Empire and Information*, 102, 212, 245–6.

89 Bayly, *Empire and Information*, 315–37, nas 315–16.

90 Kim Wagner, *The Great Fear of 1857* (Oxford, 2010).

91 Wagner, *Great Fear*, 28, 30.

92 John Stuart Mill, *Representative Government*, "conclusão", citado em McGoey, *Unknowers*, 161.

93 Bayly, *Empire and Information*, 338.

94 Clive Dewey, *Anglo-Indian Attitudes: The Mind of the Indian Civil Service* (Londres, 1993), 3.

95 Penderel Moon, *Divide and Quit: An Eyewitness Account of the Partition of India* (1961: 2. ed. Delhi, 1998), 37, 88.

96 Alex von Tunzelmann, *Indian Summer: The Secret History of the End of an Empire* (Nova York, 2007), 3, 154, 185, 190, 199, 201.

97 Tunzelmann, *Indian Summer*, 232.

98 Anthony Tucker-Jones, *The Iraq War: Operation Iraqi Freedom, 2003–2011* (Barnsley, 2014), 137.

99 Citado em Brian Whitaker, 'Nowhere to Run', *Guardian*, 29 de novembro de 2005. A data correta é 9 d.C.

100 Henry Adams, *The Education of Henry Adams* (1907: nova ed. Cambridge MA, 1918), 100, 296, 462.

12 SURPRESAS E CATÁSTROFES

1 Ord, *The Precipice*. Cf. Nick Bostrom 'Existential Risks', *Journal of Evolution and Technology* 9 (2002), https://nickbostrom.com/existential/risks.html; Bostrom, 'Existential Risk Prevention as Global Priority', *Global Policy* 4 (2013), 15–31.
2 Citado em Plokhy, *Chernobyl*, 269.
3 Neil Hanson, *The Dreadful Judgement: The True Story of the Great Fire of London* (Nova York, 2001).
4 John M. Barry, *Rising Tide: The Great Mississippi Flood of 1927 and How It Changed Americans* (Nova York, 1997).
5 William M. Taylor (ed.), *The 'Katrina Effect': On the Nature of Catastrophe* (Londres, 2015). [A expressão "efeito Katrina" diz respeito especialmente à previsão de desastres naturais, incluindo obras e planejamentos necessários para enfrentá-los com mais eficiência quando acontecerem, e ao sistema de ajuda às vítimas, entre outras consequências do desastre. Quando o autor diz que a expressão entrou na língua inglesa, não se refere à fala cotidiana, mas ao pensamento de autores que escreveram sobre o assunto e de tomadores de decisões que podem influenciar nesses preparativos e auxílios. (N.T.)].
6 Chester Hartman e Gregory Squires (eds.), *There Is No Such Thing as a Natural Disaster: Race, Class, and Hurricane Katrina* (Londres, 2006), vii, 121–9, 194. Cf. Douglas Brinkley, *The Great Deluge: Hurricane Katrina, New Orleans and the Mississippi Gulf Coast* (Nova York, 2006).
7 Scott Frickel e M. Bess Vincent, 'Hurricane Katrina, Contamination, and the Unintended Organization of Ignorance', *Technology in Society* 29 (2007), 181–8.
8 Gregory Quenet, *Les tremblements de terre aux XVII et XVIIIe siècles: La naissance d'un risque* (Champvallon, 2005), 305–56; Michael O'Dea, 'Le mot "catastrophe"' e Anne Saada, 'Le désir d'informer: le tremblement de terre de Lisbonne', em Anne-Marie Mercier-Faivre e Chantal Thomas (eds.), *L'invention de la catastrophe au XVIIIe siècle: Du châtiment divin au désastre naturel* (Genebra, 2008), 35–48 e 209–30.
9 Cf. John Leslie, *The End of the World: The Science and Ethics of Human Extinction* (Londres, 1996).
10 David Arnold, *Famine: Social Crisis and Historical Change* (Oxford, 1988); Dalrymple, *Anarchy*, 219–26.
11 Citado em Amartya Sen, *Poverty and Famines* (Oxford, 1981), 76.
12 Citado em Arnold, *Famine*, 117.
13 Kali Charan Ghosh, *Famines in Bengal, 1770–1943* (1944: 2. ed, Calcutá, 1987), prefácio, 122.
14 Sen, *Poverty and Famines*, 79. Paul Greenough, *Prosperity and Misery in Modern Bengal: The Bengal Famine of 1943–44* (Nova York, 1982); Mukherjee, *Hungry Bengal*.

15 Robin Haines, *Charles Trevelyan and the Great Irish Famine* (Dublin, 2004), 401, que defende Trevelyan da acusação de ter "uma política de assistência perversa" (xiii).

16 Cecil Woodham-Smith, *The Great Hunger: Ireland 1845–1849* (Londres, 1962); Mary Daly, *The Famine in Ireland* (Dundalk, 1986); Christine Kineally, *This Great Calamity: The Irish Famine, 1845–52* (Dublin, 1995); James S. Donnelly, *The Great Irish Potato Famine* (Stroud, 2002); Cormac Ó Gráda (ed.), *Ireland's Great Famine: Interdisciplinary Perspectives* (Dublin, 2006).

17 Arnold, *Famine*. Cf. Polly Hill, *Population, Prosperity and Poverty: Rural Kano in 1900 and 1970* (Cambridge, 1977).

18 Jasper Becker, *Hungry Ghosts: Mao's Secret Famine* (Nova York, 1996); Dikötter, *Mao's Great Famine*, 6. Para críticas a esse último livro, assim como a réplica de seu autor, ver Felix Wemheuer, 'Sites of Horror: *Mao's Great Famine*', *The China Journal* 66 (2011), 155–64.

19 Dikötter, *Mao's Great Famine*, 8, 25–6.

20 Dikötter, *Mao's Great Famine*, 56–63.

21 A citação é de Li Zhisui, médico de Mao, que o acompanhava. Dikötter, *Mao's Great Famine*, 41, 67–72.

22 Dikötter, *Mao's Great Famine*, 29, 37, 62, 69, 130.

23 Monica Green, 'Taking "Pandemic" Seriously: Making the Black Death Global', em Green (ed.), *Pandemic Disease* (Kalamazoo MI, 2015), 27–61, na 37. Cf. Timothy Brook, 'The Plague', em Brook, *Great State*, 53–75.

24 Philip Ziegler, *The Black Death* (Londres, 1969); William H. McNeill, *Plagues and Peoples* (Garden City NY, 1976); Samuel K. Cohn Jr, 'The Black Death and the Burning of Jews', *Past & Present* 196 (2007), 3–36.

25 Carlo Cipolla, *Cristofano and the Plague* (Londres, 1973); Cipolla, *Faith, Reason and the Plague in Seventeenth-Century Tuscany* (Nova York, 1981); A. Lloyd Moote e Dorothy C. Moote, *The Great Plague: The Story of London's Most Deadly Year* (Baltimore MD, 2004); John Henderson, *Florence under Siege: Surviving Plague in an Early Modern City* (New Haven CT, 2019).

26 Carlo Cipolla, *Fighting the Plague in Seventeenth-Century Italy* (Madison WI, 1981); Stefano di Castro citado por Henderson, *Florence under Siege*, 55.

27 Giuseppe Farinelli e Ermanno Paccagnini (eds), *Processo agli untori* (Milão, 1988); Giovanni Baldinucci citado em Henderson, *Florence under Siege*, 43.

28 Henderson, *Florence under Siege*, 149–82.

29 Sidney Chaloub, *Cidade febril: Cortiços e epidemias na cidade imperial* (São Paulo, 1996), 62–3.

30 Woodrow Borah e Sherburne Cook, *The Aboriginal Population of Central Mexico in 1548* (Berkeley CA, 1960); Rudolph Zambardino, 'Mexico's Population in the Sixteenth Century', *Journal of Interdisciplinary History* 11 (1980), 1–27; Noble David Cook, *Born to Die: Disease and New World Conquest, 1492–1650* (Cambridge, 1998).

31 Jonathan B. Tucker, *Scourge: The Once and Future Threat of Smallpox* (Nova York, 2001).

32 https://people.umass.edu/derrico/amherst/lord_jeff.html. Acesso em 28 de junho de 2022.

33 Jo Willett, 'Lady Mary Wortley Montagu and her Campaign against Smallpox', https://www.historic-uk.com/HistoryUK/HistoryofBritain/Lady-Mary-Wortley-Montagu-Campaign-Against-Smallpox/. Acesso em 13 de maio de 2022.

34 Nicolau Sevcenko, *A Revolta da Vacina* (São Paulo, 1983); José Murilo de Carvalho, 'Cidadãos ativos: a Revolta da Vacina', em Murilo de Carvalho, *Os bestializados* (São Paulo, 1987), 91–130; Chaloub, *Cidade febril*; Teresa Meade, *'Civilizing' Rio: Reform and Resistance in a Brazilian City, 1889–1930* (Filadélfia PA, 1997); Jane Santucci, *Cidade rebelde: As revoltas populares no Rio de Janeiro no início do século XX* (Rio, 2008).

35 Chaloub, *Cidade febril*, 139.

36 Chaloub, *Cidade febril*, 125.

37 Chaloub, *Cidade febril*, 123–6.

38 Manfred Waserman e Virginia Mayfield, 'Nicholas Chervin's Yellow Fever Survey', *Journal of the History of Medicine and Allied Sciences* 26 (1971), 40–51.

39 Robert J. Morris, *1832 Cholera: The Social Response to an Epidemic* (Londres, 1976), 30, 35.

40 Morris, *1832 Cholera*, 85, 96–100.

41 Morris, *1832 Cholera*, 74, 161, 192.

42 Suellen Hoy, *Chasing Dirt: The American Pursuit of Cleanliness* (Nova York, 1995), especialmente 88–9, 124–7.

43 Mark Bostridge, *Florence Nightingale* (Londres, 2008).

44 Morris, *1832 Cholera*; Stephanie J. Snow, 'Snow, Dr John', *Oxford Dictionary of National Biography*.

45 Richard Evans, *Death in Hamburg* (Oxford, 1987); Thomas Brock, *Robert Koch: A Life in Medicine and Bacteriology* (Washington, D.C., 1999). Cf. Frank M. Snowden, *Naples in the Time of Cholera, 1884–1911* (Cambridge, 1995).

46 Laura Spinney, *Pale Rider: The Spanish Flu of 1918 and How It Changed the World* (Londres, 2017).

47 'US Senator says China trying to sabotage vaccine development', *Reuters*, 7 de junho de 2020, www.reuters.com; Alexandra Sternlicht, 'Senator Tom Cotton Ramps Up Anti-China Rhetoric', *Forbes*, 26 de abril de 2020.

13 SEGREDOS E MENTIRAS

1 Um trabalho pioneiro nesse sentido foi feito por Georg Simmel, 'The Sociology of Secrecy and of Secret Societies', *American Journal of Sociology* 11 (1906), 441–98.

² Francis Bacon, *Essays* (1597: Cambridge, 1906).

³ Baltasar Gracián, *Oráculo Manual y Arte de Prudencia* (1647: ed. bilíngue, Londres, 1962), números 13, 49, 98–100. Discussão mais geral em Rosario Villari, *Elogio della Dissimulazione. La lotta politica nel Seicento* (Roma, 1987); Jean-Pierre Cavaillé, *Dis/simulations* (Paris, 2002); Jon R. Snyder, *Dissimulation and the Culture of Secrecy in Early Modern Europe* (Berkeley CA, 2009).

⁴ Citado em Ulrich Ricken, 'Oppositions et polarités d'un champ notionnel: Les philosophes et l'absolutisme éclairé', *Annales historiques de la Révolution française* 51 (1979), 547–57, na 547.

⁵ Werner Krauss (ed.), *Est-il utile de tromper le peuple?* (Berlim, 1966). Os leitores certamente apreciarão a ironia de se terem publicado esses ensaios na Alemanha Oriental dos anos 1960.

⁶ David Kahn, *The Codebreakers: The Story of Secret Writing* (Nova York, 1967).

⁷ A. C. Duke e C. A. Tamse (eds.), *Too Mighty to be Free: Censorship and the Press in Britain and the Netherlands* (Zutphen, 1987); Gigliola Fragnito (ed.), *Church, Censorship and Culture in Early Modern Italy* (trad. inglês, Cambridge, 2001).

⁸ Daniel Roche, 'Censorship and the Publishing Industry', em Robert Darnton e Daniel Roche (eds.), *Revolution in Print* (Berkeley CA, 1989), 3–26; Robert Darnton, *The Forbidden Best-Sellers of Pre-Revolutionary France* (Nova York, 1996).

⁹ Judith Wechsler, 'Daumier and Censorship, 1866–1872', *Yale French Studies* 122 (2012), 53–78.

¹⁰ Goldstein, *War*, 22, 41, 45, 88.

¹¹ Goldstein, *War*, 25.

¹² Clive Ansley, *The Heresy of Wu Han: His Play 'Hai Jui's Dismissal' and its Role in China's Cultural Revolution* (Toronto, 1971); Mary G. Mazur, *Wu Han, Historian: Son of China's Times* (Lanham MD, 2009).

¹³ Bauer e Gleicher, 'Word-of-Mouth Communication', 297–310.

¹⁴ F. J. Ormeling, '50 Years of Soviet Cartography', *American Cartographer* 1 (1974), 48–9; Lappo e Polian, 'Naoukograds', 1226–49.

¹⁵ Andrei Sakharov, *Thoughts on Progress, Peaceful Coexistence, and Intellectual Freedom* (Petersham, 1968). Cf. Masha Gessen, 'Fifty Years Later', *New Yorker*, 25 de julho de 2018.

¹⁶ Pamela O. Long, *Openness, Secrecy, Authorship: Technical Arts and the Culture of Knowledge from Antiquity to the Renaissance* (Baltimore MD, 2001); Karel Davids, 'Craft Secrecy in Europe in the Early Modern Period: A Comparative View', *Early Science and Medicine* 10 (2005), 340–48.

¹⁷ Eamon, *Science and the Secrets of Nature*, 130–33.

¹⁸ Eamon, *Science and the Secrets of Nature*.

[19] Nicole Howard, 'Rings and Anagrams: Huygens's System of Saturn', *Papers of the Bibliographical Society of America* 98 (2004), 477–510.

[20] Parker, *Emperor*, xvi.

[21] Carswell, *Bubble*, 175.

[22] Anon., *The French King's Wedding* (Londres, 1708); Peter Burke, *The Fabrication of Louis XIV* (New Haven CT, 1992), 136–7.

[23] Mukherjee, *Hungry Bengal*, 125.

[24] Anne Applebaum, *Red Famine: Stalin's War on Ukraine* (Londres, 2017).

[25] William Taubman, *Gorbachev* (Londres, 2017); Plokhy, *Chernobyl*; Adam Higginbotham, *Midnight in Chernobyl: The Untold Story of the World's Greatest Nuclear Disaster* (Londres, 2019).

[26] Louis FitzGibbon, *The Katyn Cover-Up* (Londres, 1972); Alexander Etkind et al., *Remembering Katyn* (Cambridge, 2012), 13–34.

[27] Etkind, *Remembering Katyn*, 35–53; Jane Rogoyska, *Surviving Katyń: Stalin's Polish Massacre and the Search for Truth* (Londres, 2021). Sobre as testemunhas locais, ver Rogoyska, 206–7, 227; sobre as evidências para a data correta, ver 229, 236, 240.

[28] Conforme reportado em *The Independent*, 27 de julho de 2020: para ver o vídeo, https://www.independent.co.uk/news/world/asia/wuhan-officials-coronavirus-cases-spread-cover-up-leading-scientist-a9639806.html

[29] Louisa Lim, *The People's Republic of Amnesia* (Nova York, 2014), 99, 115; Margaret Hillenbrand, *Negative Exposures: Knowing What not to Know in Contemporary China* (Durham NC, 2020), 181, 196.

[30] Hillenbrand, *Negative Exposures*, 177.

[31] Lim, *People's Republic*, 85–6.

[32] Lim, *People's Republic*, 214. Esse é o tema central de Hillenbrand, *Negative Exposures*.

[33] Lim, *People's Republic*, 49–50.

[34] Lim, *People's Republic*, 3, 140.

[35] Sobre o começo da espionagem moderna, ver Miguel Angel Echevarria Bacigalupe, *La diplomacia secreta en Flandres, 1598–1643* (Biscaia, 1984); Lucien Bély, *Espions et ambassadeurs* (Paris, 1990); Preto, *I servizi secreti*.

[36] Sidney Monas, *The Third Section: Police and Society Under Nicholas I* (Cambridge MA, 1961); Ronald Hingley, *The Russian Secret Police: Muscovite, Imperial Russian and Soviet Political Security Operations, 1565–1970* (Londres, 1970); Christopher Andrew e Oleg Gordievsky, *KGB: The Inside Story of its Foreign Operations from Lenin to Gorbachev* (Londres, 1990).

[37] George Leggett, *The Cheka: Lenin's Political Police* (Oxford, 1986).

[38] Andrew e Gordievsky, *KGB*; Rhodri Jeffreys-Jones e Christopher Andrew (eds.), *Eternal Vigilance? 50 Years of the CIA* (Londres, 1997).

[39] Galison, 'Removing Knowledge'; Galison, 'Secrecy in Three Acts', *Social Research* 77 (2010), 941–74.

[40] Citado em Thomas Rid, *Active Measures: The Secret History of Disinformation and Political Warfare* (Londres, 2020), 401. Um ex-oficial da inteligência tcheca já havia feito referência a uma "produção em massa de operações de desinformação", realizada em uma "fábrica de desinformação". Ver Bittman, *Deception Game*, 89, 126.

[41] Jeffreys-Jones e Andrew, *Eternal Vigilance?*; Andrew e Gordievsky, *KGB*.

[42] Compton Mackenzie, *Water on the Brain* (Londres, 1933), citado em Vincent, *Culture of Secrecy*, 182–3. Somente em 1993 foi revelado o nome do novo diretor-geral (que, pela primeira vez, era uma mulher, Stella Rimington).

[43] Burke, 'Baroque'; Burke, 'Publicizing the Private: The Rise of "Secret History"', em Christian J. Emden e David Midgley (eds.), *Changing Perceptions of the Public Sphere* (Nova York, 2012), 57–72.

[44] Peter Burke, 'The Great Unmasker', *History Today* (1965), 426–32; Burke (ed.), *Sarpi* (Nova York, 1967), i–xli.

[45] 'Pietro Soave Polano' é um anagrama de 'Paolo Sarpi Veneto'.

[46] Edward Hyde, *The Life of Edward, Earl of Clarendon* (Oxford, 1760), vol. 2, 512.

[47] Peter Burke, 'On the Margins of the Public and the Private: Louis XIV at Versailles', *International Political Anthropology* 2 (2009), 29–36.

[48] Burke, 'Publicizing the Private'.

[49] R. L. Schults, *Crusader in Babylon: W. T. Stead and the Pall Mall Gazette* (Lincoln NE, 1972); Grace Eckley, *Maiden Tribute: A Life of W. T. Stead* (Filadélfia PA, 2007).

[50] Justin Kaplan, *Lincoln Steffens* (Nova York, 1974); Peter Hartshorn, *I Have Seen the Future: A Life of Lincoln Steffens* (Berkeley CA, 2011), 102, 104, 108.

[51] Kathleen Brady, *Ida Tarbell: Portrait of a Muckraker* (Pittsburgh PA, 1989); Steve Weinberg, *Taking on the Trust: The Epic Battle of Ida Tarbell and John D. Rockefeller* (Nova York, 2008).

[52] Carl Bernstein e Bob Woodward, *All the President's Men* (Londres, 1974), 14, 135; Lamar Waldron, *Watergate: The Hidden History* (Berkeley CA, 2012). O nome do escândalo "Watergate" veio do nome de um edifício em Washington.

[53] Patrick McCurdy, 'From the Pentagon Papers to Cablegate: How the Network Society Has Changed Leaking', em Bendetta Brevini, Arne Hintz e Patrick McCurdy (eds.), *Beyond WikiLeaks: Implications for the Future of Communications, Journalism and Society* (Basingstoke, 2013), 123–45.

[54] David Leigh e Luke Harding, *WikiLeaks: Inside Julian Assange's War on Secrecy* (Londres, 2013), 22.

[55] Timothy Garton Ash, 'US Embassy Cables: A Banquet of Secrets', *Guardian*, 28 de novembro de 2010, www.theguardian.com.

56. Eliot Higgins, *We are Bellingcat: An Intelligence Agency for the People* (Londres, 2021).
57. Sobre a proliferação de informações secretas, ver Galison, 'Removing Knowledge'.
58. Filippo de Vivo, *Information and Communication in Venice: Rethinking Early Modern Politics* (Oxford, 2007), 57–8, 181.
59. Vincent, *Culture of Secrecy*, 78–81.
60. Clive Ponting, *The Right to Know: The Inside Story of the Belgrano Affair* (Londres, 1985).
61. Edward Snowden, *Permanent Record* (Basingstoke, 2019).
62. Cohen, *States of Denial*, 1.
63. Parker, *Emperor*, 279.
64. John Horne e Alan Kramer, *German Atrocities, 1914: A History of Denial* (2001).
65. Fatma Müge Göçek, *Denial of Violence: Ottoman Past, Turkish Present and Collective Violence Against the Armenians, 1789–2009* (Oxford, 2015); Maria Karlsson, *Cultures of Denial: Comparing Holocaust and Armenian Genocide Denial* (Lund, 2015).
66. Alterman, *When Presidents Lie*.
67. Oreskes e Conway, *Merchants of Doubt*.
68. Cohen, *States of Denial*; Eviatar Zerubavel, *The Elephant in the Room: Silence and Denial in Everyday Life* (Nova York, 2006).
69. Gordon J. Horwitz, *In the Shadow of Death: Living Outside the Gates of Mauthausen* (Nova York, 1990), 27–36. Cf. Elmer Luchterhand, 'Knowing and Not Knowing: Involvement in Nazi Genocide', em Paul Thompson (ed.), *Our Common History* (Atlantic Highlands NJ, 1982), 251–72.
70. Walter Laqueur, 'Germany: A Wall of Silence?', em Laqueur, *The Terrible Secret: Suppression of the Truth about Hitler's Final Solution* (Boston MA, 1980), 17–40, especialmente 18, 22–3; Luchterhand, 'Knowing', 255.
71. Robert Eaglestone, 'The Public Secret', em Eaglestone, *The Broken Voice: Reading Post-Holocaust Literature* (Oxford, 2017), cap. 1. Para discussões gerais a respeito, ver Michael Taussig, *Defacement: Public Secrets and the Labor of the Negative* (Stanford CA, 1999) e Hillenbrand, *Negative Exposures*.
72. Michael E. Mann, *The Hockey Stick and the Climate Wars* (Nova York, 2012); Mann, 'When it Comes to the Australian Bush Fires, Rupert Murdoch is an Arsonist', *Newsweek*, 14 de janeiro de 2020.
73. Gerald Markowitz e David Rosner, *Deceit and Denial: The Deadly Politics of Industrial Pollution* (Berkeley CA, 2002).
74. Ernest L. Wynder e Everts Graham, 'Tobacco Smoking as a Possible Etiologic Factor in Bronchiogenic Carcinoma', *Journal of the American Medical Association* 143 (1950), 329–46.
75. Samuel Epstein, *The Politics of Cancer* (São Francisco CA, 1978), que fala de causas ambientais em geral; Robert Proctor, *Golden Holocaust* (Berkeley CA, 2011).

76. Proctor, *Golden Holocaust*, 290-92, listando 14 "estratégias para criar dúvida".
77. Proctor, *Golden Holocaust*, 260, 263-7.
78. Citado em Proctor, *Golden Holocaust*, 317.
79. Proctor, *Golden Holocaust*, 301.
80. Richard S. Schultz e Roy Godson, *Dezinformatsia* (Nova York, 1984); Rid, *Active Measures*.
81. Citado em Rid, *Active Measures*, 147.
82. Bittman, *Deception Game*, ix.
83. Bittman, *Deception Game*, 39-59. Cf. Rid, *Active Measures*, 157-66.
84. Rid, *Active Measures*, 27-8.
85. Mario Infelise, 'Pallavicino, Ferrante', *DBI*.
86. Rid, *Active Measures*, 249-50.
87. Frances S. Saunders, *Who Paid the Piper? The CIA and the Cultural Cold War* (1999).
88. Rid, *Active Measures*, 81.
89. Rid, *Active Measures*, 213, 377-86.
90. Gill Bennett, *The Zinoviev Letter: The Conspiracy that Never Dies* (Oxford, 2018).
91. Rid, *Active Measures*, 170-75.
92. Rid, *Active Measures*, 104-6, 231-42, 318-19.
93. Bittman, *Deception Game*, 84-6.
94. Peter Oborne, *The Rise of Political Lying* (Londres, 2005), 5; Matthew d'Ancona, *Post-Truth* (Londres, 2017). Cf. Ari Rabin-Havt e Media Matters, *Lies Incorporated: The World of Post-Truth Politics* (Nova York, 2016).
95. Andrew Buncombe, 'Donald Trump dismisses as "fake news" claims that Russia gathered compromising information about him', *Independent*, www.independent.co.uk, 11 de janeiro de 2017, acesso em 4 de julho de 2022; Chris Cillizza, 'Donald Trump just claimed he invented "Fake News"', edition.cnn.com, 26 de outubro de 2017. [Donald Trump não inventou o termo, mas o popularizou durante seu governo – e em contexto totalmente diferente da definição mais apropriada para a expressão. O ex-presidente norte-americano rotulava assim toda e qualquer notícia que fosse contrária ao seu governo, fosse verídica ou não. Entretanto, *fake news* "autênticas" são aquelas histórias que não têm base factual alguma e que são espalhadas em meios de comunicação, especialmente on-line, como sendo conteúdo que teria natureza noticiosa (em forma) e seria verdadeiro (não é), ou seja, algo mais próximo da "desinformação" já discutida. (N.T.)].
96. Andrew Marr, 'How Blair put the Media in a Spin', news.bbc.co.uk, 10 de maio de 2007; Timothy Bewes 'The Spin Cycle: Truth and Appearance in Politics', http://www.signsofthetimes.org.uk/pamphlet1/The%20Spin%20Cycle.html, acesso em 16 de maio de 2022; David Greenberg, 'A Century of Political Spin', *Wall Street Journal*, http://www.wsj.com, 8 de janeiro de 2016; David Greenberg,

Republic of Spin: An Inside History of the American Presidency (Nova York, 2016). Sobre a Rússia, ver Peter Pomerantsev, *Nothing is True and Everything is Possible* (2014: 2. ed Londres, 2017), 54–8, 65, 77–90.

[97] Ralph Keyes, *The Post-Truth Era* (Nova York, 2004); Greenberg, 'A Century of Political Spin'.

[98] Honoré de Balzac, *Illusions Perdues* (1837–43: nova ed., Paris 1961), 395.

[99] 'Why is this Lying Bastard Lying to Me?', blogs.bl.uk, 2 de julho de 2014; 'Louis Heren', https://en.wikipedia.org, acesso em 30 de outubro de 2017.

[100] Cailin O'Connor e James Owen Weatherall, *The Misinformation Age: How False Beliefs Spread* (New Haven CT, 2019), 9.

[101] Alterman, *When Presidents Lie*, 1, 92, 296.

[102] Alterman, *When Presidents Lie*, 38, 61–3, 102–4, 204, 297–300.

[103] Alterman, *When Presidents Lie*, 76, 133–4, 183.

[104] Rêgo e Barbosa, *Construção da ignorância*, 154, 156.

14 FUTUROS INCERTOS

[1] Robert Merton, 'The Unanticipated Consequences of Purposive Social Action', *American Sociological Review* 1 (1936), 894–904; Raymond Boudon, *Effets pervers et ordre social* (Paris, 1977); Albert Hirschman, *The Rhetoric of Reaction: Perversity, Futility, Jeopardy* (Cambridge MA, 1991); Matthias Gross, 'Sociologists of the Unexpected: Edward A. Ross and Georg Simmel on the Unintended Consequences of Modernity', *American Sociologist* 34 (2003), 40–58.

[2] Alexis de Tocqueville, *The Ancien Régime and the French Revolution* (1856: trad. inglês, Cambridge, 2011), 157.

[3] Georges Minois, *Histoire de l'Avenir* (Paris, 1996); Martin van Creveld, *Seeing into the Future: A Short History of Prediction* (Londres, 2020).

[4] José M. González García, *La Diosa Fortuna: Metamorphosis de una metáfora política* (Madri, 2006).

[5] Arndt Brendecke e Peter Vogt (eds.), *The End of Fortuna and the Rise of Modernity* (Berlim, 2017), 6; Ian Hacking, *The Taming of Chance* (Cambridge, 1990).

[6] José M. González García, 'El regreso de la diosa de Fortuna en la "sociedad del riesgo"', *Contrastes* 2 (1997), 129–43, uma reflexão acerca de um tema proposto por Ulrich Beck.

[7] Peter L. Bernstein, *Against the Gods: The Remarkable Story of Risk* (Nova York, 1998), 197. Cf. Ulrich Beck, *Risk Society: Towards a New Modernity* (1986: trad. inglês, Londres, 1992); Stefan Böschen, Michael Schneider e Anton Lerf (eds.), *Handeln trotz Nichtwissen: Vom Umgang mit Chaos und Risiko in Politik, Industrie und Wissenschaft* (Frankfurt, 2004); Bostrom, 'Existential Risks'.

[8] Alberto e Branislava Tenenti, *Il prezzo del rischio: l'assicurazione mediterranea vista da Ragusa, 1563–1591* (Roma, 1985); Adrian Leonard (ed.), *Marine Insurance: Origins and Institutions, 1300–1850* (Basingstoke, 2016); Karin Lurvink, 'The

Insurance of Mass Murder: The Development of Slave Life Insurance Policies of Dutch Private Slave Ships, 1720–1780' (2019), doi:10.1017/eso.2019.33.

[9] Peter Koch, *Pioniere der Versicherungsgedanken, 1550–1850* (Wiesbaden, 1968); Robin Pearson, *Insuring the Industrial Revolution: Fire Insurance in Great Britain, 1700–1850* (Aldershot, 2004).

[10] Ian Hacking, *The Emergence of Probability* (Cambridge, 1975), 114–21; Lorraine Daston, *Classical Probability in the Enlightenment* (Princeton NJ, 1988), 27.

[11] Geoffrey Clark, *Betting on Lives: The Culture of Life Insurance in England, 1695–1775* (Manchester, 1999), 7, 49–53.

[12] Hacking, *Emergence of Probability*; Hacking, *The Taming of Chance* (Cambridge, 1990); Daston, *Classical Probability*.

[13] Clark, *Betting on Lives*; Timothy Alborn e Sharon Ann Murphy (eds.), *Anglo-American Life Insurance, 1800–1914*, 3 vols (Londres, 2013).

[14] Holger Hoffman-Riem e Brian Wynne, 'In Risk Assessment One Has to Admit Ignorance', *Nature* 416, 14 de março de 2002, 123.

[15] Nassim N. Taleb, *The Black Swan: The Impact of the Highly Improbable* (2008: ed. revisada Londres 2010); John Kay e Mervyn King, *Radical Uncertainty: Decision-making for an Unknowable Future* (Londres, 2020). Kay e King foram inspirados por Frank Knight, cujo livro *Risk, Uncertainty and Profit* foi publicado em 1921.

[16] Beck, *Risk Society*, 21.

[17] Beck, *Risk Society*, 22; González García, 'El regreso'.

[18] Mary Douglas e Aaron Wildavsky, *Risk and Culture: An Essay on the Selection of Technical and Environmental Dangers* (Berkeley CA, 1982), 6–7, 9.

[19] Julius Ruff, *Violence in Early Modern Europe* (Cambridge, 2001).

[20] Ulrich Beck, *World at Risk* (1999: trad. inglês, Cambridge, 2009), 132. Richard Ericson e Aaron Doyle chamaram a atenção para a adaptabilidade da indústria de seguros com relação a esses novos riscos em 'Catastrophe Risk, Insurance and Terrorism', *Economy and Society* 33 (2004), 135–73.

[21] Beck, *World at Risk*, 10–11, 115, 119. Cf. Böschen, Schneider e Lerf, *Handeln trotz Nichtwissen*.

[22] Jamie Pietruska, *Looking Forward: Prediction and Uncertainty in Modern America* (Chicago IL, 2017); Fabien Locher, *Le savant et la tempête: étudier l'atmosphère et prévoir le temps au XIXe siècle* (Paris, 2008).

[23] Rolf Schwendter, *Zur Geschichte der Zukunft: Zukunftsforschung und Sozialismus* (Frankfurt, 1982); Lucian Hölscher, *Die Entdeckung der Zukunft* (Frankfurt, 1999), 122–6; Hölscher (ed.), *Die Zukunft des 20. Jahrhunderts* (Frankfurt, 2017).

[24] Thomas Fingar, *Reducing Uncertainty: Intelligence Analysis and National Security* (Stanford CA, 2011), 1.

[25] Robert Jungk, *Tomorrow is Already Here* (1952: trad. inglês, Londres, 1954). Jungk se arrependeu das tendências que previu.

[26] Taleb, *The Black Swan*.

27 Firestein, *Ignorance*, 48.

28 Edgar Morin, 'Vivre, c'est naviguer dans un mer d'incertitude', *Le Monde*, 6 de abril de 2020.

29 Ord, *The Precipice*, 37.

30 Philip E. Tetlock, *Expert Political Judgement: How Good is It?* (Princeton NJ, 2005).

31 Thomas C. Schelling, *The Strategy of Conflict* (Cambridge MA, 1960).

32 Saul Friedländer, 'Forecasting in International Relations', em Bertrand de Jouvenel (ed.), *Futuribles*, vol. 2 (Genebra, 1965), 1–111, nas 2, 54. Cf. Robert Jervis, *Perception and Misperception in International Politics* (Princeton NJ, 1976), 205.

33 Fingar, *Reducing Uncertainty*, 95–106.

34 Friedländer, 'Forecasting', 10–11, 21–3, 28, 41, 101.

35 Philip E. Tetlock com Dan Gardner, *Super-forecasting: The Art and Science of Prediction* (Nova York, 2015).

36 Kay e King, *Radical Uncertainty*, xiv–xv.

37 Frank Knight, *Risk, Uncertainty and Profit* (Nova York, 1921). Cf. Kay e King, *Radical Uncertainty*, 15, 72–4.

38 John Maynard Keynes, 'The General Theory', *Quarterly Journal of Economics* 51 (1937), 209–33.

39 John Maynard Keynes, *The General Theory of Employment, Interest and Money* (Londres, 1936), citado em Gerald P. O'Driscoll Jr e Mario J. Rizzo, *The Economics of Time and Ignorance* (1985: 2. ed. Londres, 1996), 1.

40 George Shackle, *Expectation in Economics* (Cambridge, 1949). Cf. J. L. Ford, 'Shackle's Theory of Decision-Making under Uncertainty', em Stephen Frowen (ed.), *Unknowledge and Choice in Economics* (Basingstoke, 1990), 20–45, e Taleb, *The Black Swan*. Cf. Jerome Ravetz, 'Economics as an Elite Folk Science: The Suppression of Uncertainty', *Journal of Post-Keynsian Economics* 17 (1994–5), 165–84, especialmente 172ff.

41 Sarah Cole, *Inventing Tomorrow: H. G. Wells and the Twentieth Century* (Nova York, 2019).

42 Brian J. Loasby, 'The Use of Scenarios in Business Planning', em Frowen, *Unknowledge*, 46–63.

43 Jouvenel, *Futuribles*; Jean Fourastié, *Prévision, futurologie, prospective* (Paris, 1974).

44 Elke Seefried, *Zukünfte: Aufstieg und Krise der Zukunftsforschung 1945–1980* (Berlim, 2015).

45 Björn Wittrock, 'Sweden's Secretariat', *Futures* 9 (1977), 351–7; Fingar, *Reducing Uncertainty*, 54–8.

46 Daniel Bell, *The Coming of Post-Industrial Society: A Venture in Social Forecasting* (Nova York, 1973).

⁴⁷ Dennis Gabor, *Inventing the Future* (Londres, 1963); Jonathan Keats, *You Belong to the Universe: Buckminster Fuller and the Future* (Nova York, 2016). O termo "Dymaxion" usado por Fuller é uma contração de "*dynamic maximum tension*", ou "tensão máxima dinâmica".

⁴⁸ Bostrom, 'Existential Risks'; Legg citado em Ord, *The Precipice*, 367.

⁴⁹ Brita Schwarz, Uno Svedin e Björn Wittrock, *Methods in Futures Studies* (Boulder CO, 1982).

⁵⁰ Andrei Amalrik, *Will the Soviet Union Survive Until 1984?* (Nova York, 1970).

⁵¹ Herman Kahn, *The Emerging Japanese Superstate* (Englewood Cliffs NJ, 1970).

⁵² 'How to Learn from the Turkey', em Taleb, *The Black Swan*, 40–42.

15 IGNORANDO O PASSADO

¹ Peter Burke, entrevista com E. H. Gombrich, *The Listener* 90 (27 de dezembro de 1973), 881–3, https://gombricharchive.files.wordpress.com/2011/04/showdoc19.pdf.

² Eugenio de Ochoa (ed.), *Epistolario español* (Madri, 1856), 237; William Nelson, *Fact or Fiction: The Dilemma of the Renaissance Storyteller* (Cambridge MA, 1973), 35–6; Augustin Redondo, *Antonio de Guevara et l'Espagne de son temps* (Genebra, 1976), 558.

³ Philip Sidney, *Defence of Poetry*, ed. Jan van Dorsten (Oxford, 1973), 83.

⁴ René Descartes, *Discours de la méthode*, em suas *Oeuvres philosophiques*, ed. Ferdinand Alquié (Paris, 1963), 574.

⁵ Meta Scheele, *Wissen und Glaube in der Geschichtswissenschaft* (Heidelberg, 1930); Carlo Borghero, *La certezza e la storia: cartesianesimo, pirronismo e conoscenza storica* (Milão, 1983); Peter Burke, 'Two Crises of Historical Consciousness', *Storia della Storiografia* 33 (1998), 3–16.

⁶ La Mothe Le Vayer, *Du peu de certitude*; cf. Vittorio I. Comparato, 'La Mothe dalla critica storica al pirronismo', em *Ricerche sulla letteratura libertina*, ed. Tullio Gregory (Florença, 1981), 259–80.

⁷ Pierre Bayle, *Oeuvres Diverses* (Paris, 1737), 510; Bayle, *Critique générale de l'histoire du Calvinisme de M. de Maimbourg*, ('Villefranche', 1683), 13–18, 28–9.

⁸ Voltaire, *Le pyrrhonisme de l'histoire* (Paris, 1769), 54.

⁹ Jean Hardouin, *Prolegomena* (Amsterdã, 1729); cf. Jean Sgard, 'Et si les anciens étaient modernes... le système du P. Hardouin', em *D'un siècle à l'autre: anciens et modernes*, ed. L. Godard (Marselha, 1987), 209–20; Anthony Grafton, 'Jean Hardouin: The Antiquary as Pariah', *Journal of the Warburg and Courtauld Institutes* 62 (1999), 241–67.

¹⁰ Michele Sartori, 'L'incertitude dei primi seculi di Roma: il metodo storico nella prima metà del '700', *Clio* 18 (1982), 7–35.

¹¹ Borghero, *La certezza*.

¹² Burke, 'Two Crises', 3–16. Essa parte do texto tomou emprestadas algumas sentenças desse artigo.

13 Cobb, *Police and People*, 81.
14 Jim Sharpe, 'History from Below', em Burke, *New Perspectives*, 24–41. Clássicos nessa área incluem Eric Hobsbawm, *Primitive Rebels* (Manchester, 1959), Edward Thompson, *The Making of the English Working Class* (Londres, 1963) e Hufton, *Prospect Before Her*.
15 Stephen Moss, '1066 and All That: 20 Questions to Test Your History Knowledge', *Guardian*, 17 de abril de 2015, www.theguardian.com.
16 Joseph Carroll, 'Teens' Knowledge of World History Slipping', news.gallup.com, 5 de março de 2002.
17 James W. Loewen, *Lies My Teacher Told Me: Everything Your American History Textbook Got Wrong* (Nova York, 1995), 30, 135. Cf. Frances Fitzgerald, *America Revised* (Nova York, 1979).
18 Galbraith, *Crash*, 10–11, 29.
19 Ghosh, *Famines in Bengal*, prefácio.
20 Beevor, *Stalingrad*, 13, 32; David Stahel, *Operation Barbarossa and Germany's Defeat in the East* (Cambridge, 2009), 449n; Hoepner falou isso para sua esposa, conforme citado em Stahel, *Retreat from Moscow*, 84.
21 Beevor, *Stalingrad*, 14, 31, 76.
22 Clausewitz, *On War*, 258.
23 Allen F. Chew, *Fighting the Russians in Winter* (Fort Leavenworth KS, 1981), vii.
24 Adam Zamoyski, *1812: Napoleon's Fatal March on Moscow* (Londres, 2004), 351–2.
25 Zamoyski, *1812*, 391.
26 Zamoyski, *1812*, 393, 447; Cf. Dominic Lieven, *Russia Against Napoleon* (2010).
27 Chew, *Fighting the Russians*, 38.
28 Beevor, *Stpassimalingrad*, ao longo do texto; Chew, *Fighting the Russians*, 31–41; Stahel, *Retreat from Moscow*, 315–17.
29 Citação do diário de Goebbels por Stahel, *Retreat from Moscow*, 186.
30 Chew, *Fighting the Russians*, 17.
31 Martin Windrow, *The French IndoChina War 1946–54* (Londres, 1998).
32 Tuchman, *March of Folly*, 287.
33 Gibson, *Perfect War*, 18.
34 M. Hassan Kakar, *Afghanistan: The Soviet Invasion and the Afghan Response* (Berkeley CA, 1995); Rodric Braithwaite, *Afgantsy: The Russians in Afghanistan, 1979–1989* (Londres, 2011).
35 Andrei Snesarev, citado em Braithwaite, *Afgantsy*, 7–9.
36 Braithwaite, *Afgantsy*, 109.
37 Braithwaite, *Afgantsy*, 127–9.

38 Dalrymple, *Return of a King*, 489–92.
39 Citado em Jervis, *Perception and Misperception*, 218.
40 Yuen Foong Khong, *Analogies at War: Korea, Munich, Dien Bien Phu and the Vietnam Decisions of 1965* (Princeton NJ, 1992), 3, 5, 61–2.
41 Citado em Alterman, *When Presidents Lie*, 174.
42 Jervis, *Perception and Misperception*, 218, 220.

CONCLUSÃO: O NOVO CONHECIMENTO E A NOVA IGNORÂNCIA

1 Morgan, 'The Making of Geographical Ignorance?', 23.
2 Phoebe Weston no *Observer*, 29 de agosto de 2021, 29.
3 Snow, *The Two Cultures*.
4 O camponês e soldado Martin Guerre, do século XVI, foi tema de um filme exibido pela primeira vez em 1982 e de um estudo da historiadora norte-americana Natalie Davis, *The Return of Martin Guerre* (Cambridge MA, 1983).
5 Hayek, 'Coping with Ignorance'. Cf. Lukasiewicz, 'Ignorance Explosion', 159–63.
6 Miriam Solomon, 'Agnotology, Hermeneutical Injustice and Scientific Pluralism', em Kourany e Carrier, *Science*, 145–60, na 157.
7 Lewis, *English Literature*, 31.
8 Ann Blair, *Too Much to Know* (New Haven CT, 2010).

Este livro foi composto com tipografia Adobe Garamond Pro e impresso em papel Off-White 70g/m² na Formato Artes Gráficas.